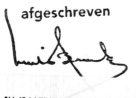

afgeschreven

VOGEL
Kerry Drewery
ZONDER VLEUGELS

Callenbach

© Uitgeverij Callenbach – Utrecht, 2013
www.uitgeverijcallenbach.nl

Eerder uitgegeven door Harper Collins onder de titel *A dream of lights*
© tekst Kerry Drewery
Vertaling Mieke Prins
Omslagontwerp Lenaleen, Bilthoven
Foto omslag Myung Beekman
Opmaak binnenwerk ZetSpiegel, Best
ISBN 978 90 266 0748 6
ISBN e-book 978 90 266 0749 3
NUR 285

Hoofdstuk 1

Het begint met iets heel simpels.

Een droom.

Over een stad zoals ik nog nooit gezien heb, een stad die ik met geen mogelijkheid zou kunnen verzinnen. Het is avond en ik zwerf door de straten van de stad, gefascineerd door de witte koplampen van auto's die langs me vloeien en rode sporen achterlaten, meer auto's dan ik ooit voor mogelijk had gehouden. Rijen en rijen auto's die langs me heen schieten, die zich alle kanten op haasten en in de verte vervagen op weg naar hun bestemming, naar ergens.

Een droom zo helder als kristal.

Waarin ik mijn hoofd achteroverbuig en omhoogkijk, de gebouwen volgend die zich eindeloos in de nachtelijke hemel uitstrekken, met ramen die oranje en geel en wit verlicht zijn. Een ander gebouw naast me met jaloezieën, half dichtgetrokken gordijnen en ramen opgevrolijkt met bloemen in vazen, en foto's in lijstjes, en potten met planten in het raamkozijn.

Om mij heen wordt het rood verdrongen door het groen van de straatborden die wijzen waar ik naartoe moet; roze en blauw vechten om voorrang op de winkelpuien; flikkerende neonletters en afbeeldingen maken reclame voor bioscopen en hotelkamers en eten.

Een droom die zo levensecht is dat ik, terwijl ik door de smalle straatjes slenter, de geuren opsnuif die naar buiten komen waaien uit de afhaalrestaurants en eettentjes, de zoete smaak op mijn tong proef zonder dat ik weet van welk gerecht het is, en mijn handen de stoom voelen die omhoogstijgt uit de pannen en de ovens en de warmhoudplaten, en die op mijn huid condenseert tot vochtdruppels.

Ik hoor de muziek die uit de cafés naar buiten schalt, woorden die ik niet versta, ritmes die in mijn borst dreunen; ik zie mensen dansen in kleding in allerlei stijlen en kleuren; en ik voel de vreugde die van hun gezicht afstraalt.

Het is betoverend.

En dan word ik wakker.

Ik word midden in onze barre winter wakker; zo donker dat ik nauwelijks een hand voor ogen zie; zo koud dat de rijp op mijn haar ligt.

Ik wist niet dat gebouwen zo hoog konden zijn zonder om te vallen, of dat er zo veel auto's op één weg pasten zonder tegen elkaar op te botsen, of dat muziek zo levendig kon klinken, of dat kleren zo fleurig konden zijn, of dat het eten dat in winkels wordt verkocht zo lekker kon ruiken. Het was zo echt dat ik haast verwacht het vocht nog op mijn vingers te voelen en de smaak op mijn tong te proeven. Maar er is niets.

Ik ben zestien en heb nog nooit toestemming van de regering gekregen ons dorp te verlaten. Weet niet, heb nooit gezien wat er aan de andere kant van de heuvels en de velden ligt, of waar de weg uitkomt die langs ons huis loopt, de weg waar misschien drie auto's overheen zijn gekomen sinds ik oud genoeg ben om te weten wat een auto is.

Misschien verderop, denk ik, in andere dorpen, daar zijn misschien mensen die elektriciteit hebben om 's nachts hun huizen en straten te verlichten. Misschien hebben zij genoeg hout of kolen om het vuur 's winters aan te houden, om te voorkomen dat de bloemen op de ruiten staan, om hun gezin warm te houden zodat ze 's morgens niet wakker worden met blauwe lippen en stijve botten. Misschien zijn er zulk soort plekken ergens hier in Noord-Korea. Misschien onze hoofdstad, Pyongyang. Misschien is dat de stad waarover ik droomde.

Ik zucht. *Misschien is het een visioen dat onze Geliefde Leider, Kim Jong-il, in mijn hoofd heeft gestopt. Omdat Hij wilde dat ik het zag.*

Op het matje naast me hoor ik mijn vaders dekens bewegen. 'Weer een boze droom, Yoora?' Ik hoor hem een geeuw onderdrukken.

Ik draai me naar hem toe. 'Een heel vreemde,' antwoord ik, en ik beschrijf wat ik heb gezien, voor zover ik er woorden voor kan vinden, aangezien zo veel van wat ik gezien heb, nieuw voor me is.

'Denk je dat het echt is?' fluister ik.

Een ogenblik lang is het stil. Ik luister hoe zijn ademhaling vertraagt en de hoest in zijn keel blijft steken, en ik zie een heel klein beetje licht in zijn ogen reflecteren als hij mijn kant op schuift. Ik voel zijn warme adem langs mijn gezicht strijken. 'Ja,' fluistert hij in mijn oor. 'Ja, het is echt.'

'Waar? Verder naar het zuiden?'

Hij neemt mijn hand in de zijne en legt die tegen zijn gezicht, en ik voel hem zachtjes knikken.

'Onze hoofdstad? Pyongyang?' vraag ik, terwijl verbazing en opwinding zich van me meester maken. 'Denk je, denk je dat we misschien, misschien als we hard genoeg werken, toestemming krijgen om daarheen te gaan?'

Hij zwijgt weer en ik voel dat hij zich naar mijn moeder toe draait en daarna weer naar mij. Ik luister naar zijn ademhaling terwijl ik wacht.

En wacht.

De seconden lijken zich aaneen te rijgen tot minuten, tot uren.

'Vader?' fluister ik.

'Nee, Yoora. Vergeet je droom, vergeet wat ik gezegd heb.'

'Wat?' Ik strek mijn hand weer naar zijn gezicht en ik voel mijn vingertoppen nat worden.

'Nee.' Hij trekt mijn hand weg en ik hoor het ritselende geluid van zijn hoofd dat heen en weer beweegt op het kussen. 'Probeer wat te slapen.'

'Maar…'

'Ik zei nee.' Zijn stem is vastberaden en zo luid als hij durft. Hij wil mijn moeder niet wakker maken.

Ik staar in het duister en begrijp niet wat er zojuist is gebeurd. Ik zoek naar die schittering van licht in zijn ogen. Ik ben boos op hem en gefrustreerd. Ik wil rechtop gaan zitten en tegen hem in gaan, erop staan dat hij me vertelt waar die plek is, of hij echt bestaat.

Ik strek mijn hand uit om hem aan te raken, om te zorgen dat hij zich weer naar me toe draait, maar ik stop en denk aan mijn moeder die naast hem ligt. *Waarom keek hij naar haar? Omdat hij haar niet wakker wilde maken?*

Ik trek de deken omhoog tot aan mijn kin. Ik wacht wel, denk ik bij mezelf.

En ik doe mijn ogen weer dicht en roep opnieuw de beelden op, van de mensen die ik heb gezien, het eten dat ik heb geroken en de muziek die ik heb gehoord. Ik hoop dat ze echt zijn, ergens hier in mijn land, de beste plek van de hele wereld.

'Het was een prachtige plek,' fluister ik door de duisternis. 'Ik hoop dat we daar op een dag naartoe kunnen. Samen.'

Ik krijg geen antwoord.

Hoofdstuk 2

Als ik de volgende ochtend wakker word, verbaas ik me niet over het schouwspel dat mijn verbeelding heeft opgeroepen. Ik voel alleen honger, mijn maag rammelt en mijn botten doen pijn en kraken van de kou.

Ik herinner me de geuren van het eten.

Mijn lichaam rilt van de kou. Ik trek mijn kleren onder de dekens aan. Ik sta op en loop van de achterkamer naar de andere kamer, die gebruikt wordt voor zo ongeveer alles: 's nachts als slaapkamer voor mijn grootouders, overdag als keuken, eet- en woonkamer. Ik wrijf met mijn handen over mijn lichaam in een poging warm te worden.

Er flitst een beeld voorbij van hoge gebouwen die eruitzien als huizen, behaaglijk, warm en uitnodigend.

Ik ga bij het vuur staan dat mijn vader heeft aangemaakt, maar hoewel de gaten en spleten in de vloerplanken niet kunnen voorkomen dat een beetje warmte zich over de vloer verspreidt, is de lucht erboven zo koud dat mijn adem wolkjes vormt.

Ik ga aan tafel zitten met mijn ouders en grootouders, en zoals altijd bedanken we onze Geliefde Leider en Zijn vader, onze Grote Leider, dat ze voor ons ontbijt gezorgd hebben, onze maïspap. En terwijl we eten, galmt een stem uit de speaker in de hoek van de kamer en vertelt ons wat een geluk we hebben dat Hij voor ons eten heeft gezorgd, dat we boffen dat we in Noord-Korea wonen, het land waar het zo veel beter toeven is dan elders op de wereld.

'Onze militaire kracht is de trots van onze natie,' zegt de stem. 'Onze boeren staan vol trots hun oogst aan de regering af om onze soldaten te voeden en te zorgen dat ze sterk genoeg zijn om tegen onze onderdrukkers te strijden.'

Ik kijk op en schrik als ik zie dat mijn vader zijn handen tegen zijn oren houdt.

'Wat doe je?' vraag ik hem. 'Je moet luisteren.'

'Ik heb hoofdpijn, Yoora. Hij staat te hard.'

'Maar dat is om het goed te kunnen horen. Daarom zit er geen volumeknop op. Of een aan-en-uitknop. Zodat je niets mist.'

Ik hoor dat hij een zware en lange zucht slaakt, en ik hoor hem binnensmonds mompelen: 'Wat hebben we gecreëerd?' Maar ik begrijp zijn woorden niet. Nog niet.

Ik zie hem zijn handen weghalen en even, heel even, kijkt hij me recht aan. Ik weet niet wat ik in zijn ogen zie. Is het angst? Bezorgdheid? Probeert hij me te waarschuwen? Misschien is het niets, alleen mijn verbeelding die me parten speelt.

Hij wendt zich af.

Het is zondag, een dag voor vrijwilligerswerk, onze patriottische plicht. Ik stap naar buiten, de koude wintermorgen in. Een dikke mist onttrekt de velden aan het zicht, alleen de donkere geraamtes van bomen proberen erbovenuit te komen.

Stilte en rust liggen als een deken over alles heen. Ik hoor alleen mijn voetstappen op het modderige pad, de lucht die ik opzuig en het piepen van de emmer die heen en weer slingert in mijn hand. Ik passeer groepjes huizen die hetzelfde zijn als het onze: bungalows met twee kamers, die in rijen van tien tegen elkaar staan onder één lang dak. Elke rij lijkt net een gigantische harmonica en alle huizen staan kaarsrecht in het gelid.

Ik loop verder over het pad. Aan weerskanten doemen de rode en gele vlaggetjes op uit de mist. Die bakenen onze velden af. Er verschijnen ook mensen, mannen en vrouwen, meisjes en jongens, sommige ouder dan ik, andere jonger, allemaal op weg naar hun taak voor die dag.

De mijne is aan de hoofdweg, die uit het dorp leidt; die taak vervul ik al twee maanden. Ik veeg de goten, ik maak het wegdek schoon, ik wied het onkruid in de bermen en spit de aarde om. Over een lengte van meer dan drie kilometer. Aan beide kanten. En als ik klaar ben, begin ik van voren af aan.

Mijn stuk is het schoonst. En tijdens het werken stel ik me vaak het gezicht van onze Geliefde Leider voor, dat op me neerkijkt en naar me glimlacht; Zijn handen en Zijn Vaderlijke Liefde beschermen me.

Maar vandaag is er iets veranderd. Iets ongrijpbaars, een vraag die niet eens gesteld is, een schaduw in mijn gedachten, die verdwijnt zodra ik ernaar probeer te kijken, want er klopt iets niet. Ik stop met werken, ga met mijn benen over elkaar op de grond zitten en sluit mijn ogen.

Ik zie dat eten weer voor me, in dozen en bakjes en papieren wikkels, en ik zie de mensen eten onder het lopen... En ik zie die auto's weer: glimmend blauw en zilverkleurig en zelfs oranje... 'Het is echt,' hoor ik mijn vader weer zeggen... En ik zie de lichten weer... en de felgekleurde kleding... en de mensen... ze lachen... en ik hoor muziek... *boem boem boem.*

Nee, dat is geen muziek.

Ik doe mijn ogen open. Daar komt onze groepsleider naar me toe gelopen, zijn laarzen klinken als getrommel op het wegdek.

'Het spijt me,' mompel ik en grijp snel mijn emmer. Maar zijn hand slaat al tegen mijn gezicht en ik val op de grond; mijn hoofd tolt en ik proef bloed in mijn mond.

Hij kijkt met lege ogen op me neer. 'Is dat jouw manier om je land terug te betalen voor de vriendelijkheid die het je betoond heeft? Denk je dat onze Geliefde Leider blij wordt als hij ziet hoe je je tijd verdoet met dagdromen? Je bent lui! Als je niet de hele dag werkt, heb je ook geen rantsoen voor een hele dag nodig!'

Ik spring overeind, buig mijn hoofd naar beneden en begin als een razende onkruid uit de grond te trekken en losse stenen op te ruimen, boos, en teleurgesteld in mezelf.

Toch klinken nog steeds die woorden van mijn vader in mijn hoofd en ik werp tersluiks een blik op de weg, naar links en naar rechts. Er zijn geen auto's. Niet één. Hoe kan die plek echt bestaan?

Die avond in de keuken, na twaalf uur hard werken, pak ik een witte doek uit de la en buig diep voor de enige twee foto's die aan de muur in ons huis mogen hangen: onze Geliefde Leider en onze Grote Leider. En terwijl ik hun ronde, lachende gezichten, met hun rode wangen en glimmende ogen, afstof, stamel ik mijn veront-schuldigingen en vraag hun om vergeving.

'Je moeder zei dat je vandaag problemen had.'

Ik draai me om en zie dat mijn vader naast me staat; zijn blik glijdt over de blauwe plek op mijn wang.

Ik knik. 'Ik zat te dagdromen.' Ik vouw de stofdoek op en haal hem over de bovenkant van de fotolijst.

'Waarover?' vraagt hij.

Ik strijk met de doek langs de rand en de onderkant van de lijst, maar ik zeg niets. Ik haal alleen mijn schouders op.

'Vergeet het,' fluistert hij. 'Het brengt alleen maar ellende.' En voordat ik een woord terug kan zeggen, loopt hij weg.

Ik hoor dat hij zijn jas aantrekt, zijn schoenen vastmaakt en naar zijn handschoenen zoekt. Ik wrijf met de stofdoek over het glas, en nog eens en nog eens, van boven naar beneden en in rondjes.

'Ik ga op zoek naar brandhout,' hoor ik hem tegen mijn moeder zeggen.

Ik wacht tot de deur dicht is. Dan draai ik me om en glimlach naar haar. 'Ik ga hem helpen,' zeg ik.

Er is maar één plaats waarnaar mijn vader op weg kan zijn, de enige plek waar je in deze tijd van het jaar droog hout kunt vinden, en dus ik stap naar buiten, loop rond het huis en steek een veld over naar een klein bos met dicht kreupelhout. In de verte zie ik een lichtpuntje van zijn lamp dat in en uit mijn zicht zwaait.

De koude lucht brandt in mijn longen, en mijn voeten en enkels wankelen en wiebelen op de bevroren grond terwijl ik voortstap. Maar tegen de tijd dat hij het kreupelbosje bereikt, ben ik bij hem. Ik strek mijn hand uit door de duisternis en raak zijn schouder aan.

'Vader,' zeg ik.

Hij schrikt en draait zich om. 'Yoora, wat doe je hier?' Het lamp-licht beschijnt zijn gezicht van de onderkant, en heel even deins ik achteruit als ik het spookachtige, vreemde gezicht zie dat me aan-staart.

'Ik... kom je helpen.'

Hij kijkt me aan, zijn ademhaling zwaar, zijn gezicht onbeweeglijk. 'Houd deze vast,' zegt hij, en geeft me de lamp aan.

Ik loop vlak achter hem en houd de lamp boven de grond terwijl hij twijgjes en takken opraapt. Ik wacht het juiste moment af. Hij reikt omhoog en trekt met zijn hand een stevige tak naar beneden; het lamplicht valt over zijn gezicht.

Nú, denk ik bij mezelf.

'Bestaat hij echt, vader, die plaats in mijn droom?'

Zijn hele lichaam verstijft en dan draait hij mijn kant op. Zijn gezicht staat boos. Hij begint weer aan de boomtak te trekken. 'Ben je me daarom hierheen gevolgd? Om me dat te vragen?'

'Nee,' lieg ik.

De tak breekt af en mijn vader zet een stap mijn kant op. Als hij voor me staat, tornt hij boven me uit. 'Ik heb gezegd dat je het moet vergeten. Er valt niets te vertellen. Het was een droom.' Hij draait zich weer om.

Ik loop hem hoofdschuddend achterna. 'Dat klopt niet. Er is iets wat je me niet vertelt...'

Hij draait zich met een ruk om, zijn gezicht vlak bij het mijne, zijn vinger naar me uitgestoken. 'Ik heb gezegd, kind, dat je het moet vergeten!' Heel even krimp ik in elkaar, bang voor hem. Dan neem ik een hap lucht en kijk hem aan.

'Ik heb er een hekel aan als je me "kind" noemt,' spuw ik hem toe.

'Je gedraagt je als kind.'

'Jij behandelt me als een kind. Waarom vertrouw je me niet? Waarom vertel je me de waarheid niet? Wat houd je voor me verborgen? Ik ben oud genoeg om het te weten!'

Hij staart me aan en zijn lippen worden een streep, zijn borst rijst en daalt met zijn ademhaling.

'Je zou me niet geloven,' sist hij.

Ik beweeg me niet, ga er niet tegen in, zeg geen woord. Ik wacht gewoon. Dan zie ik zijn gezicht ontspannen en zijn schouders naar beneden zakken, waarna hij zijn hoofd laat hangen en zijn ogen sluit.

'Oké,' fluistert hij, en hij tilt zijn hoofd op om me aan te kijken. 'Maar je moet me beloven dat je het niet doorvertelt. Tegen niemand. En dat je zult luisteren, echt luisteren, naar wat ik heb te zeggen.'

Ik knik. 'Beloofd,' fluister ik. Mijn huid tintelt en mijn longen voelen heet, en het zweet staat in mijn handen van pure opwinding en verwachting.

'Jouw droom,' fluistert hij met een zucht, 'die plaats die je in je verbeelding zag, die is echt, die bestaat.'

Ik staar hem met open mond aan. 'Het is Pyongyang zeker? Ik denk, vader, ik denk dat, weet je, als ik echt heel hard werk, dat Hij me misschien daarnaartoe laat gaan, denk je niet? Als ik echt mijn best doe? Als we dat allemaal doen, laat Hij ons vast samen gaan. Vandaag was een foutje, ik deed het verkeerd, ik had niet mogen dagdromen. Maar…'

Hij brengt een vinger naar mijn mond om me tot zwijgen te brengen. 'Luister,' zegt hij, 'als je wilt dat ik je alles vertel, houd dan even je mond.'

Ik knik opnieuw.

'Die plaats bestaat en hij ziet er precíes uit zoals jij hem beschreef. Er is genoeg eten voor iedereen, en er zijn medicijnen als je ziek wordt. Er zijn huizen en appartementen met badkamers waar je je kunt wassen en naar de wc kunt. Er is verwarming die je met een knopje aanzet en dan worden de kamers warmer.' Hij gaat zachter praten. 'En er zijn winkels waar je spullen kunt kopen.'

Ik kijk hem aan en ineens voelt alles heel serieus.

'Kleding. En muziek, in allerlei soorten. En ze hebben televisies met programma's en kanalen waaruit je kunt kiezen. En er zijn boeken met verhalen over verschillende landen en hun gekozen leiders.'

'Wij hebben onze leider ook gekozen,' fluister ik.

Hij knikt. 'Maar in andere landen,' zegt hij langzaam en voorzichtig, 'staat er meer dan één naam op het stembiljet. Ze kunnen tussen verschillende mensen kiezen.' Zijn ogen boren zich in de mijne. 'Op een dag breng ik je daarnaartoe. Ik hoop dat je daar kunt wonen. Dat je daar een toekomst hebt. Gelukkig bent… maar…'

Zijn stem sterft weg en ik zie dat hij de lamp optilt en de duisternis om ons heen afspeurt. Dan haalt hij een hand over zijn gezicht en zet een stap mijn kant op.

'Begrijp je wat ik je vertel, Yoora?'

Ik knik, al weet ik het niet zeker. Ik denk dat ik het begrijp, maar ik weet niet of dit is wat ik wilde horen, en ik begrijp niet hoe zo'n plek kan bestaan. Ik weet niet of ik hem moet geloven. Of ik hem moet vertrouwen.

Hij zucht en brengt zijn gezicht nog dichter naar het mijne. Hij kijkt me indringend aan. 'Wat vind je van de dingen hier, Yoora? Van ons land? Wat vind je van onze Geliefde Leider?'

Ik voel mijn lichaam verstarren en mijn rug recht worden.

'Denk je dat hij rechtvaardig is? Voor ons zorgt?'

'Natuurlijk,' antwoord ik zonder na te denken.

'Vind je dat we zo veel honger horen te hebben? Zo veel kou moeten lijden?'

'Waarom vraag je me dat? We hebben hier alles wat we nodig hebben. Hij zorgt voor alles. Het is nergens beter dan hier, zegt Hij... Hij zegt...' Ik staar mijn vader met een wezenloze blik aan en ik citeer de regels die ik mijn hele leven al ken:

We groeien op in het land van de vrijheid.
Alle kleine kameraden marcheren in een rij,
zingen in dit paradijs van vrede.
Vertel me eens, waarom zouden we anderen in deze wereld benijden?

Ik verleg mijn aandacht weer naar hem.

'Vrijheid?' vraagt hij. 'Paradijs? Vind je? Echt, Yoora? Na wat ik je zojuist heb verteld? Na het zien van die stad in je droom?' Hij schudt zijn hoofd. 'Kijk eens goed om je heen. Als dit echt is hoe jij je de vrijheid en het paradijs voorstelt, heb je niet veel verbeeldingskracht.' Zijn stem trilt van ingehouden woede. 'Heb je honger, Yoora? Hij niet hoor, onze Geliefde Leider. Hij laaft zich aan Chinese dolfijnen en Franse poedels, kaviaar en zee-egels.'

Ik ben stomverbaasd over de haat die ik in zijn stem hoor. Ik ben niet in staat te spreken of te bewegen. Ik sta daar gewoon en hoor woorden uit de mond van mijn vader komen waarvan ik nooit gedacht had dat hij ze zou zeggen.

Ik kan geloven dat die plaats echt bestaat. Ik kan geloven dat het in Noord-Korea is. Ik kan geloven dat het ergens is waar alleen de meest hardwerkende en trouwe onderdanen naartoe mogen. Maar meer dan dat kan ik niet geloven. Bij mijn vaders woorden over die stad heb ik vraagtekens geplaatst, maar deze woorden... Bij deze woorden vraag ik me af of hij wel goed bij zijn verstand is.

'Heb je het koud?' vervolgt mijn vader. 'Hij niet. Hij woont in zijn paleis en heeft in elke kamer een open haard, die zijn bedienden voor hem aansteken. Kijk eens hoe mager je bent. En bedenk dan hoe hij eruitziet. Heeft hij ooit een maaltijd overgeslagen? Een week lang alleen maar maïs gegeten? Is hij weleens met een lege maag naar bed gegaan? Nee. Vind je dat eerlijk? Klopt dat? Mag hij zo leven terwijl zijn mensen doodgaan van de honger?'

Ik sla mijn handen voor mijn mond en leg ze daarna tegen mijn oren. Ik loop weg en kom weer terug. Ik kan niet geloven dat hij deze woorden zelfs maar durft te *denken*. Ik wil ze niet horen, wil die gedachten niet toelaten in mijn hoofd, waar ze me bederven met reactionaire leugens, mijn geloof in mijn land op de proef stellen, ons Vaderland. Zijn woorden zijn een misdaad tegen de staat, een belediging van het gezag van onze leider, waarvoor hij gearresteerd kan worden. Waarvoor ik hem zou moeten aangeven. Waarvoor *ik* gearresteerd kan worden als ik dat niet doe.

'Ik had je dit al veel eerder willen vertellen, had je willen vertellen wat ik denk. Echt, dat wilde ik. Grootvader zegt al jaren tegen moeder dat je oud genoeg bent om het te begrijpen en te weten dat je je mond moet houden. Maar hoe moest ik het zeggen? Je zou het allemaal moeten geloven, alsof het waar was, elk woord. Maar als je op school ook maar iets zou vertellen, zouden we allemaal gedood worden, het hele gezin, jij ook.'

Ik druk mijn handen weer tegen mijn oren. 'Nee,' sis ik. 'Nee, ik wil het niet horen. Houd je mond. Houd je mond!'

Hij trekt mijn handen weg. 'Denk aan die plaats uit je droom, denk je eens in hoe anders het daar is dan hier. Die plaats is echt, Yoora, die bestaat.'

Ik sluit mijn ogen zodat ik hem niet kan zien, maar hij houdt mijn polsen stevig vast en ik kan zijn woorden niet tegenhouden. Dus ik begin te zingen, te declameren, alle liederen die ik zo goed ken...

Onze toekomst en hoop liggen in Uw handen.
Het lot van ons volk ligt in Uw handen,
kameraad Kim Jong-il!
Zonder U kunnen wij niet bestaan!

'Yoora, houd daarmee op! Luister naar me!' fluistert vader boos.

Ik ga door met zingen, maar ik kan zijn leugens toch horen.

'Er zijn in de wereld betere plekken dan dit land; niet overal gaan mensen dood van de honger, veel mensen zijn gelukkiger. Voel die razende honger in je maag en de kou die in je gezicht bijt, en denk dan terug aan de laatste keer dat je Kim Jong-il op televisie zag: een grote, dikke, ronde man, met gloednieuwe kleren en een warme bontmuts op zijn hoofd.'

Hij legt zachtjes zijn hand over mijn mond en ik houd op met zingen.

'Je bent mijn dochter, en ik kan de botten in je armen en benen voelen. Ik kan je ribben tellen en mijn handen rond je middel leggen. Maar ik heb geen eten dat ik je kan geven. 's Morgens als jij nog slaapt, kijk ik naar je bleke huid en je blauwe lippen, en ik leg mijn hand op je gezicht en voel hoe koud het is, maar ik heb geen brandstof om je warm te houden. En ik kan geen nieuwe jas of een extra deken voor je kopen, zelfs niet een paar sokken zonder gaten. Daar word ik heel verdrietig van. En dat komt allemaal door die man.'

Ik kijk mijn vader aan. Ik zie zijn ogen glinsteren van de tranen, ik zie de liefde in zijn gezicht, dat bedekt is met vlekken van het maanlicht dat door de bomen wordt gefilterd.

Ontgoocheld.

'Nee,' zeg ik, en ik trek zijn hand van mijn mond en maak me los uit zijn greep. 'Je hebt het bij het verkeerde eind. Het komt door jou. Als je harder zou werken, een betere onderdaan zou zijn, zou Hij ons meer eten geven en bonnen voor kleding. Hij kan er niets aan doen dat er overstromingen kwamen die onze oogsten vernielden.' Ik draai me om en begin terug naar huis te lopen, de lamp slingerend in mijn hand.

'Welke overstromingen?' vraagt vader eisend, terwijl hij me achternaloopt.

'De overstromingen in andere delen van het land. En Hij heeft ons verteld over de Amerikaanse kapitalisten en de Japanse imperialisten, dat het hun schuld is dat we honger hebben en het koud hebben en moe zijn. We hoeven alleen maar te doen wat Hij zegt: twee maaltijden per dag eten in plaats van drie, harder werken, meer uren maken, betere onderdanen zijn.'

'Wat weet jij van de Amerikanen of Japanners behalve de leugens die je op school hebt geleerd? Doen wat Hij zegt, wat Hij ons opdraagt, geloven wat Hij je vertelt – dat is alles waaraan je je altijd gehouden hebt. Je kunt er ook niets aan doen. Maar ik probeer je uit te leggen dat het niet klopt, dat het niet waar is.'

Ik stop met lopen en draai me naar hem om. 'Als die plaats echt bestaat, hoe is die dan in mijn hoofd terechtgekomen?'

Hij kijkt me lange tijd aan. Dan, zonder iets te zeggen, schudt hij zijn hoofd.

'Ik zou je aan moeten geven,' sis ik hem toe, en ik ren bij hem vandaan zonder achterom te kijken.

Hoofdstuk 3

Die nacht hoor ik hem de kamer binnenkomen als ik al in bed lig, maar ik draai me niet om en zeg geen welterusten. Met mijn ogen dicht luister ik hoe hij in zijn bed klimt en de dekens over zich heen trekt. De slaap wil niet komen. Ik ben moe en mijn hoofd doet pijn, maar net zoals Kim Jong-ils stem dagelijks ongevraagd door ons huis schalt, zo echoot mijn vaders stem in mijn hoofd. Ik kan hem niet uitzetten, niet zachter zetten en niet negeren.

Mijn lichaam beeft van de kou, mijn maag knort van de honger en de duisternis draait en tolt om me heen, danst voor mijn ogen. En boven mijn vaders schokkende woorden uit klinken keer op keer die van mezelf: hoe durft hij dat zelfs maar te denken van onze Geliefde Leider? Hoe kan hij Hem in twijfel trekken?

En boven alles uit: ik hoor hem aan te geven.

Ik denk terug aan school, aan alle liederen en gedichten, doctrines en rijmpjes die ik uit mijn hoofd heb geleerd, vanaf de kleuterklas tot aan mijn laatste jaar, dingen waarvan ik niet beter weet dan dat ze de waar zijn: onbetwistbaar en heilig.

Trouw en toewijding zijn de voornaamste eigenschappen van een revolutionair.

Wij benijden niemand in deze wereld. Maar hoe zit het met mijn vaders trouw en toewijding? En waarom zou iemand twijfelen aan wat wij naleven? Waarom zou iemand dat niet geloven? En toch is mijn vader zo iemand.

Ik hoor hem eigenlijk aan te geven, denk ik weer bij mezelf. Hij moet heropgevoed worden, weer leren hoe goed onze Geliefde Leider is, hoe hij Hem moet volgen.

En ik herinner me ook alle verhalen die we hebben geleerd over onze Geliefde Leider: dat er een heldere ster aan de hemel verscheen toen Hij werd geboren, en een dubbele regenboog; en dat er een zwaluw uit de hemel neerdaalde die bekendmaakte dat er een generaal was geboren die over de hele wereld zou heersen; dat alleen al Zijn aanwezigheid bloemen kan laten bloeien en sneeuw kan laten smelten; dat toen Zijn bewind over ons land begon, de bomen gingen groeien en er een zeldzame albino zeekomkommer werd gevangen.

Ik denk bij mezelf: hoe bestaat het dat vader die verhalen niet gelooft?

Gedurende een ogenblik, slechts één kort ogenblik, is mijn geest helder, en ik stop.

Ik vertel de verhalen opnieuw aan mezelf, maar deze keer luister ik echt, hoor ik echt wat er gezegd wordt, beter dan ik ooit tevoren. En of het nou komt door de verhalen, door mijn vaders woorden, of door de beelden uit mijn droom, ik sta het kleinste zaadje van iets toe om zich in mijn hoofd te nestelen. Niet van twijfel of ongeloof. Nee. Het lijkt eerder op nieuwsgierigheid of een verlangen om te begrijpen, een voortzetting van iets wat een jaar geleden is begonnen, toen ik Sook heb leren kennen.

Pas later zal ik erachter komen dat dit zaadje voor mij en mijn familie het begin van het einde is.

Hoofdstuk 4

Een jaar eerder

De winters zijn lang en koud, komen snel en vertrekken langzaam. Elk jaar ligt school vier maanden stil, van november tot het begin van het voorjaar. Maar toch zijn onze dagen gevuld: met huiswerk, omdat ik boeken over de jeugd van onze Geliefde Leider uit mijn hoofd moet leren, met quota voor het verzamelen van papier of metaal om te recyclen, of met karweitjes voor mijn ouders, meestal het zoeken naar eten om onze rantsoenen aan te vullen.

Er is weinig tijd om iets anders te doen en weinig anders om te doen.

Deze winter, van het jaar dat we Juche 97 noemen – 97 jaar na de geboorte van onze Grote Leider, Kim Il-sung – is strenger dan zelfs mijn grootvader zich kan herinneren. We worstelen ons door elke dag heen, wachtend tot de lente komt, terwijl we machteloos toekijken hoe de kou slachtoffers maakt, niet alleen onder onze gewassen, maar ook onder onze buren. Te vaak moeten we in de bevroren aarde spitten om onze doden te begraven.

Het kost me vandaag moeite uit bed te komen, het is zó ontzettend koud. Een waterig zonnetje doet zijn best door het ijs te dringen dat zich aan de binnenkant van de ramen heeft gevormd. De kou knaagt aan me, ijzig en vochtig en onbarmhartig. Ik kleed me aan, trek mijn kousen zo hoog mogelijk op en gooi een trui over mijn hoofd. Mijn vader doet ondertussen zijn best het vuur weer aan de praat te krijgen. Ik zie dat zijn lichaam rilt onder alle lagen kleding.

We zijn als eersten op; mijn moeder en grootouders wachten tot er wat warmte de kamers binnenglijdt voordat hun van de kou vertrokken gezichten boven de dekens verschijnen. Niet lang daarna stap ik naar buiten, waar het zo koud is dat de lucht als duizend naaldjes in mijn huid prikt en mijn ogen laat tranen, en ik verlang naar het voorjaar en de zomer die daarop volgt, de warmte van zonlicht op mijn gezicht, groene scheuten in de grond die eten beloven, gekleurde bloembladen die zich openen tot een glimlach.

Ik loop in bijna volkomen stilte door het dorp naar de openbare toiletten. Een metalen emmer zwaait in mijn ene hand, een oude spade en een pikhouweel in de andere, terwijl ik luister naar het geknerp van steentjes onder mijn voeten, het geritsel van de bries in de kale boomtakken en mijn zware ademhaling in mijn oren. Geen vogelgeluiden – het is te koud – en geen ronkende auto's of brommende bussen.

Ik houd van deze rust, de kalmte en de stilte; geen onaangenaam gevoel, alleen ruimte en vrijheid. En ik houd van het landschap, zelfs als de winter de lege, modderige velden met vorst bedekt, als de rijen huizen pluimen rook uit hun schoorstenen blazen, die weg zweven over de boomtoppen, de hemel in.

Het landschap is ruig en niet spectaculair, maar het is mooi en ik voel me er thuis.

Het is maandag, de dag waarop ik altijd nachtdrek verzamel op een tijdstip waarop er nog niemand wakker is. Maar vandaag, als ik de hoek om loop, staat er al iemand anders, zijn benen gespreid over de greppel, zijn lichaam voorovergebogen, met zijn handen aan de bonken bevroren ontlasting te krabben. Ik staar naar hem en verbaas me over hoe groot hij is, hoe vol zijn gezicht is, hoe stevig zijn spieren eruitzien, hoe zijn huid glanst. En als hij naar me opkijkt en glimlacht, valt me op hoe vriendelijk, hoe blij en op zijn gemak hij lijkt te zijn.

De meesten van ons kinderen – nee, *alle* kinderen, maakt niet uit hoe oud – zijn spichtig of zelfs uitgemergeld, onvolgroeid op het dwergachtige af; we hebben een droge huid en bros haar, gebroken nagels en flinterdunne spieren.

Hij gaat rechtop staan en ik wend snel mijn bik af, omdat ik niet wil laten merken dat ik naar hem kijk.

'Hoi,' zegt hij terwijl hij zijn hoofd naar me toe draait.

Ik schenk hem een beleefd glimlachje en een voorzichtig knikje, maar ik kijk hem niet aan. Ik loop naar de greppel die het dichtst bij me is en denk na over wie hij kan zijn. Ik herken hem niet, ken hem niet van school, kan hem niet plaatsen in het dorp, weet niet in welk huis hij woont of wie zijn ouders zijn. Ik begrijp niet dat hij er zo gezond uitziet, waar hij zijn eten vandaan haalt.

Hij zal wel een voortreffelijke onderdaan zijn, concludeer ik. En zijn ouders ook.

Ik zet mijn emmer op de grond, leg mijn schep ernaast, hef mijn pikhouweel, zwaai hem met beide handen omhoog en laat hem vervolgens naar beneden vallen.

'Ik heb dit nooit eerder gedaan,' zegt hij. 'Dat hoefden we nooit.'

Ik doe mijn best mijn verbazing te verbergen, begrijp niet waarom hij dit nooit heeft hoeven doen. 'Het stinkt minder als het bevroren is,' zeg ik, 'maar het is wel meer werk.'

We werken in stilte verder, en af en toe waag ik het naar hem te kijken. Als ik even pauzeer om op adem te komen en over mijn pijnlijke rug te wrijven, bestudeer ik zijn armen. Met zulke spieren zou hij veel meer werk moeten kunnen verzetten dan ik, maar het kost hem verbazingwekkend veel moeite. Mijn blik dwaalt over het dorp en ik zie een vrouw staan die me gadeslaat, haar armen voor haar borst gevouwen – nog iemand die ik niet ken. Al die tijd dat ik zwoeg, de houweel boven mijn hoofd til en laat neerdalen in de greppel met bevroren uitwerpselen, laten haar ogen mij niet los. Pas als ik klaar ben, als ik de laatste brok in de emmer gooi, waardoor die tot de rand gevuld is, draait ze zich om en loopt weg.

Eerst die vreemde jongen, denk ik, en nu weer een eigenaardige vrouw.

'Mag ik met je meelopen?' vraagt de jongen. 'Ik weet niet precies waar ik heen moet.'

Ik kijk hem aan. Een simpele vraag. Een paar woorden. Maar het voelt als meer. Ik knik bevestigend en we schuifelen het pad af, langs de velden en terug naar de gebouwen. Onderweg kijk ik naar zijn voeten die lopen, zijn vingers die het handvat van de emmer vasthouden, en ik luister naar zijn moeizame ademhaling naast me.

Ik ben een onnozel meisje van vijftien, heb nooit een vriendje gehad, nooit gezoend, nooit met iemand hand in hand gelopen of zelfs op die manier aan iemand gedacht. Ik weet niets van seks, alleen dat het iets met de andere sexe te maken heeft. We gaan nooit uit, behalve naar huwelijken, meestal gearrangeerd door de ouders. Onze Geliefde Leider heeft duidelijke instructies gegeven: mannen moeten trouwen op hun dertigste, vrouwen als ze achtentwintig zijn, en kinderen krijg je alleen binnen het huwelijk.

Maar terwijl ik naast deze onbekende jongen loop, voel ik iets nieuws, iets wat ik niet begrijp.

'Vertel eens,' zegt hij met een stem die warm klinkt in de koude lucht, 'waarom moeten we dit doen?'

Inwendig moet ik lachen om zijn naïviteit. 'Ze gebruiken het als mest voor de gewassen,' antwoord ik. Mijn eigen stem klinkt zacht en trilt van de zenuwen. 'Elk gezin zorgt elke week voor een volle emmer, die wordt ontdooid en over het land verspreid. Maar we hebben thuis geen toilet, daarom haal ik het hier.' Ik haal mijn schouders op en zucht, probeer mijn gedachten op een rijtje te krijgen en werp een vluchtige blik op zijn gezicht. 'Vroeger kregen we voedselbonnen in ruil voor mest. Maar nu niet meer.'

'Waarom niet?'

Ik zwijg. Daar heb ik nooit over nagedacht. 'Ik denk dat er niet zo veel meer is,' antwoord ik. 'Voedsel, bedoel ik.' Maar zodra ik de woorden uitgesproken heb, heb ik spijt. Wat zal hij wel denken? Dat ik kritiek heb op onze Geliefde Leider? Dat hij niet goed voor ons zorgt, de Vader van ons Volk? Dat bedoel ik niet, maar ik weet niet wie deze jongen is; hij kan best een spion zijn die verslag uitbrengt over degenen die onbetrouwbaar zijn, die vervolgens gearresteerd worden en verdwijnen. En dat allemaal vanwege een onschuldige, verkeerd geïnterpreteerde opmerking.

'Door de overstromingen en het koude weer,' zeg ik snel. En ik doe er nog een schepje bovenop: 'En die ellendige Amerikanen.'

Hij knikt.

Ik wil hem vragen waar hij vandaan komt. Waarom hij hier is. Hoe het leven buiten het dorp eruitziet. Wie zijn ouders zijn. Wat ze doen. Of hij die vrouw kent die me in de gaten hield. Maar ik durf niet.

Ik kom met moeite vooruit met mijn emmer, spade en pikhouweel, mijn vingers stijf van de kou en van het metalen hengsel van de emmer dat in mijn huid snijdt. Zo nu en dan voel ik dat de jongen zijn hoofd mijn kant op draait en naar me kijkt.

We bereiken het gebouw zonder verder nog een woord te wisselen, en dat is vreemd, niet omdat het ongemakkelijk voelt, maar juist vanwege het tegendeel: omdat de stilte tussen ons niet hol voelt. Ze voelt aangenaam en ongedwongen, alsof het niet nodig is om iets te zeggen.

Als we bij het gebouw aankomen, worden onze emmers geleegd en krijgen we voedselbonnen, ook al hebben we daar niets meer aan, en we lopen naar buiten.

'Ik heet Sook.' Hij kijkt me schuin aan.

'Yoora,' antwoord ik.

Hij glimlacht en ik zie hoe hij me opneemt. 'Je ziet er uitgehongerd uit.'

Ik geef geen antwoord. Zijn we dat niet allemaal?

'Hier.' Hij haalt zijn hand uit zijn broekzak.

Mijn ogen tranen van de kou en ik moet moeite doen om te zien wat er in zijn hand ligt. Verbaasd kijk ik naar het broodje dat hij me voorhoudt. Ik schud mijn hoofd. Niemand, *niemand*, geeft zomaar eten weg. 'Dat kan ik niet aannemen,' zeg ik.

'Alsjeblieft,' fluistert hij.

'Maar… hoe kom je daaraan? De… de markt is kilometers hiervandaan en je hebt een vergunning nodig als je erheen wilt… en…'

'Mijn moeder bakt ze. En verkoopt ze dan.'

'Maar ik heb geen geld.' Ik weet hoe kostbaar het is, weet dat ze zelfs één broodje zal missen.

'Pak het gewoon aan,' zegt hij.

Ik strek mijn arm uit en open mijn hand, moedig, brutaal, en het kan me niet schelen wie zijn moeder is of waar ze de ingrediënten vandaan haalt en of ik hierdoor in de problemen kom of niet. Ik zie gewoon een broodje en ik wil eten.

Honger doet gekke dingen met een mens, en ik heb al heel lang honger.

Ik pak het broodje vast, draai me bij Sook vandaan en breng het naar mijn mond en neus, sluit mijn ogen en ruik eraan, steek mijn tong uit en haal die langzaam over de korst. Het water loopt me in de mond en langzaam, heel langzaam zet ik mijn tanden erin.

Het is heerlijk.

'Ik moet gaan,' hoor ik hem zeggen. 'Mijn moeder verwacht me.'

Ik draai me naar hem om; ik kauw niet maar houd alleen het hapje brood in mijn mond om er zo lang mogelijk van te genieten.

'Daar woon ik.' Hij wijst naar het grootste huis van het dorp, met veel meer kamers dan de twee die wij hebben. Ik ken het huis: vroeger lag er een boomgaard achter, voordat de dorpskinderen die vernielden op zoek naar appels en daarbij alle bomen ontdeden van het fruit, de bladeren, de boomschors en alles. Het staat leeg sinds het gezin dat er woonde, is opgepakt vanwege verraad. 'We zijn er gisteren komen wonen,' zegt hij.

Hij zwijgt even en ik zie dat hij om zich heen kijkt voordat hij zich weer tot mij richt. 'Laten we een keer afspreken,' fluistert hij.

Mijn ogen schieten zijn kant op.

'Na zonsondergang.'

Ik geef hem geen antwoord. Ik weet niet wat ik moet zeggen. Ik staar hem alleen aan en vraag me af of ik hem wel goed verstaan heb. Maar dan zie ik achter hem iets bewegen. Zij is het weer, de vrouw die ik eerder heb gezien. Ze komt met vaste tred onze kant op lopen, haar zwarte haren strak achterover gekamd, haar ogen vernauwd tot spleetjes, onderzoekend.

Ik blijf niet staan om te antwoorden, of om erachter te komen wie ze is of wat ze wil. Ik mompel alleen een verontschuldiging, draai me om en loop weg.

Onderweg naar huis denk ik aan mijn ouders: mijn moeder en vader die vandaag naar hun werk gaan, allebei mager en moe; hard werkend ondanks hun lege magen die nooit verzadigd worden. Ik denk aan mijn grootouders: de hele dag thuis, te oud en zwak om te werken; hun huid die als oud leer om hun botten spant; hun holle ogen vol verdriet en teleurstelling; de maag van mijn grootvader die rammelt van de honger alsof er binnenin een beest zit dat langzaam doodgaat.

Ik hoor dit met hen te delen, denk ik bij mezelf terwijl ik naar het broodje in mijn hand staar. Maar hoe kan ik ooit uitleggen waar ik het vandaan heb? Wat zullen ze wel denken?

Schuldbewust neem ik een hapje, en nog een, en voordat ik het doorheb is er te weinig over om mee naar huis te nemen. Dus ik eet het helemaal op en het is geweldig: de voorpret als ik het brood naar mijn mond breng, mijn zintuigen die juichen als ik mijn tanden erin zet, het heerlijke, overvloedige gevoel als het mijn keel in glijdt. Ik heb zo lang geen fatsoenlijk voedsel gehad, dat ik me niet kan herinneren hoe een gevulde maag voelt of hoe het is om geen honger te hebben.

Als ik ons huis nader, hoor ik stemmen, gedempt en mompelend, soms wat harder en dan weer zachter. Ik ga langzamer lopen en probeer te horen wat er gezegd wordt. Ik loop zachtjes naar de deur en leg mijn hand tegen het hout. De deur kraakt.

De stemmen zwijgen abrupt en ik blijf een ogenblik staan, wachtend tot iemand weer gaat spreken. Maar het blijft stil. Ik neem een hap lucht, trek mijn gezicht in de plooi en stap naar binnen.

De spanning is tastbaar: mijn moeder staat naast de kast en duwt de la dicht terwijl ze naar me kijkt, mijn vader staat bij het vuur en mijn grootouders zitten aan tafel. Ik voel hun ogen, van hen allemaal, op mij gevestigd, met maar één vraag: wat heeft ze gehoord? Maar de overtreding die ik probeer te verbergen, is dat ik helemaal alleen een broodje opgegeten heb, niet dat ik hun gesprek heb afgeluisterd. Maar voor het eerst, terwijl ik daar sta en naar hen kijk, besef ik dat er *iets*, een of ander geheim, wordt gedeeld in mijn huis. Alleen wordt het niet met mij gedeeld.

Het maakt me bang.

'Ik heb een nieuwe jongen ontmoet in het dorp,' zeg ik in een poging de spanning weg te nemen. 'Hij woont in het grote huis.' Ik kijk om me heen en verwacht nieuwsgierige en belangstellende blikken, maar het enige wat ik zie, is dat mijn vader onrustig wordt, mijn grootvader diep zucht, dat ze blikken van verstandhouding met elkaar wisselen en mijn moeder nauwelijks waarneembaar met haar hoofd schudt.

'Blijf uit zijn buurt,' snauwt mijn grootmoeder, en ze knijpt haar ogen tot spleetjes, alsof ze de glimlach kan zien die hij eerder die dag op mijn gezicht heeft getoverd. 'We hebben niks met hen te maken. Ken je plaats, Yoora.'

Ik kijk beduusd een andere kant op en zie hoe mijn grootvader zijn ogen neerslaat. 'Zijn moeder is de nieuwe *Inminbanjang*,' fluistert hij.

'Wat?' Ik kijk hem aan.

Maar mijn moeder gaat voor hem staan en zwaait haar vinger voor zijn gezicht heen en weer. 'Nee,' fluistert ze, 'dat hoeft ze niet te weten. Ze is pas vijftien.'

'Wát weten?' vraag ik fluisterend.

Mijn grootvader schudt zijn hoofd en ik hoor hem mopperen: 'Vijftien. Ze is bijna een vrouw. Ze is dit jaar klaar met school. Ze is oud genoeg om de waarheid te horen. Ze is te vertrouwen. Ze hóórt de waarheid te weten.' Hij staat rustig op, duwt zijn stoel onder de tafel en loopt met grote passen naar buiten. Niemand houdt hem tegen. Niemand zegt iets.

Maar zelfs midden in al deze verwarring blijft mijn schuldgevoel over het broodje aan me knagen. Pas 's avonds, als ik buikpijn krijg doordat mijn lichaam niet gewend is aan de overvloed die het heeft gekregen, kan ik mijn schuld enigszins verlichten: ik geef mijn portie waterige noedelsoep aan mijn grootouders.

Deze lange winternacht lig ik op mijn slaapmat en kijk hoe de vlammen van ons vuur doven, overgaan in gloeiende houtskool en vervolgens zwart worden. En ik voel langzaam maar zeker de kou langs de raamkozijnen en onder de deur naar binnen kruipen, alsof zich ijs op mijn gezicht vormt die mijn lippen doet barsten, en ik denk aan Sook. Ik denk terug aan onze ontmoeting, aan zijn gezelschap, zijn gezicht, zijn glimlach.

Hij heeft voor een lichtpuntje gezorgd in mijn leven vol duisternis, maar zijn moeder is de nieuwe inminbanjang en ik weet heel goed wat dat betekent, ook al heb ik gedaan alsof ik van niets wist. Ik was er al bang voor toen Sook me vertelde waar hij woonde. Zij is het nieuwe hoofd van onze buurt – een spion van onze regering.

Ze zal eens in de zoveel weken verslag uit moeten brengen aan een agent van het ministerie van Openbare Veiligheid. Mensen verklikken die niet hard genoeg gewerkt hebben, of die iets gezegd hebben dat onze Geliefde Leider in een kwaad daglicht kan stellen, of die verzuimd hebben de badge met Zijn afbeelding op hun hart te dragen, of die Zijn foto niet goed genoeg hebben afgestoft. Een eindeloze lijst.

Er zullen ook andere mensen voor haar werken, die op hun beurt verslag aan haar uitbrengen, al zijn het maar roddels; ze móeten iets zeggen. Sommigen van diegenen die worden aangegeven, zullen naar een heropvoedingskamp gaan, anderen naar een strafkamp en weer anderen zullen worden geëxecuteerd in het open veld. Ik heb nog nooit meegemaakt dat iemand beschuldigd werd en daarna vrijgesproken.

Het hangt als een zwaard van Damocles boven ons leven en bepaalt alles wat we zeggen en alles wat we doen, niet omdat we schuldig zijn – we hebben niets misdaan, we zijn goede onderdanen, werken hard en vervullen onze plicht – maar vanwege de macht van deze mensen. Zelfs de meest patriottische, onschuldige, voorbeeldige en hardwerkende burgers kunnen worden aangegeven en schuldig bevonden aan iets, als iemand dat graag wil.

'Is er iemand níet omkoopbaar?' zegt mijn grootvader altijd om me te waarschuwen. 'Als ze maar genoeg honger hebben, of wanhopig genoeg zijn? Of geld nodig hebben om medicijnen te kopen?'

Of als ze iemand bij hun zoon vandaan willen houden? vraag ik me af.

Toch geloof ik niet dat een spion van de regering de waarheid is die mijn moeder voor me probeert te verbergen. Er is veel meer aan de hand in mijn huis, en ze achten mij niet oud genoeg, of niet verstandig genoeg, of niet betrouwbaar genoeg om het te mogen weten.

Maar nu ik hier in de kou lig, gaan mijn gedachten terug naar Sook. En terwijl mijn ogen zwaar worden met zijn beeltenis, verspreidt zich een warmte door mijn lichaam, en voor het eerst van mijn leven val ik in slaap met een glimlach op mijn gezicht.

Toch heb ik geen moment het idee dat ik naïef ben.

Hoofdstuk 5

Als ik de volgende dag langs de velden loop, mijn voeten struikelend over de bevroren aarde, op weg naar de hoger gelegen bomen om naar brandhout te zoeken, zie ik een jongen mijn kant op komen, zijn gestalte iets groter dan normaal, zijn pas iets sneller, zijn armen slingerend langs zijn lichaam. Hij komt met stevige passen mijn richting uit marcheren. Het is zo duidelijk dat hij anders is dan de rest. Minder hongerig, minder zwak, minder uitgeput van vermoeidheid.

Ik krijg kriebels in mijn maag en voel het bloed naar mijn wangen stijgen, en mijn mond droog worden. Ik kijk naar hem, sla mijn ogen weer neer, kijk om me heen en daarna weer zijn kant op, precies op het moment dat hij mij aankijkt. We vertragen onze pas als we dichter bij elkaar zijn, staren elkaar aan. En dan houden we halt.

'Vanavond?' fluister ik.

'Ik dacht dat je niet…'

Ik haal mijn schouders op.

'Goed.' Hij knikt. 'Als het donker is. Als iedereen slaapt?'

Ik kijk hem aan, nerveus, opgewonden.

'Waar? Op de hoek bij jouw huis?' vraagt hij.

'Nee,' antwoord ik geschrokken.

Hij begrijpt het. 'Nee, je hebt gelijk. Aan het eind van het pad dan, waar de weg zich in tweeën splitst, bij de boom?'

Ik weet precies waar hij bedoelt: het is er stil en afgezonderd, en er zijn geen huizen. Voordat ik me kan bedenken, stem ik toe, en met een lach op mijn gezicht loop ik verder. Ik wil bij hem zijn, tijd met hem doorbrengen, meer over hem te weten komen. Ik weet hoe gevaarlijk dat is, maar ik luister niet naar die stem in mijn hoofd die vraagt waarom ik het doe, hoewel ik hem eerst heb afgewezen, hoewel ik in grote problemen kan komen als iemand het ontdekt, hoewel ik weet dat we samen geen toekomst hebben, wij tweeën, in dit land.

's Avonds vraagt mijn moeder of ik me niet goed voel, mijn grootmoeder zegt dat ik stil ben, en mijn vader vindt dat ik een verstrooide indruk maak. Ik antwoord dat er niets aan de hand is, dat ik moe ben, honger heb. Maar ik merk dat mijn grootvader af en toe naar me kijkt – over de tafel heen als we onze maïs eten, als ik bij het raam sta en naar de zonsondergang kijk, en als ik onze slaapmatten uitrol en de dekens tevoorschijn haal. Maar hij zegt niets.

Het wordt 's winters vroeg donker, en de nachten zijn lang en koud. Meestal liggen we om halfacht al in bed, omdat we onder de dekens en dekbedden tenminste warm blijven zonder dat we hout en brandstof nodig hebben, want dat is kostbaar.

Deze avond lig ik te wachten en te wachten; het lijkt wel alsof ik al uren onder mijn dekens lig, terwijl ik probeer wakker te blijven, vecht tegen de vermoeidheid en de slaap die aan mijn oogleden trekt. Ik hoor mijn vaders ademhaling langzaam en zwaar worden en overgaan in snurken, en ik fluister mijn moeders naam en kijk naar haar schaduw in het donker om me ervan te verzekeren dat ze niet reageert, niet haar hoofd optilt of een antwoord prevelt. Maar ze reageert niet.

Ze slapen. Toch blijf ik nog wat langer liggen, doodstil, wachtend op iets, al weet ik niet waarop. Misschien tot mijn zenuwen tot bedaren komen of tot ik mezelf het hele plan uit mijn hoofd heb gepraat, of tot ik mijn schroom overwonnen heb, of tot ik de moed kan vinden om de dekens weg te trekken en de kou in te gaan.

Dit soort dingen doe ik nooit. Ik ben een braaf meisje. Ik werk hard op school en op het veld, ik gehoorzaam mijn ouders, respecteer hen. Ik heb geen geheimen en vertel geen leugens. Ik ben open en eerlijk. Mijn leven is ongecompliceerd.

Maar dit? Dit wat er nu gebeurt, doet mijn hart sneller kloppen en maakt mijn huid aan het tintelen. Ik voel me opgewonden en het geeft me levenslust.

Ik steek mijn benen onder de warme dekens vandaan in de koude lucht en ik laat me op de vloer rollen. Snel en geluidloos trek ik mijn kleren aan, en met mijn ogen wijd open probeer ik in het donker voor me iets te zien. Ik maak een hoopje van de dekens op mijn bed, zodat mijn ouders zullen denken dat ik gewoon in bed lig, mochten ze wakker worden.

De wind snijdt door me heen als ik op weg ga om hem te ontmoeten. De huid van mijn gezicht wordt strak getrokken en de ijskoude lucht doet pijn aan mijn longen. Er is in het dorp geen elektriciteit voor straatlantaarns, en die nacht wordt de hemel slechts verlicht door een klein stukje maan, dat steeds achter de wolken verdwijnt, waardoor ik het ene moment in complete duisternis word ondergedompeld en het volgende een klein spoortje glinsterend maanlicht heb om mijn weg te vinden.

Ik loop eerst voorzichtig, voetje voor voetje, maar daarna wandelend en ten slotte met grote passen. Ik doe onder het lopen een beroep op mijn geheugen; het geknars van steentjes, de zachte modder onder mijn voeten, de houten planken van een boerderij aan mijn rechterkant en een bosje met doornentakken aan mijn linkerkant, ze wijzen me de weg.

Ik nader hem met onhoorbare voetstappen op het gras, en mijn ademhaling is langzaam, gelijkmatig en beheerst. Zodra ik voel dat hij daar zit, houd ik halt. Ik sluit heel even mijn ogen en hoor zijn fluitende adem en het regelmatige gekras van de ene nerveuze nagel over de andere.

Ik kan me omdraaien en weglopen, terug naar huis. Hij zal het nooit te weten komen. Hij zal er nooit iets over zeggen en we vergeten het. Mijn leven zal weer kalm en eenvoudig zijn. En saai.

Ik doe mijn ogen open en zet de laatste stappen zijn kant op. 'Sook,' fluister ik, en ik hoor zijn ademhaling versnellen en stel me voor dat er een glimlach over zijn gezicht trekt.

'Yoora,' antwoordt hij.

Een ogenblik lang staan we daar en ik weet niet wat ik moet zeggen of doen, en ik weet ook niet wat ik moet verwachten dat hij zal zeggen of doen. Mijn kleren zijn dun en de lucht is ijzig koud, waardoor mijn knieën en benen trillen en mijn tanden klapperen. Maar ik weet niet zeker of het alleen van de kou is.

'Hier,' fluistert hij, en ik voel dat hij een deken om me heen slaat.

'En… en jij dan?' stotter ik.

'Mijn kleren zijn warmer.' Als hij voor me staat en de deken strakker om mijn lichaam en onder mijn kin trekt, kan ik de warmte voelen die van hem afstraalt en ik snuif de geur van zijn lichaam op. Hij is zo dichtbij. Ik kijk hem aan, en als de maan achter een wolk vandaan komt, zie ik het licht op zijn gezicht vallen en zijn glimlach verlichten. Mijn maag maakt een sprongetje. Ik ben zo dicht bij hem en zijn handen raken me bijna aan doordat hij aan de deken trekt.

Mijn leven is zo gewoon, zo voorspelbaar, zo saai en eentonig. De enige opwindende gebeurtenissen zijn de verjaardag van onze Geliefde Leider en de verjaardag van Zijn vader, onze Eeuwige President, Kim Il-sung. Dan krijgen we een dag vrij van school en van ons werk om een rode bloem aan de voet van hun standbeeld te leggen en hun lof te zingen.

De enige spanning in ons leven doet zich voor als we een overhoring hebben op school om te kijken of we de bijzonderheden uit het leven van onze Eeuwige President kunnen opsommen: waar Hij is geboren, waar Hij heeft gestudeerd, de veldslagen waarin Hij heeft gevochten, de eindeloze lijst van Zijn roemrijke daden. En die van onze Geliefde Leider. In de wetenschap dat we op z'n minst gestraft worden met stokslagen of een klap in ons gezicht als we iets niet weten.

Angst heeft te maken met alle anderen. Die je in de gaten houden, een mening over je hebben, leugens over je verspreiden met woorden die kunnen doden.

Maar dit? Dit is iets heel anders. Dit is… opbeurend… avontuurlijk. Ik voel me klaarwakker. Ik voel me springlevend.

'Zullen we een stukje wandelen?' vraagt hij, en ik kan alleen maar knikken.

Hoofdstuk 6

Samen lopen we het pad op dat het dorp uit leidt. Onder het lopen pijnig ik mijn hersens om iets te verzinnen wat ik kan zeggen. Ik trek de deken strakker om me heen en voel de ruwe stof tegen mijn gezicht. Ik ben zenuwachtig, een beetje bang en ik voel dat Sook, die naast me loopt, voortdurend om zich heen kijkt: van links naar rechts, van de boomtoppen naar zijn schoenpunten.

'Zitten hier insecten?' vraagt hij. 'Torren of kleine beestjes en zo? Of andere dieren?'

Ik moet glimlachen. 'Natuurlijk, dit is het platteland.'

Ik hoor dat hij dieper gaat ademhalen. 'Grote?'

'Hoe bedoel je?' vraag ik. 'Zoals tijgers en beren?'

'Ja?'

'Jazeker,' knik ik. 'Ze houden je nu in de gaten, en straks springen ze tevoorschijn en eten je op.'

'Echt?' Zijn stem trilt.

Ik zeg even niets en laat hem geloven dat het waar is. 'Nee, niet echt. Niet hier. Wel verder naar het noorden.'

'Hoe weet je dat?'

Ik haal mijn schouders op. 'Dat weet iedereen. Hier zijn ook dieren. Insecten natuurlijk en een paar zoogdieren en vogels. Uilen. Geen dieren die jou iets zullen aandoen. Veel dieren kun je eten, als het je lukt ze te vangen.'

'Slangen?'

Ik lach. 'Geen slangen. Dat beloof ik. Je komt niet van het platteland, zeker?'

'Nee.'

Ik durf niet door te vragen, dat zou onbeschoft en opdringerig kunnen overkomen. Hij komt vast uit de stad, een grote stad, denk ik bij mezelf. Ik ken de redenen waarom mensen moeten verhuizen – degenen die in aanvaring zijn gekomen met de autoriteiten of die een of andere misdaad hebben begaan tegen het Vaderland, maar niet erg genoeg voor een gevangenisstraf. Dat kan een reden zijn, maar ook dat ze connecties hebben die hen beschermen of dat ze vroeger in aanzien stonden.

We houden halt en draaien ons om, kijken naar de groepjes huizen en de velden die samen ons dorp vormen. Als de wind de wolken wegblaast, strijkt het zilveren maanlicht over de daken.

'Mijn vader is gehandicapt,' fluistert hij alsof hij antwoord geeft op de vraag die ik niet durf te stellen. 'We woonden in de hoofdstad, Pyongyang. Hij kreeg een ongeluk op zijn werk. Verloor zijn onderbeen. Toen zijn we verhuisd.'

Ik knik. 'Ik snap het,' antwoord ik. Maar ik snap er niets van.

'Hij komt nu niet meer buiten. Mijn moeder was echt boos.'

'Waarom? Was het iemand anders' schuld?'

'Nee,' zegt hij hoofdschuddend. 'Ik bedoel: ze was boos omdat we moesten verhuizen. Maar... maar... ze liet het niet merken. Ze zei niets, dat kon niet. Ze wist dat we gewoon moesten doen wat ze zeiden.'

Ik draai mijn hoofd naar hem toe en bekijk zijn profiel in het maanlicht. Ik verbaas me over zijn openheid. 'Het spijt me, Sook.' Zijn naam voelt vreemd in mijn mond. 'Maar ik geloof niet dat ik het begrijp.'

Hij zucht diep en lang, en ik wacht totdat hij eindelijk zijn gezicht naar me toe draait. 'Het was Pyongyang,' zei hij.

'Ik weet niet... Ik snap nog steeds niet...'

Hij buigt zich naar me toe. 'Er zijn geen gehandicapten in Pyongyang. Dat is verboden,' fluistert hij.

'Oh,' antwoord ik terwijl in mijn hoofd de puzzelstukjes op hun plaats vallen. 'Dat wist ik niet.'

'Het is niet officieel. Niemand zegt het hardop.' Hij zucht en wrijft met zijn hand over zijn gezicht. 'Er komen zakenmensen en toeristen, buitenlanders. Het wekt geen goede indruk als er lichamelijk of geestelijk gehandicapte mensen over straat lopen.' Zijn stem is zo zacht dat ik zijn woorden nauwelijks versta. 'Of ouderen. Zij verhuizen ook, worden ergens heen gestuurd waar geen buitenlanders mogen komen. Pyongyang is een stad voor jonge en knappe mensen, mensen die succes hebben en betrouwbaar zijn. Mensen die geen vragen stellen.' En dan kijkt hij me aan, recht in mijn ogen, heel indringend. 'Ik heb dit niet gezegd. Jij zou toch nooit… Je zult toch niet…?'

En ik weet precies waar hij om vraagt. De verzekering dat ik niet zal doorvertellen wat hij heeft gezegd of hem zal verklikken, want sommigen zouden kunnen denken dat wat hij gezegd heeft, reactionaire laster is en dus strafbaar. Maar dat vind ik niet. Ik vind het heel logisch klinken. Pyongyang vormt het gezicht van ons land naar buiten toe en natuurlijk wil iedereen dat dat er zo mooi mogelijk uitziet. Het is misschien ongewoon om iemand dat hardop te horen zeggen, maar het is niet schokkend.

Maar, denk ik bij mezelf, hij moet me wel vertrouwen als hij me dit vertelt. Of hij vertrouwt erop dat ik de zoon van de Inminbanjang toch niet durf tegen te spreken.

'Ik… ik zal zwijgen,' antwoord ik.

En dat is dat. Nu delen we iets. Iets wat ons samenbindt. Had ik ook maar iets om hem te vertellen, een geheim of een vermoeden, iets gevaarlijks of gewaagds waarvoor ik hem in vertrouwen moet nemen, zoals hij mij in vertrouwen heeft genomen. Maar ik heb de moed niet en ik heb ook niets om met hem te delen.

Op dit moment althans niet.

We wandelen nog een stukje en praten nog wat, maar al snel lopen we weer richting huis, uitgeput door de kou en door mijn lafheid. Ik wil dapper en onverschrokken zijn, wil me geen zorgen maken dat we worden gesnapt of dat onze ouders erachter komen, maar ik ben bang voor de gevolgen. Die spoken door mijn hoofd en roepen me toe: *zijn moeder is de Inminbanjang!*

Maar dit was pas ons eerste afspraakje en ik glip terug ons huis binnen. Niemand heeft iets gemerkt, iedereen slaapt verder, en ik kruip weer in mijn bed, waar ik mijn lagen kleding onder de dekens uittrek en me verheug op mijn volgende ontmoeting met Sook.

We zien elkaar vaker en ik maak me minder zorgen over gesnapt worden en wat er dan zou kunnen gebeuren. Op de avonden dat we samen zijn, wandelen we langs de velden het dorp uit, nauwelijks in staat elkaar te zien in het donker, behalve als de maan schijnt, maar dat geeft niet – we zijn voor elkaars gezelschap gekomen.

We praten over alles en niets, delen onze gedachten en twijfels, en soms onze mening. Als zijn moeder de eerste inwoner uit ons dorp heeft aangegeven omdat hij er reactionaire opvattingen op nahoudt – een oude man die pas zijn vrouw verloren heeft, niet meer kan werken en geen familie heeft om hem te onderhouden – vraag ik me af of hij trots op zijn moeder is. Iemand heeft die man horen zeggen dat onze Geliefde Leider niet genoeg voedsel aan Zijn volk geeft. Twee dagen later wordt hij geëxecuteerd.

Natuurlijk heeft ze er goed aan gedaan en de oude man heeft het verdiend: het is niet aan ons om te klagen of een oordeel te vellen over Zijn bewind. Maar het genoegen dat ik in haar ogen zag toen de man werd opgepakt, bezorgt me wekenlang nachtmerries waarin ík degene ben die door haar wordt aangegeven vanwege een of andere verzonnen aanklacht. Dan wordt ik daarvoor gearresteerd, nadat ze erachter is gekomen dat ik met haar zoon omga.

Maar ook als er meer tijd is verstreken en Sook en ik elkaar steeds vaker zien, spreken we nooit over datgene wat we samen hebben, wat steeds groter en dieper wordt, hoewel het geen toekomst heeft.

Niet als we allebei verzekerd willen zijn van een toekomst.

Hoofdstuk 7

De winter komt ten einde en het voorjaar gaat voorbij. De zomer komt met zijn lange dagen en korte nachten.

We gaan van school af, wij allebei. Sook mag elke dag een uur lopen naar de dichtstbijzijnde stad voor een kantoorbaan. Ik moet op het land werken. Nu het zomer is, spreken we later met elkaar af, moeten we langer wachten voordat het donker is en het hele huis slaapt.

Deze nacht is de lucht warm, klam en drukkend. We maken samen een wandeling. We wijzen elkaar voorwerpen aan die glinsteren in het maanlicht, kijken hoe dat licht over onze gezichten danst, nog altijd zonder dat we elkaar aanraken of kussen en zonder hand in hand te lopen. We gaan naast elkaar in het gras liggen. De hemel begint al lichter te worden, want de zon komt op en de eerste oranje en rode stralen komen vanachter de bomen tevoorschijn.

Ten langen leste, in een soezerige toestand en zonder over de gevolgen na te denken, slenteren we terug naar het dorp, met de dageraad in onze rug en vergezeld van het gezang van de vogels die wakker worden. We nemen afscheid van elkaar en daarbij treuzelen we misschien net iets te lang.

Hij is mijn beste vriend geworden. Bij hem heb ik het gevoel dat ik gewenst ben, nodig ben. Ik voel me levenslustig en opgewekt. Ik voel me onoverwinnelijk.

Ik ben nonchalant geworden.

Ik stap de deur van ons huis binnen en kijk recht in het gezicht van mijn grootmoeder. Ze staart me vanaf haar slaapmat aan, met een dreigende blik. Ik aarzel even, met mijn hand nog op de deurkruk, en ze schudt haar hoofd. Ik wacht tot ze tegen me begint te schelden of mijn moeder roept, die in de andere kamer ligt, of iets naar me gooit, of opspringt en me een klap geeft. Maar ze wenkt me met haar hand. Met een knoop in mijn maag loop ik zachtjes naar haar toe. Als ik bij haar neerhurk, weet ik zeker dat ze mijn hart kan horen bonzen.

'Sook?' vraagt ze.

Ik zeg niets, maar ik voel het bloed naar mijn hoofd stijgen en mijn ogen groot worden. Ik kan het niet tegenhouden.

'Dom kind,' sist ze.

Ik klem mijn kaken op elkaar en sla mijn ogen neer.

'Wat denk je dat zijn moeder zegt als ze erachter komt? Wat denk je dat ze dan doet? Denk je dat ze het goed vindt? Je welkom heet in het gezin en jullie veel geluk toewenst?'

Ik zwijg.

'Of zou ze misschien teleurgesteld en boos zijn dat haar lieve schattebout tijd wil doorbrengen met iemand zoals jij? Zou ze het je betaald willen zetten, het óns betaald willen zetten?'

Ik knik met tegenzin.

'Natuurlijk zou ze dat, een vrouw zoals zij. Ze zou je kapotmaken. En je brengt niet alleen je eigen leven in gevaar, dat weet je toch? Het gaat om het leven van ons allemaal: dat van mij, dat van je groot-vader, je vader en moeder. Hoe meer, hoe liever. Zelfs als we niets fout doen, bedenkt ze wel wat, en ze wordt er nog voor beloond ook. Voor het vernietigen van reactionaire elementen of het uitroeien van verraders.'

Ik verroer me niet.

'Begrijp je wel hoe egoïstisch je bent?' Ze spuugt haar woorden uit en zelfs in het licht van de schemering kan ik in haar ogen de woede zien, waardoor mijn zelfvertrouwen wordt uitgehold. Ik kan wel huilen. 'Ze komt er vanzelf achter, als je hem blijft zien, als dat al niet gebeurd is.'

'Maar we doen niets slechts. We zijn niet reactionair.'

Ze zucht en schudt haar hoofd. 'Luister je eigenlijk wel? Dat maakt niet uit. Je bent hoe dan ook reactionair, want je gaat met haar zoon om. In het geheim. En zij is de Inminbanjang. Ze hoeft maar naar ons te kijken en we worden al gearresteerd. Tot welke klasse beho-ren wij, Yoora? Heb je daar wel eens over nagedacht? We bungelen onderaan, we zijn de vijandige klasse, we zijn *boelsoen*, verontreinigd.

Iedereen gaat er bij voorbaat van uit dat we verdacht zijn: we worden in de gaten gehouden door onze buren, ouders hebben hun kinderen gewaarschuwd toen je met ze op school zat.

Waarom denk je dat je op het land moet werken, een slim meisje als jij? Wij zullen nooit beter werk krijgen, nooit lid mogen worden van de Arbeiderspartij, nooit een van hun voorrechten genieten. Nooit dit dorp mogen verlaten. Voor hen zijn we níets. Of voor anderen. En dat zal altijd zo blijven. Voor je kinderen en voor je kleinkinderen. Hier moeten we het mee doen. We kunnen op geen enkele manier omhoog klimmen op de sociale ladder. Dat lukt je niet. Je wordt in je klasse geboren, je trouwt binnen je klasse en je zult erin sterven.'

'Maar Sook is…'

'Wat?' valt ze me in de rede. 'Wat denk je dat hij is? Net zo laag als wij?' Ze schudt haar hoofd. 'Hij mag dan misschien niet tot de kernklasse behoren, de elite, want dan zouden ze niet in dit dorp wonen. Maar wel bijna. En zij, Min-Jee, zal op geen enkele manier toestaan dat Sook en jij iets met elkaar hebben.'

'We kunnen vluchten,' fluister ik.

Ze lacht me uit. 'Het wordt tijd dat je de realiteit onder ogen ziet en niet van die belachelijke dingen zegt. Je hebt een vergunning nodig om te verhuizen, om buiten het dorp te mogen reizen. En waar zouden jullie moeten wonen? Hoe moeten jullie overleven? Niemand geeft je werk. Dat mogen ze niet. Als ze erachter komt,' zegt ze en het volume van haar stem daalt weer, 'maakt ze ons kapot. Je weet hoe het werkt: de zonde, de misdaad, blijft drie generaties lang in het bloed. Als je iets onbetamelijks doet, zullen er drie generaties voor gestraft worden. En ze kómt erachter, Yoora, als je hem blijft zien. Op een dag komt ze erachter. Als hij het haar tenminste nog niet heeft verteld.'

'Dat zou hij nooit…'

'Wees niet zo naïef. Je moet er een punt achter zetten. In het belang van ons allemaal.' En ze wendt haar hoofd af.

Ik kruip terug in bed, maar de slaap wil niet meer komen. Ik kijk naar het zonlicht dat steeds helderder door het raam schijnt en mijn slapende ouders van vage silhouetten verandert in echte mensen, met zorgen die zich aftekenen in de zware groeven en diepe rimpels in hun gezicht.

De woorden van mijn grootmoeder spelen zich keer op keer in mijn hoofd af en ik denk na over mijn familie, dat die erg klein is, dat we boelsoen zijn, hoewel niemand me dat ooit eerder heeft verteld. Ik vraag me af waarom niet. Ik vraag me af waarom er nooit over familieleden wordt gesproken, en we nooit tantes en ooms, neven en nichten of andere grootouders op bezoek krijgen. Ik wil het weten, ik wil het begrijpen.

In de dagen daarna sluip ik rond, mijd mijn grootmoeders blik en mijd Sook. Ik scheep hem af met het verhaal dat mijn grootmoeder me daartoe dwingt. De waarheid, de eerlijke, pijnlijke, zelfzuchtige waarheid is dat ik hem wil blijven zien. Het is al zover gekomen dat ik heimelijk van hem houd en dat hij – althans dat denk ik – van mij houdt.

Ik mis onze nachtelijke afspraakjes, die mijlenver verwijderd zijn van mijn leven van overdag.

Een week later zie ik hem weer. Hij komt over het pad naar me toe lopen, met een schep in zijn hand en een glimlach op zijn lippen.

'Vannacht? Zelfde tijd?' fluistert hij.

Ik denk erover hem de waarheid te vertellen, denk na over wat ik hóór te doen, maar als ik opkijk en zijn ogen ontmoet, als we elkaar een seconde te lang aankijken, besef ik dat ik fysiek niet in staat ben de woorden uit te spreken. Dus ik knik.

Ik bekommer me niet om de dreiging. Ik bekommer me niet om het gevaar. Want ik vertrouw erop dat hij me zal beschermen.

Maar in een land waar een op de vijf mensen een informant van de regering is en waar een buurman zijn collega aangeeft, een leerling zijn leraar en een kind zijn vriend, voor een misdaad die misschien niet eens is begaan, is vertrouwen een zeldzaam en lichtzinnig begrip, een domme en naïeve emotie. Dat weet ik, maar ik ga ervan uit dat het geen betrekking heeft op mezelf.

Nog jarenlang zullen mijn domheid, mijn naïviteit en mijn schuld me achtervolgen.

Hoofdstuk 8

Opnieuw wordt het winter en nog steeds heb ik mijn vriendschap met Sook niet verbroken. Dan komt eindelijk die nacht waarin ik mijn droom heb, mijn onmogelijke droom, gevuld met beelden van een stad van licht, een onvoorstelbare, onbekende plaats, die ik nooit heb gezien.

En daarop volgt het gesprek met vader en begin ik me zorgen over hem te maken.

Is hij een verrader? Want als hij dat is, moet ik hem aangeven. Maar daar zal mijn hele familie onder lijden. Of is hij ziek? Heeft hij waandenkbeelden?

Ik begrijp er niets meer van. Ik voel me misleid door die droom. Ik voel me bezoedeld door wat vader heeft gezegd. En ik voel me een verrader van mijn land omdat ik hem niet aangeef. Maar bovenal voel ik me ontzettend eenzaam.

Ik wil mijn geheim met iemand delen.

Deze nacht is het een jaar geleden dat ik Sook heb leren kennen en het zal een nacht worden die ik nooit meer vergeet. Als ik het gesnurk van mijn vader hoor en de regelmatige, langzame ademhaling van mijn moeder, als ik zeker weet dat grootmoeder slaapt en ik onopgemerkt langs haar kan sluipen, trek ik mijn kleren aan en verlaat het huis. De maan is slechts een dunne sikkel aan de nachtelijke hemel en de duisternis van het landschap waar ik doorheen loop, slokt me op.

Er zijn geen geluiden; er hangt een griezelige stilte, de halfdode bomen staan onbeweeglijk doordat er geen zuchtje wind is, en de droge aarde onder mijn voeten en het stof dat bij elke stap onder me wegglijdt, maken het plaatje compleet.

Ik zie zijn contouren, zie dat hij zich naar me omdraait en glimlacht, en ik voel me warm worden vanbinnen en hoor mezelf zuchten. Dan klinkt er plotseling een krijs boven onze hoofden. Sook schrikt en ik hoor hem een gil onderdrukken.

Stadsjongen, denk ik.

'Het was maar een uil.' Ik blijf lachend voor hem staan, maar de glimlach verdwijnt van mijn gezicht als ik voel hoe iemand mijn hand pakt en erin knijpt. Ik kijk naar beneden: Sook houdt mijn hand vast. Ik kijk naar onze vingers, die wazig en onscherp zijn in het weinige maanlicht. Dan kijk ik op naar zijn gezicht, dat vlakbij het mijne is. Ik voel dat ik begin te blozen.

Geen van beiden verroeren we ons of zeggen we iets, maar er gebeurt van alles tussen ons naarmate het moment langer duurt: een stilzwijgend gesprek, een intensiteit die in de lucht hangt, en op de een of andere manier begrijpen we elkaar.

'Laten we een eindje lopen,' fluistert hij.

En dat doen we, samen, hand in hand, zo dicht naast elkaar dat onze schouders tijdens het lopen langs elkaar strijken. Ik ben zo zenuwachtig dat ik mijn vingers niet durf te bewegen of durf toe te geven dat we elkaar aanraken. Het is zoiets eenvoudigs en natuurlijks, maar het is iets wat ik nog nooit iemand heb zien doen. Niet in het openbaar.

Het is spannend. Rebels.

'Heb je honger?' We zijn bij de kassen van het dorp aangekomen. Ik knik en laat onwillig zijn hand los.

We gaan met onze rug tegen het glas zitten en vouwen onze benen onder ons lichaam om warm te blijven.

'Hier.' Hij geeft me een broodje.

'Heeft je moeder dit gebakken?'

Hij haalt er nog een uit zijn zak voor zichzelf. 'Ze merkt het toch niet.'

Dat lijkt me onwaarschijnlijk, aangezien er zo veel honger is en er mensen zijn die best wat geld willen neertellen voor het broodje dat in mijn hand ligt, geld dat zijn moeder goed kan gebruiken om ingrediënten in te slaan en meer broodjes te bakken, meer te verkopen. Wij kunnen het meel niet eens betalen, zelfs al zouden we weten waar we het konden kopen. En als we het wel konden betalen, kregen we toch geen vergunning om ze op de markt te verkopen.

Wat zal Min-Jee ervan vinden dat haar zoon broodjes weggeeft? En erger nog: aan iemand die *verontreinigd* is, zoals ik? Wat zou ze tegen hem zeggen als ze het wist? Wat zou ze met ons doen?

Ze zou het niet erg vinden dat ik en mijn familie hongerlijden. Dat kan ze niet erg vinden, net zomin als ik het erg kan vinden dat mijn buren hongerlijden, dat hun baby door ondervoeding is gestorven omdat haar moeder te weinig melk had, waardoor ze nog geen maand heeft geleefd. De enige keer dat ik haar heb horen huilen, was in de nacht dat ze geboren werd.

Er hebben te veel mensen honger om me over een van hen druk te kunnen maken. Als je ze allemaal wilt helpen, ontstaat er een eindeloze rij magere mensen, bij wie je slechts heel even het hongergevoel kunt stillen. Eén enkele daad van liefde haalt weinig uit.

Daarom scheur ik zonder aan hen te denken een stukje brood af en leg het op mijn tong, terwijl Sook hetzelfde doet.

'Ik kan vannacht niet lang blijven. Mijn moeder voelt zich niet goed. Ik ben bang dat ze uit bed komt en merkt dat ik er niet ben.'

'Oké,' antwoord ik, 'ik snap het.'

We eten verder, maar zeggen niet veel. Ik voel teleurstelling: ik wil bij hem zijn, mijn hand tegen de zijne leggen, de glimlach op zijn gezicht zien, de spanning in mijn maag voelen.

'Loop je met me mee die kant op? Langs mijn huis?'

Ik aarzel. Zo zijn we nooit eerder gelopen. Hij staat op en strekt zijn hand naar me uit. Ik kijk er even naar, naar de lange vingers, de korte nagels, de lijnen die in de palm van zijn hand staan. Dan leg ik mijn hand in de zijne en ik voel dat hij me omhoogtrekt.

Ik lach.

We beginnen te lopen.

En veel te snel komen we bij zijn huis aan. Hij wijst de verschillende ramen aan en legt uit welke kamer achter elk ervan ligt. Ik denk dat hij wel beseft dat ik nooit naar binnen zal mogen. Er is een keuken om in te koken, met een gootsteen om spullen te wassen en kranen waar water uitkomt. Ieder van hen heeft zijn eigen slaapkamer met een bed dat de hele dag blijft staan. In een andere kamer staan comfortabele stoelen waarin ze televisiekijken.

'Alleen geen buitenlandse zenders,' zegt hij voor de grap.

Ik vertel hem dat wij twee kamers voor vier mensen hebben, één tafel en vier harde stoelen, alleen de staatsradio om naar te luisteren, één emmer om ons te wassen, tanden te poetsen, de vaat te doen en eten klaar te maken. Geen kranen. Geen stromend water.

We gaan samen achter zijn huis zitten, onder een gesloten raam, met de dode bomen van de oude boomgaard die als afbrokkelende grafstenen voor ons oprijzen en niet eens geschikt zijn om als brandhout te dienen.

'Het appartement dat we in Pyongyang hadden was mooier,' zegt hij. 'Daar is ook meer eten. De omstandigheden zijn er beter, de mensen gelukkiger, de straten en gebouwen zijn schoon en netjes.'

Hij zucht. 'Er zijn ook grote, hoge gebouwen. En een metronetwerk, het diepste ter wereld, schitterend, met kroonluchters op de stations en…'

Hij is bezig mijn droom te beschrijven, ik kan het gewoon niet geloven! Vader heeft toch gelijk, althans hierover wel, dat zo'n plaats echt bestaat. Maar wat onze Geliefde Leider betreft heeft hij het bij het verkeerde eind. Dat kan niet anders.

'En reiken de gebouwen heel hoog de lucht in?' vraag ik.

'Sommige.' Hij knikt.

'Met ramen die oranje en geel en wit verlicht zijn. En er rijden allemaal auto's door de straten, in rijen achter elkaar, met verschillende vormen en kleuren.' Ik ga steeds harder en sneller praten. 'En gekleurde, flikkerende neonlampen. En cafés waar je drinken kunt kopen en waar harde muziek naar buiten dreunt, en mensen die dansen en felgekleurde kleren dragen die er allemaal anders uitzien?'

Hij staart me aan.

Ik doe mijn ogen dicht en zie het weer voor me, alsof ik er echt doorheen loop. 'En er zijn restaurants met de geur van eten, en kraampjes waar ze kant-en-klaar eten verkopen dat je kunt meenemen en op straat kunt opeten en… en… en mijn vader zegt dat er genoeg eten is voor iedereen, en hij zegt dat er medicijnen zijn voor als je ziek bent, en hij zegt dat ik daar ooit ga wonen. Dat daar mijn toekomst ligt.'

Ik laat mijn opwinding de vrije loop. Ik ben zo opgelucht dat ik dit met iemand kan delen, met Sook, mijn beste vriend, degene die zo veel voor me betekent. Bij wie ik wil zijn, wil blijven, met wie ik een leven wil opbouwen. En dat kan toch? Misschien? In die stad? Die stad die Pyongyang moet zijn geweest. En vader had gelijk – daarover.

Ik doe mijn ogen open.

'Dat is Pyongyang niet. Pyongyang is rustig; er klinkt muziek van de overheid uit de luidsprekers, maar verder niets. Een paar auto's op straat, maar vooral zwarte politieauto's. Niemand draagt er zulke kleren. Wat jij beschrijft klinkt als Chinese kleding, en die is verboden. Ja, er zijn wel restaurants, maar geen kraampjes met kant-en-klaar eten. En er zijn geen flikkerende of gekleurde lampen. Dat is Pyongyang niet.'

Hoofdstuk 9

'Maar het kan niet anders,' zeg ik. 'Het móet Pyongyang zijn. Er zijn reclameborden van bioscopen en winkels en hotelkamers. Mensen, massa's mensen van allerlei slag, die lachend en kletsend rondlopen, sommigen van hen hebben een telefoon vast, anderen hebben draadjes in hun oren waar muziek uitkomt.'

'Waar heb je dat gezien? Hoe weet je dat? Het is Pyongyang níet. Het is ons land niet. Dat bestaat niet.'

'Maar...' Mijn gezicht betrekt.

'Heeft je vader je dit verteld? Zei hij dat je daarnaartoe ging? Daar ging wonen? Maar dat zou betekenen... dat zou betekenen... dat hij van plan is het land te verlaten. Hij is van plan te vluchten. Dat zou betekenen dat hij een verrader is, dat hij ongehoorzaam is aan onze Geliefde Leider. Yoora...'

Ik schud heftig mijn hoofd. Wat heb ik gedaan? Wat heb ik gezegd? 'Nee, nee, nee, dat is hij niet. Het was Pyongyang, dat kan niet anders. Misschien was het een wijk waar jij nooit kwam.'

'Yoora, wat jij beschrijft is niet Pyongyang. Ik heb daar mijn hele leven gewoond totdat ik hierheen kwam. Die plaats die jij beschrijft – ik weet niet hoe het kan dat jij dat weet – ligt niet in dit land, dat kan onmogelijk. En als je vader...'

'Hij houdt van onze Geliefde Leider. Hij buigt elke dag voor Hem. Hij... hij heeft nooit kritiek op Hem... nooit... Hij is een trouwe onderdaan, mijn vader. Hij is toegewijd en... en...'

We vallen allebei stil en ik realiseer me hoe luid we zitten te praten. De tranen branden achter mijn ogen en ik ben bang, ik wil terugnemen wat ik heb gezegd. Was ik maar niet zo stom geweest om al die flauwekul eruit te gooien. Maar hij is mijn vriend, Sook, mijn beste vriend, dus ik kan er toch op vertrouwen dat hij niets zal doorvertellen?

Ik voel me misselijk.

'Yoora.' Hij praat zachtjes en buigt zich naar me toe. 'Vertel me de waarheid. Vertel me wat er aan de hand is. Wat voor plannen heeft je vader? Wat heeft hij je verteld? Misschien is het iets om aan te geven. Daar word je voor beloond.'

Ik kijk hem aan. Wat zou die beloning kunnen zijn? Eten? Beter werk? In die stad wonen? Ik denk aan mijn vader, mijn moeder, mijn grootouders. 'Doe me dit niet aan,' fluister ik. 'Dwing me niet te kiezen.'

Hij schuift dichterbij en legt zijn hand over die van mij, en zijn donkere ogen boren zich in de mijne alsof hij recht in mijn ziel kan kijken. 'Weet je, ik zou willen dat het niet nodig was om ons te verstoppen, om steeds 's nachts af te spreken, af en toe een uurtje. Ik zou willen dat we samen een toekomst hadden…'

Ik glimlach naar hem en mijn gedachten aan vader verdwijnen als sneeuw voor de zon. 'Ik probeer niet meer te denken aan wat er met ons kan gebeuren,' antwoord ik. 'Aan als hier een einde aan komt, als we elkaar niet meer mogen zien, want ik wil er niet aan denken dat dat moet. Ik wil in ons blijven geloven en er niet aan denken dat jouw familie een betere klasse is dan de mijne, maar… maar eigenlijk kan het niet… zelfs geen vriendschap. Het is niet toegestaan, Sook. Dat weet ik. Dat weet jij ook.'

'Maar misschien,' zegt hij terwijl hij in mijn hand knijpt, 'misschien kunnen de dingen voor ons veranderen als je me vertelt wat je vader heeft gezegd. We kunnen het aan mijn moeder vertellen en ze zou je kunnen helpen…'

'Wat?' Ik kijk hem verbijsterd aan. 'Nee, dat slaat nergens op,' bits ik. 'Er valt niets te vertellen. En zelfs als er wel wat was, dan nog zou je moeder nooit iets doen om mij en mijn familie te helpen. Ze zou een goed excuus hebben om van me af te komen.'

'Dat zou ze niet doen.'

Ik til mijn hand op en waag het zijn wang aan te raken. 'Dat zou ze wel,' fluister ik.

En ik weet dat ze het zou doen. Echt. Zeker weten.

En ik weet dat er op een dag een einde aan onze vriendschap komt. Ik wil alleen dat die dag nooit komt.

'Je kunt beter naar binnen gaan. Kijken hoe het met je moeder gaat. Maar alsjeblieft, Sook… Zeg alsjeblieft niets… Niet over mijn vader… Hij is niet wat je denkt… Hij is alleen…' Maar ik kan de woorden niet vinden.

Ik kijk omhoog naar de hemel, die lichter wordt. De morgen nadert, en we nemen geluidloos afscheid met gebaren, zonder dat er een glimlach afkan; we raken elkaars handen heel kort aan en draaien ons om.

Als ik naar huis loop, voel ik me verdrietig, bang en ongerust. In gedachten neem ik ons gesprek opnieuw door, wat ik heb gezegd, wat ik niet heb willen zeggen, wat hij denkt, wat hij zou kunnen doen. En dan, in de stilte van het dorp, lijkt het alsof ik achter me iets hoor. Ik stop met lopen, luister, draai mijn hoofd in de richting van het lawaai. Het komt bij Sooks huis vandaan. Opgewonden stemmen die door elkaar heen praten, of is het vogelgezang? Staat Sook daar bij het raam naar me te kijken? Moet ik zwaaien? Of zijn het schaduwen die me voor de gek houden in de schemering?

Ik draai me om en loop verder. Wat ik nu nog niet kan weten, is dat ik nooit meer terug zal keren.

Hoofdstuk 10

Ik ontwaak met dezelfde geluiden als altijd en wanneer ik uit het raam kijk, word ik begroet door hetzelfde uitzicht als anders. Tijdens het ontbijt, werp ik tersluikse blikken op de gezichten van mijn familie: mijn grootvader met zijn vriendelijke glimlach en zijn fantastische verhalen, mijn grootmoeder die de laatste tijd erg stil is en er afgetobd uitziet, mijn moeder die keihard werkt om alle monden te voeden, en mijn vader, mijn lieve vader, die mijn nachtmerries kan wegnemen en mijn dromen kan doorgronden.

Ze geven me zo veel vriendelijkheid.

Ik denk terug aan de waarschuwende woorden van grootmoeder, nog maar een paar maanden geleden, en ik speel het gesprek met Sook van de afgelopen nacht opnieuw af. Keer op keer weerklinkt mijn eigen stem in mijn hoofd, die hem geheimen vertelt, mijn vader verklikt, mijn familie in gevaar brengt. Woorden waarvoor we kunnen worden gearresteerd. Woorden die onze dood kunnen betekenen.

Ik wil huilen, wil hun vertellen wat ik heb gedaan en ik wil dat zij alles weer in orde maken. Dat kunnen zij toch, of niet? Me in hun armen nemen, heen en weer wiegen, in mijn oor fluisteren en mijn hoofd strelen, me vertellen dat alles goed komt, echt waar.

En dan leg ik uit dat ik het niet aan Sook heb willen vertellen, maar dat het er gewoon uit rolde en dat het er verkeerd uit is gerold. Vader is helemaal geen vluchtpoging aan het plannen, want die stad ís Pyongyang en Sook zal zich wel vergissen. Maar Sook heeft daar vijftien jaar lang gewoond en hij klonk zo stellig. En waarom zou hij liegen?

Ik slik een hap maïspap door, kijk naar mijn familieleden die rond de tafel zitten, en open mijn mond om iets te zeggen. Ik voel me weer misselijk worden.

'Voel je je wel goed, Yoora?' vraagt mijn vader.

'Ik ben een beetje duizelig,' fluister ik, en ik breng mijn trillende handen naar mijn hoofd. Ik zie zijn bezorgde ogen naar me kijken en ik voel dat zijn gedachten, zijn meest verborgen gedachten, die hij in vertrouwen aan me heeft verteld, tussen ons in staan, het geheim dat ik had moeten bewaren.

Vluchten, denk ik. Echt, vader? Ben je dat echt aan het voorbereiden? Is dat echt hoe je over onze Geliefde Leider denkt?

Vluchten, of zelfs plannen maken om te vluchten, zelfs erover denken, is een misdaad tegen de staat, tegen onze Geliefde Leider. Een misdaad waarop een gevangenisstraf staat, of zelfs de doodstraf. En niet alleen voor vader – het kwaad blijft drie generaties lang in het bloed en de straf ook.

Ik heb het eerder gezien, een jaar of vijf geleden: een radio die was losgekoppeld van de staatszender en in plaats daarvan was afgestemd op een Chinees radiostation. Geen kwaad in de zin, geen reactionaire gedachten of plannen, alleen nieuwsgierigheid naar wat er nog meer was, en een voorkeur voor gitaarmuziek. Maar zijn intenties deden er niet toe, zijn daden gingen in tegen de leer van ons land.

Hij was ouder dan ik, de jongen die het gedaan had, maar ik weet nog dat ik op school vlak naast hem stond en hoorde dat hij met zijn voeten een ritme roffelde dat ik niet herkende, en onwillekeurig een liedje neuriede. Ik was niet de enige die het hoorde en ik was waarschijnlijk ook niet de enige die hem aangaf.

Op een ochtend in alle vroegte kwamen ze en vonden de radio. Meer was er niet nodig.

Ik weet nog dat zijn familieleden – zijn vader en moeder, zijn oom, zijn grootvader, zijn zus – toekeken hoe hij achter in een vrachtwagen werd gegooid. Ik weet ook nog dat de jongen vanuit de vrachtwagen naar de dorpsbewoners keek die zich hadden verzameld, zijn ogen vol angst, wanhoop, schuld en teleurstelling.

Nu vraag ik me af of hij zich het liedje nog kan herinneren dat hij toen neuriede. Ik vraag me af of hij er nu een hekel aan heeft.

'Ga even een luchtje scheppen,' zegt mijn vader met een blik op de rook van het vuur, die als een dikke nevel onder het plafond hangt.

Met trillende benen sta ik op en loop naar de deur. Ik stap naar buiten, de bijtende kou in, en mijn hele lichaam beeft als klauwen van ijs me omknellen. Ik doe mijn ogen dicht en vul mijn longen met de frisse lucht. Ik adem langzaam en diep uit, laat mijn schouders zakken en ontspan mijn gezicht.

En daar is hij. Hij staart me aan met zijn zwarte kraalogen en houdt zijn kop schuin naar één kant, alsof hij me iets probeert te vertellen. Een kraai. Slechts een paar meter bij me vandaan.

Hij is vast op zoek naar voedsel, denk ik bij mezelf. Hij zal zo wel met zijn snavel in de aarde gaan pikken. 'Hier vind je geen wormen,' wil ik tegen hem zeggen. 'Die zitten 's winters te diep. En alle insecten zijn bij elkaar gekropen op donkere plekjes onder stenen of in de spleten van loszittende schors, wachtend tot het voorjaar komt en hen wakker schudt.'

'Je zou zelf een goede maaltijd vormen,' fluister ik. 'Mijn grootmoeder zou je veren plukken en je in een pan stoppen. Je zou best smaken. En ik zou je veren tussen mijn kleding naaien om warm te blijven.'

Maar hij blijft me alleen maar aanstaren – een zwarte vlek, een dreiging, een voorteken.

Dan hipt hij opzij, slaat zijn vleugels uit, zijn veren zilverblauw en groen glimmend, en hij vliegt op, komt mijn kant op en krast: een rauw, hard, raspend geluid dat door de lucht snijdt en pijn doet aan mijn oren. Zijn vleugels zijn zo dicht bij me dat ik de luchtverplaatsing voel als ze flikkerend het licht tegenhouden, waardoor ik mijn ogen samenknijp en mijn handen voor mijn gezicht sla om mezelf te beschermen.

Ik duik in elkaar, buig mijn hoofd naar mijn borst en bedek mijn hoofd met mijn armen. Even denk ik zijn klauwen in mijn haren te voelen en ik stel me voor hoe hij me optilt en met zich meeneemt de lucht in. En op dat moment voel ik me niet bedreigd en ben ik niet bang voor hem. Ik voel iets heel anders. Een soort begrip of behoefte, of een gevoel van urgentie.

Maar net zo plotseling als hij gekomen is, verdwijnt hij weer. Ik sta op en kijk naar de blauwe lucht waartegen een paar donkere wolken hangen. Ik zie zijn zwarte silhouet en de klapperende vleugels waarmee hij langzaam bij me wegvliegt, al die tijd krassend alsof hij tegen me schreeuwt.

Hoofdstuk 11

Ik ga het huis weer in. 'Zagen jullie dat?' vraag ik. Drie paar ogen kijken me wezenloos aan. Ik ga aan tafel zitten. 'Er was een kraai.' Ik wacht op een reactie, een vraag van mijn moeder misschien, of een zucht van grootmoeder. Maar niks. En ik besef dat hun blikken zo uitdrukkingsloos zijn vanwege de stilte die ze zichzelf hebben opgelegd toen ik binnenkwam.

Ze wilden me weg hebben. Ze hebben iets te bespreken zonder mij erbij. Maar wat?

Ik slurp het laatste beetje dunne pap naar binnen en nog steeds zegt niemand iets; de stilte is net zo ijzig als de lucht buiten.

Hebben ze ruzie gemaakt? Zijn ze soms onderdrukt fluisterend tegen elkaar tekeergegaan? Misschien zijn ze op de een of andere manier te weten gekomen dat ik Sook over mijn droom heb verteld en over wat vader tegen me heeft gezegd. Misschien zijn ze zo boos dat ze niet meer met me willen praten.

Maar dan schiet me te binnen dat Sook eten voor me jat, met me afspreekt, om me geeft. Hij zal niets doorvertellen. En dat kan ik tegen ze zeggen als ze erover beginnen. Ik kan hem vertrouwen.

Als ik mijn lege kom naar de emmer bij het raam breng, waar we de vaat doen, hoor ik een vaag gebrom in de verte. Ik probeer door het roet op het glas heen naar buiten te kijken; ik speur het landschap en de heuvels af die ons dorp omringen. Ik draai me om naar grootvader en zie dat hij naar zijn vrouw staart, mijn grootmoeder. Ik kijk naar moeder en vader, die zich geen van beiden verroeren, alleen luisteren. Het geluid komt dichterbij.

Ik druk mijn neus tegen het glas. 'Nee,' fluister ik hoofdschuddend en mijn huid begint te prikkelen, mijn maag trekt samen en mijn hoofd tolt. 'Er komt een auto aan,' prevel ik.

'Toch niet hierheen?' fluistert moeder.

Ik kijk naar vader en hij schudt zijn hoofd naar me. Ik zie de teleurstelling in zijn ogen.

Geluidloos beweeg ik mijn lippen: 'Het spijt me.' Maar hij kijkt al een andere kant op en hoort niet wat ik zeg.

Hij staat op, net als mijn moeder en grootouders, en met z'n drieën kijken ze uit het raam naar de auto die nu in de richting van het dorp komt rijden, aan de achterkant wolken gas uitbrakend.

'Het kán niet dat hij hierheen komt,' fluistert mijn moeder.

Ik doe mijn lippen van elkaar om iets te zeggen, om uit te leggen wat ik aan Sook heb verteld, over mijn droom over de stad met de lichten en het eten en de muziek, vader die gezegd heeft dat hij me daarheen zal brengen, zijn plan om daar te gaan wonen. Maar ik blijf me vastklampen aan het geloof dat Sook dat niet zou doen, me niet op die manier zou verraden, en ik durf de woorden niet uit te spreken waaruit zal blijken dat ik mijn familie verschrikkelijk heb laten vallen.

Dus ik sta daar maar. En kijk naar de auto. Ik weet dat hij onze kant op komt.

'Ruim alles snel op,' hoor ik mijn grootmoeder zeggen. En ik draai me om en vraag me af waar ze het over heeft. Ik vang de blikken op die de volwassenen met elkaar wisselen en besef dat ze iets voor me verzwijgen, dat ze een geheim voor me verborgen houden.

'Vader,' fluister ik, 'ik moet je iets vertellen.'

'Niet nu,' antwoordt hij, en de ongerustheid in zijn stem maakt dat ik mijn adem inhoud. Ik kijk stomverbaasd toe als hij bij het kastje neerknielt, er een lade uittrekt en zijn arm in het lege gat steekt. Hij haalt er de ene na de andere stapel papieren uit, die mijn grootouders vervolgens uit zijn handen trekken en in het vuur gooien. Ze duwen alles zo goed en zo kwaad als het gaat in de vlammen, terwijl ze steeds even naar mijn moeder kijken, die bij het raam staat, dan naar de deur en dan weer terug naar de wirwar van dingen die over de vloer verspreid liggen.

'Maar...'

'Ik zei: nu niet, kind!' schreeuwt vader.

Ik loop om hen heen en probeer te begrijpen wat ze aan het doen zijn. Ik kijk naar de papieren: handgeschreven brieven, foto's, sommige zwart-wit en andere in kleur, tijdschriften, ansichtkaarten, kranten. Ik kijk niet-begrijpend naar de vlammen die aan de lachende gezichten likken en de woorden verslinden voordat ik zelfs maar een poging kan doen om ze te lezen.

'Die niet... alsjeblieft... Die wil ik bewaren,' smeekt mijn moeder, en ze graait een enveloppe van de vloer, waar een stuk gekleurd papier uitsteekt dat bedekt is met een slordig handschrift. Ik zie dat ze haar tranen wegslikt als ze de enveloppe in haar blouse propt.

'Wat doen jullie?' vraag ik. 'Wat zijn dat voor spullen?' Ik buig me voorover en pak een ansichtkaart op van een stad in het avondlicht met daarboven een prachtige, diepblauwe hemel, de straten gevuld met kleuren, gebouwen die in het donker omhoog reiken, de ramen verlicht met allerlei verschillende kleuren, uithangborden met flikkerende neonlampen.

Mijn maag draait zich om. 'Dit... dit is de stad waarover ik gedroomd heb!' Ik voel me benauwd en draaierig worden terwijl ik naar de neonreclame staar op de kaart in mijn hand, die ik niet begrijp en niet kan lezen. 'Dit is Noord-Korea niet,' zeg ik. 'Het is Pyongyang niet. Sook had gelijk.'

Iedereen verstijft. Ze staren me aan.

'Ik heb niet... Ik wilde niet...' Maar ik kan niet liegen. Vader weet het, natuurlijk weet hij het; hij wist het zodra hij de motor hoorde en mijn gezicht zag. Ik heb hem verraden. Ik sla mijn ogen neer; de pijn van mijn schuld is te zwaar om te dragen en ik staar naar de vloer die bestrooid ligt met de geheimen die ze zo veel jaren voor me verborgen hebben gehouden, geheimen die ik zonder erover na te denken te gronde heb gericht.

Ik zie de voeten van mijn grootmoeder met grote passen mijn kant op komen en ik kijk op. In haar gezicht lees ik een onbeschrijflijke woede, venijn waarvan ik niet wist dat iemand dat ooit voor mij zou kunnen voelen. Ik zie niet dat ze haar hand optilt, maar ik voel hem tegen mijn gezicht aankomen en ik voel de vloer als ik val.

Ik blijf liggen. Een stekende pijn, het luider wordende gebrom van de auto, het geruis van papier om me heen, het geknisper van de vlammen die hun herinneringen vernietigen. Het gesnik van mijn moeder.

Wat heb ik gedaan?

Ik ruik de uitlaatgassen van de auto.

Ik voel mijn grootvaders hand op mijn schouder, een vriendelijk kneepje, en ik ben ontzettend bang. Ik realiseer me hoe dom ik ben geweest. Hoe onnadenkend en egoïstisch en naïef. Natuurlijk kan ik Sook niet vertrouwen. Natuurlijk vertelt hij het aan zijn moeder. Hoe heb ik ooit iets anders kunnen denken? Ik wil me het liefst tot een bal oprollen en verdwijnen.

De vlammen verdelgen de laatste papieren en worden dan kleiner, totdat er alleen nog as over is, de fijne overblijfselen van herinneringen die ongedaan zijn gemaakt, van kennis en bewijs van iets waarvan ik nooit deelgenoot heb mogen zijn. Mijn vader rukt de ansichtkaart uit mijn handen en gooit hem in de haard.

Buiten houdt de auto halt. Ik hoor de portieren opengaan. Hoor ze dichtgegooid worden. Hoor stemmen. Donkere mannenstemmen.

'Het spijt me,' fluister ik. Ze kijken me allemaal aan. Allemaal, behalve mijn grootvader.

'Jullie hadden haar jaren geleden de waarheid moeten vertellen,' zegt hij. 'Ze zullen haar ook meenemen. Ik moet er niet aan denken wat ze met haar zullen doen.'

Mijn moeder draait zich naar me toe, haar ogen zijn rood en de tranen stromen over haar wangen. Ze streelt met haar hand mijn gezicht. 'Ga, Yoora, ga weg en verstop je. Waar je maar kunt. Blijf bij die mannen uit de buurt. Zorg dat ze je niet zien.'

Ik staar haar aan en ik verlang niets anders dan dat ze me oppakt en knuffelt. 'Je moet nú gaan,' sist ze. 'Uit het achterraam.'

Ik kom struikelend overeind en kijk naar de gezichten van mijn familieleden, de pijn die ik heb veroorzaakt met een paar gedachteloze woorden in het donker, en ik klauter uit het achterraam, duw het dicht en laat me op de grond vallen.

Hoofdstuk 12

Ik zit onder het raam en hoor de mannen schreeuwen als ze mijn huis binnengaan, hoor de zachte antwoorden van mijn familie, maar ik weet niet waar ik naartoe moet of wat ik moet doen. Kan niet bedenken waar ik veilig ben of waar ik me kan verstoppen. Ze zullen me missen, me komen zoeken, me achtervolgen.

Ik kan onmogelijk naar het huis van Sook of naar school, of naar een van de buren. Of naar een vriend of een collega van mijn vader. Niemand zal me beschermen. Niemand wil zijn leven voor me op het spel zetten. Ik ben de enige op wie ik kan vertrouwen.

Maar ik ben bang. Doodsbang. Ze zullen uit het raam kijken, ze zullen me vinden, dan nemen ze me mee en doden me. En dat is allemaal, echt allemaal mijn schuld.

Had ik maar… denk ik. Duizend keer 'had ik maar…'

Maar iets neemt het van me over, een soort overlevingsinstinct of angst, of een stem in mijn hoofd, iets wat me dwingt na te denken en in actie te komen. Mijn oog valt op een gat onder het huis, vlak naast me, een opening die misschien door een dier is gegraven, en ik wurm mezelf erin en gooi wat losse aarde over me heen, smeer modder op mijn gezicht, schep dode bladeren en takken boven op mijn lichaam. Ze verwachten vast niet dat ik me zo dichtbij schuilhoud.

Ik trek een schoen uit en gooi die zo ver mogelijk weg, in de hoop dat ze die zullen zien. Dan denken ze misschien dat ik hem onderweg verloren ben toen ik op de vlucht sloeg en dat ik dus die kant op ben gegaan.

Mijn hart raast en bonst in mijn borst en mijn keel en mijn hoofd. Er klinkt geschreeuw in het huis. De smekende stem van mijn grootmoeder. Het huilen van mijn moeder. Mannenstemmen die blaffen en eisen: 'Waar is je dochter?'

Stilte. Een gil. Een klap. Een snik.

'Wat hebben jullie verbrand?' schreeuwt iemand. Er komt geen antwoord.

Ik ben een lafaard; ik verberg me onder de grond voor wat ik veroorzaakt heb, terwijl mijn familie lijdt en mij beschermt.

Stemmen schreeuwen iets over Zuid-Korea, over vluchten, over misdaden tegen onze Geliefde Leider. Dreigementen over heropvoeding door arbeid, strafkampen, terechtstaan en executie. Ik beef van angst, de tranen prikken in mijn ogen.

Wat heb ik aangericht?

Ik knijp mijn ogen dicht en wens dat ik het niet hoef aan te horen. Ik zou het liefst gillen, naar binnen rennen en hen aan stukken scheuren, ze uitschelden en in hun gezicht spugen. Maar ik kan niets anders doen dan blijven zitten, me schuilhouden en luisteren.

Ik word verteerd door schuld. En ik haat Sook.

Met elke vezel van mijn lichaam haat ik hem. Bij elke ademhaling denk ik eraan dat hij me verraden heeft. Dat ik zo dom ben geweest om hem te vertrouwen. Te denken dat hij echt om me geeft. Nu zie ik in dat het allemaal een list is geweest, bedrog, een goed gepland spelletje.

Ik veracht hem.

Natuurlijk, waarom zou Min-Jee hem anders een broodje hebben laten meenemen? Ze heeft het al die tijd geweten. Hij heeft me bedrogen en ik ben zo stom geweest erin te tuinen. Ik ben stiknijdig, niet alleen op hem, maar ook op mezelf. Ik hoor mijn moeder door de muur heen huilen en ik graaf me nog dieper in, wensend dat ik alle ellende kon ontvluchten.

Toch zíjn ze verraders, net als de jongen met zijn radio, en ze verdienen het gestraft te worden. Dat heb ik mijn hele leven gehoord.

Maar het zijn geen slechte mensen, zegt een stem in mijn hoofd, en ik houd van ze en ik weet dat ze schuldig zijn, strafbaar in de ogen van de overheid, maar ze zijn mijn familie en ze hebben gewoon een vergissing begaan.

De bewakers schreeuwen opnieuw mijn naam, maar het blijft stil. Ik hoor de deur dichtslaan, het gedreun van laarzen, het gemompel van soldaten, hoor ze bij de buren naar binnen denderen, vragen schreeuwen, bevelen uitdelen.

Ik voel angst. Pure, panische angst.

De stemmen komen dichterbij, voeten naderen, het bevroren gras kraakt onder de laarzen. Ik ruik nicotine en leer. Ik gluur tussen mijn wimpers door, voorbij het gras en de bladeren, en ik zie twee mannen. Ik ben bang dat ze mijn oogwit kunnen zien en daarom trek ik me verder terug en verberg me zo diep mogelijk, maak me zo klein als ik kan. Ze zullen toch zeker niet denken dat ik zo dichtbij ben?

Hun voeten komen mijn kant op en ik houd mijn adem in, als de dood dat mijn bonzende hart me zal verraden. Ik kan de sigaret zien bungelen tussen de vingers van een van hen, de rook kringelt mijn kant op, alsof die me achtervolgt en aanwijst waar ik verstopt zit. Ik voel de rook aan mijn neus kietelen, in mijn keel kriebelen.

Niet hoesten, zeg ik tegen mezelf. Ik houd mijn neus dicht en sla mijn handen voor mijn mond. Mijn keel prikt, ik moet nu echt hoesten. Ik kijk naar de mannen. Houd mijn blik op hen gericht... kijk en wacht... wacht...

Ik hoor de man met zijn lippen aan de peuk zuigen, zie hoe zijn vingers de sigaret wegschieten naar de grond, waar hij vlak voor mij landt. Mijn keel brandt. De kriebelhoest zit daar opgesloten. Ik ga zo hoesten, dat weet ik, en dan zullen ze me horen en me ontdekken, en dan zijn we erbij. Wij allemaal. Een hele familie die op tijd is tegengehouden.

Een laars drukt de peuk in de grond en ik kijk toe hoe de soldaat zich omdraait, mijn handen over mijn lippen geklemd terwijl ik slik en nog eens slik. Ik zie ze om de hoek verdwijnen. En dan hoest ik. Maar ze komen niet terug. Ze hebben mijn schoen gevonden.

Ze lopen weg en ik haal weer adem.

Hoofdstuk 13

Ik blijf nog uren zitten. Mijn geest maakt een voorstelling van wat mijn oren horen: mijn familie die meegenomen wordt, borden die langs de weg worden opgehangen om de openbare rechtszitting aan te kondigen, soldaten die buren bedreigen omdat ze me misschien verborgen houden, gestommel in ons huis en geschuif met meubels, roddels over wat we gedaan hebben.

Ik hoor geen Min-Jee en geen Sook.

Het wordt steeds killer en ik zie de zon ondergaan en het dorp in duisternis verzinken. Na meer dan twaalf uur durf ik uit mijn schuilplaats tevoorschijn te komen. Het kost me moeite mijn ledematen te strekken, alsof ik een spin ben die uit een holletje kruipt.

Er hangt een dreiging in de lucht als ik ga lopen, alsof miljoenen ogen naar me gluren vanachter ramen en deuren, bomen en struiken of vanaf de sterren: mijn buren, mijn vrienden, onze Geliefde Leider.

Ze houden me in de gaten.

Ze wachten.

Het duister is mijn vriend, omringt me, verbergt me, begeleidt me als ik achter ons huizenblok vandaan stap en me buk als ik onder het raam van de buren door loop, hopend dat ze mijn voetstappen niet horen. De halve maan verdwijnt achter de wolken en ik zie bijna niets meer, strek mijn handen voor me uit en gebruik mijn instinct en geheugen om mijn weg te vinden.

Ik loop met ingehouden adem langs de voorkant van de huizen. Ik tel de ramen en deuren die mijn handen voelen. Ik sluit mijn ogen om me te concentreren en bij het derde huis houd ik halt: mijn huis.

Is het mijn huis wel? Of sta ik voor dat van de buren? Ik loop in mijn hoofd opnieuw de nummers af, leg mijn hand tegen de houten deur en voel de splinters en bladders verf, de knoest die ik herken: het is mijn voordeur. Ik druk voorzichtig de deurkruk naar beneden, stap naar binnen en sluit de deur achter me.

Ik weet niet wat ik had verwacht. Dat mijn ouders hier waren? Of mijn grootouders? Slapend op hun matten net als anders? Het ritmische geluid van hun ademhaling, het gekraak van het huis als het afkoelt nadat het vuur is gedoofd? Er is niets.

Op de tast loop ik door het huis: de tafel is weg, de stoelen ook. Ik schuifel naar de keukenkastjes, die er nog wel zijn, en open de knarsende deurtjes. Ik laat mijn handen over de planken gaan: leeg. Geen mokken, geen borden, geen kommen, geen eten. Voorzichtig loop ik naar de andere kamer, laat me op mijn knieën vallen en kruip over de vloer: de bedden zijn weg, de kasten, alles.

En mijn familieleden.

Allemaal.

Ik ga in de hoek van de kamer zitten en trek mijn knieën omhoog naar mijn borst. Ik maak mezelf zo klein mogelijk. Het liefst zou ik in de muur verdwijnen; ik verdien het niet hier te zijn terwijl de anderen zijn opgepakt.

De hele nacht word ik door schuld verteerd. Ik sluimer, val in slaap en word weer wakker; dromen en nachtmerries achtervolgen me, stellen me vragen en laten me zien wat er kan gebeuren, kwellen me met herinneringen die ik nooit zou durven oproepen als ik wakker was.

Natuurlijk zie ik de stad uit mijn dromen weer. De stad van de ansichtkaart. En opnieuw loop ik erdoorheen, lichtvoetig en lachend. Maar hoe kan ik gelukkig zijn? Die droom en mijn dwaasheid hebben deze ellende veroorzaakt.

Buiten adem en met de tranen op mijn wangen word ik wakker.

Ik blijf stil zitten terwijl de zon opkomt. Ik zie hoe de lange schaduwen zich terugtrekken van de vloer en een ondoordringbaar licht zich door het lege huis verspreidt. Ik word overspoeld door herinneringen. Ik leg mijn handen tegen de muren die ooit mijn jeugd omsloten en ik besef dat het allemaal voorbij is.

Het is niet langer mijn huis. Mijn familie is hier niet meer om het te vullen en ze zullen hier ook nooit meer komen. Binnenkort zal het aan iemand anders gegeven worden, want alles is staatseigendom, niets is van particulieren.

Ik weet dat ik moet gaan, en snel ook. Als ik hier blijf, in het huis, in het dorp, word ik gevonden voordat de avond valt. Kan ik morgen dood zijn. Ik had eerder moeten vertrekken, denk ik bij mezelf, toen het nog donker was en niemand me kon zien. Ik sta op en zie een paar schoenen: van mijn grootmoeder, oud en versleten. Ze zitten een beetje krap, maar het is beter dan één schoen. Ik doorzoek alle kasten en laden omdat de honger in mijn ingewanden rommelt, maar ik vind geen eten, geen kruimeltje.

Dan bedenk ik me dat ik niet weg kan. Niet voordat ik weet wat er met hen gaat gebeuren. Maar diep vanbinnen weet ik dat al. Want er is maar één mogelijkheid.

Met een zucht laat ik mijn hoofd voorover vallen en dan zie ik het. Een snippertje kleur in het grijze huis: het oranje van neonlampen, het glinsterende wit van lichten, verborgen in de haard, verduisterd door de as. De ansichtkaart. Ik pak hem op en zie dat de randen zijn omgekruld en verschroeid. Ik veeg het stof eraf. Dat is hem. Ik weet zeker dat dit de stad is uit mijn droom: de lichten, de borden, de winkels, de mensen, ze zijn er allemaal. *Maar wat betekent dat?*

Ik schud mijn hoofd. Ik begrijp het niet. En nu is er niemand meer aan wie ik het kan vragen.

Ik draai de kaart om en zie dat de ruimte aan de andere kant gevuld is met slordig gekrabbel. Geen adres, geen postzegel. Bovenaan herken ik het handschrift van mijn vader, maar verder niets. Ik weet niet welke taal het is, kan zelfs niet lezen welke stad het is.

Maar hoe…?

En al die brieven en foto's en tijdschriften en kranten? Allemaal verbrand. Vernietigd. Waar kwamen ze vandaan? Hoe zijn ze hier terechtgekomen? Ik hurk neer bij de haard en wroet met mijn handen door de resten kolen en hout van gisteravond, til het verbrande papier op dat in mijn vingers verkruimelt.

Er is niets meer. Niets, behalve misschien de enveloppe die ik mijn moeder tussen haar kleren heb zien stoppen. Maar ik heb geen idee waar ze nu is.

Buiten hoor ik een geluid: er gaat een deur open en weer dicht, voetstappen. Ik houd me muisstil en klem de ansichtkaart tussen mijn vingers. Ik loop voorzichtig naar het raam. Ik zie mijn buurman die het bord leest dat op een boom is gespijkerd. Als hij zich omdraait, laat ik me snel op de grond vallen en ga onder het raam tegen de muur zitten. Ik weet precies wat voor bord dat is.

'Wat staat er?' hoor ik zijn vrouw vanuit het huis roepen. 'Het proces,' antwoordt hij. 'Het is vandaag.'

'Denk je dat hij geëxecuteerd wordt?'

Ik kan zijn antwoord niet horen.

Hoofdstuk 14

Ik verroer me niet.

Ik blijf ineengedoken onder het raam zitten, terwijl de rest van het dorp hoort dat mijn familie vandaag terechtstaat. Het nieuws verspreidt zich snel, maar niemand verbaast zich erover. Ze hebben het allemaal al zo vaak gezien. Maar toch, het is een spektakel, een happening, een welkome afwisseling op de dagelijkse sleur.

Ik denk aan Sook. Ik kan hem niet uit mijn gedachten krijgen. De eerste keer dat we elkaar ontmoetten, onze gesprekken, het eten dat hij voor me stal, onze nachtelijke wandelingen, de glimlach op zijn gezicht, mijn hand in de zijne. Ik dacht dat ik iets voor hem betekende. Dacht dat ik hem kon vertrouwen.

Ik heb het behoorlijk mis gehad.

Ik voel me verloren en eenzaam. Verward. Ik weet niet wat ik moet doen of waar ik naartoe moet. Ik wil alleen maar huilen. Ik wil mijn moeder of mijn vader, mijn grootvader of desnoods mijn grootmoeder; dat een van hen zijn arm om me heen slaat en me vasthoudt. Me beschermt. In mijn oor fluistert dat alles goed komt. Ook al komt het niet goed. Ik wil me verschuilen in naïviteit.

Maar dat doe ik feitelijk al jaren. Vader had gelijk over die stad: hij bestaat echt. Als hij gelijk had wat betreft de stad... dan zijn er misschien nog meer dingen waarin hij gelijk heeft...

Het gebulder van motoren dringt het huis binnen en ik hoor muziek, tinachtig en verwrongen door een luidspreker. Ik schrik op uit mijn gedachten. Ik hoef niet eens uit het raam te kijken. Ik weet wie eraan komt: het Agentschap voor de Veiligheid van het Volk, dat executies uitvoert. En achter hun auto rijdt een witte bestelbus met mijn familieleden erin. Hij glijdt nu waarschijnlijk moeiteloos over de weg die ik geveegd en geboend heb, en daarna zal hij over de hobbelige paden het dorp inrijden. Paden waarover ik met Sook heb gewandeld.

Ik sla mijn handen voor mijn oren en sluit mijn ogen, maar de muziek zeurt door, steeds luider, en steeds meer vervormd door de luidspreker die aan de auto hangt. De woorden zijn alleen verstaanbaar omdat ze vanaf mijn geboorte in mijn hoofd zijn gepompt:

Onze toekomst en hoop liggen in Uw handen.
Het lot van ons volk ligt in Uw handen,
kameraad Kim Jong-il!
Zonder U kunnen wij niet bestaan!
Zonder U kan ons land niet bestaan…

Ik fluister de woorden mee met de schrille stemmen die over het dorp heen krijsen, en pas als het lied afgelopen is, sta ik op en kijk uit het raam. Ik zie dat de auto's in een rij langs het veld staan opgesteld. Ik tuur door de ruit en zie de kinderen naar hen toe rennen; de volwassenen laten hun harken en schoppen uit hun vallen of drijven hun vee in een hok bijeen, en lopen dan ook in de richting van de auto's.

De achterdeur van de bestelbus gaat open. Ik houd mijn adem in. Daar komt mijn vader naar buiten, zijn handen op zijn rug gebonden. Dan volgen mijn grootouders. Ik speur de menigte af, probeer in de auto's te kijken – waar is mijn moeder?

Ik brand vanbinnen, mijn hoofd bonkt, mijn maag draait zich om van misselijkheid en paniek. Ik ijsbeer, wrijf over mijn slapen, mijn ademhaling snel en oppervlakkig. *Wat moet ik doen? Wat moet ik doen? Wat moet ik doen?*

Ik wil gewoon dat het ophoudt. Er rollen stille tranen over mijn wangen, van pijn en leed en zelfhaat. En wrok tegen Sook. Het liefst zou ik hem uitschelden en in elkaar slaan. Hem toeroepen: 'Wat heb je gedaan?' Maar ík was het. Het is mijn schuld. Mijn familieleden zullen zo meteen sterven en dat is mijn schuld.

Ik stop met lopen en slaak een diepe zucht. Mijn duizeligheid verdwijnt.

Ze kunnen hen toch niet zomaar executeren? Dat hebben ze toch niet verdiend?

Maar het gaat niet alleen om de misdaad en dat weet ik: het gaat om je status, je sociale klasse, of je belangrijke mensen kent die om je leven geven. Wij kennen geen belangrijke mensen.

Naar buiten, ik moet het zien. Dat ben ik aan ze verplicht. Ik wil nog één keer hun gezichten zien, hoop dat ik hun aandacht kan trekken en ze kan vertellen dat het me spijt, dat het me echt verschrikkelijk spijt. Kon ik maar iets doen. Hen helpen. Dit tegenhouden. Hen redden.

Ik veeg mijn tranen weg en klim opnieuw uit het achterraam. Ik loop gebukt langs de achterkant van onze rij huizen, dan omhoog naar de plek van de terechtstelling. Ik doe mijn best niet op te vallen, blijf uit de buurt van ramen, hoewel iedereen zich intussen waarschijnlijk bij de plek verzameld heeft om te kijken wat er met mijn familie gaat gebeuren. Om te juichen als ze schuldig worden bevonden, waar ze al op rekenen, want dat wordt iedereen altijd; om ze te zien sterven als ze ter dood worden veroordeeld.

Ik spring bij de huizen vandaan en over de greppel van de openbare toiletten. Ik denk terug aan de eerste keer dat ik Sook ontmoette. Aan het eind van het toiletblok gluur ik om de hoek en zie de mensen met hun rug naar me toe staan. Er staan soldaten omheen die de wacht houden.

Zijn ze naar mij op zoek? Zullen ze me vanaf die afstand herkennen?

Een van hen kijkt mijn kant op. Hij heeft een geweer beet. Ik wacht af en zie dat zijn blik het landschap afspeurt. Als hij zijn hoofd afwendt, begin ik te lopen, terwijl ik ondertussen de soldaten in de gaten houd. Het lukt me bij de kassen te komen en opnieuw word ik herinnerd aan mijn nachten met Sook, de keer dat we hier zaten, elkaars hand vasthielden, de nacht waarin ik mijn familie heb verraden. Ik word overspoeld door verdriet en teleurstelling als ik me realiseer dat er zelfs geen sprake is geweest van vriendschap.

Ik bereik het eind van de kassen, loop langs de zijkant en ren dan naar een aardwal langs de rand van het veld waar de terechtstelling zal plaatsvinden. Ik laat me vallen zodat niemand me kan zien, rol op mijn buik en kruip naar boven, waar ik langs een kluit dood gras over de rand kan gluren.

De dorpskinderen zitten vooraan op een rij. Ze hebben goed uitzicht en kletsen en wijzen opgewonden, allemaal netjes in hun blauw met witte schooluniform en met een rode sjaal om hun hals geknoopt om te laten zien dat ze trouw zijn aan onze Geliefde Leider. Achter hen staan de volwassenen, hun gezichten stil en somber; met niets ziende blik staren ze naar het tafereel voor zich en nemen alles in zich op, zonder te verraden wat ze denken of wat ze ervan vinden. Het herinnert me aan de onzichtbare alomtegenwoordigheid van de ogen en oren van zo veel mensen. Aan de achterdocht die met onnaspeurbare kracht regeert.

Ik gluur tussen de grashalmen door, knijp mijn ogen tot spleetjes tegen het licht van de winterzon die achter mijn familieleden schijnt. Ik probeer hen met mijn wilskracht te dwingen zich om te draaien, zodat ze me zien. Mijn kleine en broze grootmoeder, mijn vader met zijn handen op zijn rug, mijn grootvader met geheven hoofd. Maar van mijn moeder is geen spoor te bekennen.

De soldaat begint te spreken en wendt zich tot de menigte. De meeste woorden worden meegenomen door de wind en ik vang alleen wat flarden op over misdaden tegen de staat, samenzwering tegen onze Geliefde Leider en iets over schuld.

Ik constateer dat er geen bewijs wordt aangevoerd of getuigen worden gehoord. Er komt geen enkele verdediger of rechter of jury aan te pas. Want die zijn er niet. Hij vraagt de mensen om hun oordeel en ze roepen hun antwoorden, en hoewel die zijn ingegeven door zelfbehoud, weet ik dat ze gelijk hebben.

Mijn familie wordt schuldig bevonden.

Mijn vader wordt ter dood veroordeeld.

Hoofdstuk 15

Ik weet wat er nu gaat komen, heb het vaker gezien, heb als kind vooraan gezeten en gejuicht, wetend dat het verdiend was.

Maar dit is mijn vader. Een goed mens. Die niemand kwaad doet. Die hard werkt. Die van ons houdt en voor ons zorgt. Maar...

Sinds mijn droom die nacht en dat gesprek buiten, is er een *maar*. Hij heeft me een andere kant van zichzelf laten zien en ik kan die twee niet met elkaar rijmen.

Ik tuur over het veld en kijk naar de mensen. Ik voel me leeg vanbinnen, mijn longen branden en mijn maag knijpt samen. Ik probeer diep adem te halen, maar het lukt niet. Achter mijn ogen prikken de tranen, mijn hoofd tolt, de wereld – mijn wereld – staat op zijn kop.

Het is vreselijk. Het is afschuwelijk. En dat allemaal door wat ik heb gezegd en door Sook.

Ik haat hem. Haat, haat, haat hem. En ik haat mezelf. In mijn hoofd krijst een stem: waarom heb ik het hem verteld? Waarom heb ik iets gezegd? Waarom heb ik hem vertrouwd? Ik wil hem vermoorden; ik wil dat hij dood is. Ik wil dat hij lijdt, dat hij de pijn voelt die ik voel doordat hij mijn vertrouwen beschaamd heeft.

Dan zie ik hem tussen de mensen staan en mijn maag draait zich om, ik klem mijn kaken op elkaar en bal mijn vuisten van razernij. Had ik maar een geweer of een mes of een touw, dan kon ik hem laten zien hoe kwaad ik ben en hoe ik alles aan hem haat. Het was dwaas van me om te denken dat ik van hem hield, dwaas om te geloven dat hij iets voor me voelde.

Huilend en bevend kijk ik naar het tafereel voor me. Mijn grootmoeder barst in huilen uit als de soldaten een houten paal uit de bestelbus halen, hem rechtop zetten en in de grond slaan. Ik doe mijn ogen dicht als ze mijn vader dwingen zich uit te kleden, voel zijn schaamte, maar als ik de spottende opmerkingen van de mensen hoor, doe ik mijn ogen weer open. Ik zie dat ze hem een dik, grijs pak aantrekken dat uit één stuk bestaat en ik herinner me wat mijn grootvader vertelde toen we de vorige executie bijwoonden: 'Het pak absorbeert het bloed,' zei hij. 'Dat wordt door de stof opgenomen, zodat de bewakers snel klaar zijn met opruimen.'

Deze keer is het mijn vaders bloed.

Ik kijk toe als ze hem naar de paal begeleiden en ik kan het wel uitschreeuwen, ik wil roepen dat ze moeten stoppen. Ik zie dat ze hem vastbinden, een touw om zijn benen, een ander rond zijn borst, en ik wil naar hem toe rennen en mijn armen om hem heen slaan en tegen hem zeggen dat het me zo heel, heel erg spijt, dat ik alles terug zou willen nemen, en dat ik ontzettend veel van hem houd.

Bij zijn voeten zetten ze een grote zak neer. Dan lopen drie soldaten een stukje terug, laden hun geweer, gaan op een rij staan en kijken naar mijn vader. Hij, die mij als baby heeft vastgehouden en applaudisseerde toen ik mijn eerste stapjes zette, bij wie ik op schoot zat als ik ziek was en die me geruststelde als ik een nachtmerrie had. Wiens hand de mijne vasthield op weg naar school en wiens glimlach ervoor zorgde dat ik me geliefd en gewild voelde.

Wiens dood ik heb veroorzaakt.

Ik wil dit niet zien, wil niet zien wat er met hem gaat gebeuren, wil het niet in mijn geheugen opnemen. Maar ik kan mijn ogen niet dichtdoen, kan niet wegkijken.

De man die de leiding heeft over de soldaten, wendt zich tot het publiek: 'U zult zien hoe waardeloze dwazen aan hun einde komen,' schreeuwt hij. 'Verraders die geen respect hebben voor ons land en ons volk, eindigen op deze manier.' Hij kijkt zijn mannen aan. 'Op mijn bevel!' roept hij hen toe en ze brengen het geweer naar hun schouder.

'Richt op de vijand!'

Ze turen door het vizier naar mijn vader. Hij staat fier overeind, groot en waardig; geen woord, geen schreeuw, geen enkel geluid komt over zijn lippen. Ik houd van hem.

'Enkel schot! Vuur!'

De schoten klinken als één schot en slaan in de touwen rond zijn borst. Ik sla mijn hand voor mijn mond om te voorkomen dat ik een gil slaak. Ik beef en tril. Ik hoor mijn grootmoeder gillen en zie dat mijn grootvader haar vastpakt om zelf overeind te blijven. Ze worden overmand door verdriet.

Mijn vaders bovenlichaam klapt voorover. De touwen rond zijn benen voorkomen dat hij op de grond valt.

'Nu buigt hij wél voor ons!' schreeuwt de leider smalend.

'Vuur!' buldert hij opnieuw en nu schieten ze op mijn vaders hoofd. De zak aan zijn voeteneinde vangt alles op.

Het is te veel; ik voel me duizelig en misselijk, wrijf met mijn handen over mijn hoofd en door mijn haar, trek aan mijn haren en laat ze weer los, ik word verscheurd door woede, ontzetting en ongeloof. Ik voel me als een dier dat wil ontsnappen. Ik sta op. Het kan me niet meer schelen. Het kan me niet schelen waaraan hij schuldig is. Hij is mijn vader en ik houd van hem.

Had ik maar eerder met hem gepraat, voordat dit gebeurde, dan had ik mijn excuses kunnen maken, hem kunnen vertellen – voor het eerst en voor het laatst – dat ik van hem houd, hoe belangrijk hij voor me is, dat ik trots op hem ben, trots ben dat ik zijn dochter ben. Al die dingen heb ik nooit gezegd en nu zal hij het nooit weten. Ik beef over mijn hele lichaam en de tranen stromen over mijn wangen.

Ik kan niet naar hem kijken, maar kan ook niet wegkijken, kan me niet meer verstoppen, kan me niet verroeren. Ik kijk naar mijn grootvader en hij ziet me. En ik zie dat hij heel langzaam en nadrukkelijk zijn hoofd van links naar rechts beweegt en weer terug.

Maar opnieuw klinken de woorden en bij het woord 'vuur' breken de touwen bij mijn vaders benen en hij valt krachteloos en levenloos in de zak aan zijn voeten.

Met alle lucht die ik in mijn longen heb en alle kracht die ik in mijn lichaam heb, gooi ik mijn woede eruit vanaf de top van de heuvel. Mijn schreeuw draagt ver, tot aan de dorpelingen, de soldaten, mijn grootouders en het lichaam van mijn vader. Ik schreeuw totdat ik vanbinnen helemaal leeg ben.

De menigte verstomt en draait mijn kant op.

Ik zie de mensen niet, ik zie alleen Sook. De grijns verdwijnt van zijn gezicht als hij mij in het oog krijgt. Ik hoop dat hij de haat voelt die ik over hem uitstort als we elkaar aanstaren.

Dat gezicht. Dat gezicht dat ik 's nachts zo vaak voor me heb gezien, dat ik in het bleke maanlicht kan herkennen, dat mij heeft laten dromen en verlangen. Hoe kan ik me zo vergist hebben?

Er stijgt gemompel op, de kinderen beginnen door elkaar heen te praten, ik hoor iemand een bevel blaffen, maar het zijn allemaal achtergrondgeluiden bij dat wat zich tussen Sook en mij afspeelt. Maar ineens hoor ik het, die ene stem die me toeschreeuwt: 'Rennen!'

Ik kijk waar hij vandaan komt en zie grootvader staan. 'Rennen!' schreeuwt hij nogmaals, en ik kijk van hem naar de soldaten die hun geweren herladen, dan naar het lichaam van mijn vader en weer naar Sook.

En dan begin ik te rennen.

Ik ren met verdriet en angst in mijn hart.

Ik ren zo snel als mijn benen me dragen kunnen, verder, verder. De heuvel af en het gras over, het veld naar de school in. Achter me klinkt geschreeuw. Mijn voeten stampen op de stoffige weg, mijn longen smeken me te stoppen.

Ik ren langs de kassen, een schot weerklinkt en het glas naast me wordt aan diggelen geslagen. Ik probeer nog harder te rennen. Ik weet niet waar ik naartoe ren, alleen dat ik verder moet, weg moet. Achter me hoor ik zware laarzen neerploffen en een stem die me beveelt te stoppen. Maar ik ga door, mijn keel brandt en mijn voeten struikelen over voren en kuilen in het pad.

Ik ren.

Opnieuw hoor ik een geweer knallen en ik slaak een kreet, maar ik voel geen pijn dus ik weet dat het mis was. Ik word moe, mijn benen wegen als lood, mijn energie is op, ik heb geen lucht meer in mijn longen. Ik struikel en glijd uit, val op de grond. Ik probeer overeind te klauteren. Voetstappen komen dichterbij. Ik probeer te gaan staan, maar iets grijpt mijn been en trekt me achteruit, mijn rok rolt omhoog terwijl mijn handen in het rond graaien op zoek naar houvast. Ik schop, ik gil en ik schreeuw. Ik wil vluchten.

Hij draait me op mijn rug en zet zijn laars op mijn borst. Ik kijk naar hem op en zie de stralen van de zon achter zijn hoofd vandaan komen, alsof hij een schilderij van onze Geliefde Leider is, Kim Jong-il. Maar door het felle tegenlicht kan ik zijn gezicht niet onderscheiden en slechts een fractie van een seconde zie ik de kolf van zijn geweer op mijn gezicht afkomen.

Hoofdstuk 16

'Waar zijn we?' Mijn stem klinkt vreemd, mijn keel doet zeer, mijn lippen zijn droog en kapot. Ik heb bonkende hoofdpijn en achter mijn oogleden zie ik lichtflitsen.

'Ssst, kind,' antwoordt de stem van mijn grootvader, en ik voel de ruwe huid van zijn hand die het haar uit mijn gezicht strijkt. 'Houd je ogen dicht en rust maar uit.'

Ik ben doodmoe en in de war. Ik voel dat er een deken over me heen ligt, de kriebelige stof schuurt tegen mijn wangen. Ik ruik uitlaatgassen, voel de lucht bewegen en doordat mijn lichaam heen en weer schudt en op en neer hobbelt, en ergens onder me een motor bromt, besef ik dat we rijden.

Volgens mij zitten we achter op een vrachtwagen.

Mijn lichaam doet zeer en kreunt terwijl ik me probeer te herinneren wat er is gebeurd. Ik breng mijn hand naar mijn hoofd en voel een bobbel. Ik huiver van de pijn.

'Ik ben blij dat je wakker bent.' Grootvader pakt mijn hand en streelt die. Ik nestel me als een baby tegen hem aan, leg mijn hoofd tegen zijn borst, die rijst en daalt als hij ademhaalt. Voorzichtig doe ik mijn ogen open.

'Wat is er gebeurd?' fluister ik.

Ik voel dat hij zijn schouders ophaalt. 'Je was bewusteloos toen hij je terugsleepte.'

'Waar is grootmoeder?' vraag ik.

'Die is hier. Ze zit naast me.'

Ik wacht tot ze iets zegt, maar het blijft stil.

'En... en moeder?' vraag ik voorzichtig.

Mijn grootvader zucht. 'Ze is naar Chongyong gestuurd, in het noorden, vlak bij de grens met China. Ze moet van je vader scheiden en ze mag zich nooit meer met jou bemoeien. Of met je grootmoeder. Je vader heeft alle schuld op zich genomen voor wat er is gebeurd. Hij heeft gezegd dat hij alles bedacht heeft, zodat je moeder niet gestraft hoefde te worden, want zij heeft ander bloed. Wij niet. Hij kon niets doen om ons te beschermen. Drie generaties, dat weet je.' Hij zwijgt en kijkt op me neer. 'We zouden weggaan, Yoora,' fluistert hij. 'Over een paar weken. Alles was gereed. Gepland.'

Dus Sook had gelijk, denk ik bij mezelf.

'Dan waren jullie verraders,' fluister ik.

Het doet me pijn om het verdriet in zijn ogen te zien. 'Alleen tegenover jou,' antwoordt hij.

Ik leg mijn wang tegen zijn warme lichaam in de hoop wat troost te vinden; zijn armen liggen om me heen en hij strijkt met zijn vingers door mijn haar. Ik begrijp niet hoe hij me kan verdragen, zo dicht bij hem, terwijl ik ervoor gezorgd heb dat zijn zoon dood is. Ik heb zijn leven geruïneerd.

'Het spijt me,' fluister ik.

Hij veegt mijn tranen weg. 'Mij ook,' zegt hij.

Ik gluur tussen mijn pijnlijk gezwollen oogleden door naar de blauwe hemel boven ons; ik zie de wolken verschijnen en vervormen, een boomtak zwaaien, een vogel klapwiekend zijn vrijheid tegemoet vliegen.

Vrijheid, denk ik bij mezelf. Een grens over kunnen gaan, kunnen kiezen. Kiezen waar je woont of welk werk je doet. Kiezen welke boeken je leest, welke televisiezenders je kijkt, naar welke muziek je luistert. Of zelfs woorden kiezen om vragen te stellen, om ergens tegen in te gaan, om te discussiëren of gewoon na te denken.

Grootvader duwt me een stukje van zich af en steekt zijn hand in zijn zak, en ik hoor iets ritselen. Ik knipper met mijn ogen om scherp te kunnen kijken als hij iets voor mijn gezicht houdt.

Het is de ansichtkaart, gekreukt en verschroeid langs de randen en ik ruik de brandlucht nog. 'Die zat in je zak toen je terugkwam,' zegt hij.

Ik knik. 'Ik heb hem vannacht in ons huis gevonden. Ik wil hem bewaren.' Ik pak de kaart aan. 'Ik heb erover gedroomd,' leg ik uit.

'Ik ben daar geweest in mijn droom, maar het was zo echt.' Ik strijk met mijn vingers over de strepen licht en de auto's.

'Weet je waar het is?' vraagt grootvader. Ik kijk hem aan en schud mijn hoofd.

'Het is Seoul,' zegt hij. 'In Zuid-Korea.'

Ik frons mijn wenkbrauwen. 'Zo ziet Zuid-Korea er niet uit,' fluister ik. 'Dat heeft onze Geliefde Leider gezegd. "Het is nergens beter dan hier," zegt hij.' Grootvader zegt niks terug en kijkt me alleen maar aan.

Ik denk aan mijn honger, mijn koude huis met de bloemen op de ramen, de baby van de buren die is gestorven van de honger, mijn vader en moeder die ik nooit meer zal zien. Ik denk aan hoe hard we allemaal werken en hoe weinig we lachen, en ik kijk omhoog naar het gezicht van mijn grootvader, zo vermoeid, zo getekend, en dan kijk ik naar de ansichtkaart. En ik denk terug aan de woorden van mijn vader.

'Maar… maar ik ben daar nooit geweest… Hoe is het in mijn hoofd terechtgekomen?'

'Dat vertel ik je nog wel eens,' fluistert grootvader. 'Als je bent uitgerust.' Zijn gezicht is een en al vriendelijkheid en hij probeert te glimlachen terwijl hij een traan van mijn wang veegt.

Seoul? Echt? Ik begrijp er niets van. Een ander land? Waar het beter is dan hier? Dat is niet wat we geleerd hebben. Maar ik zie het toch zelf, hier vlak voor me, op deze kaart? Ik zie die stad toch? En die droom staat me nog levendig voor de geest. Die stad móet wel bestaan, denk ik vertwijfeld.

Ik houd de ansichtkaart stevig vast, een lichtpuntje, een verbinding met de buitenwereld. Een vingerwijzing naar de waarheid. Ik hoop dat het een glimp is van een toekomst die misschien voor mij in het verschiet ligt. Maar die toekomst is nu nog onbereikbaar.

Ik zie de bomen voorbijschieten, het landschap raast langs ons heen. We zijn op weg naar wat het ook moge zijn dat ons te wachten staat.

De enige toekomst voor mij op dit moment.

De uren kruipen voorbij achter in de vrachtwagen. De hemel verandert van het frisse, felle blauw van de winterkou naar oranje en rode strepen langs de horizon, als bloedvlekken, en vervolgens naar grijze schaduwen, die alle kleuren dempen en alles doen vervagen. We draaien een landweg op met butsen en kuilen. Het struikgewas is hier dichter en de lucht stiller. Er gaat een rilling door me heen.

Ik voel iets. Er hangt iets in de lucht en in de stilte om ons heen. Een waarschuwing. Dreiging. Onheil.

'De Weg der Tranen,' fluistert grootvader. 'Het laatste stukje weg voor het strafkamp.'

Ik ga met moeite op mijn knieën zitten, negeer mijn wonden, blauwe plekken en pijn, en schuif naar de zijkant, waar ik over de rand van de laadklep kan kijken naar de weg die voor ons ligt. De vrachtauto ratelt over een houten brug en ik gluur naar beneden: we rijden over een soort gracht of greppel met helemaal onderin een beetje water, donker en vies, dichtgeslibd met onkruid. En er steken lange, dunne, glimmende dingen uit de diepte omhoog, heel veel lange dingen, over de hele lengte van de greppel, zo ver het oog reikt.

Metalen punten.

Ik werp intuïtief een blik op mijn grootvader – hij heeft ze ook gezien. 'Om te voorkomen dat mensen proberen te ontsnappen,' fluistert hij, en dan wendt hij zijn gezicht af, alsof hij zijn angst wil verbergen, zijn overgave aan het leven – en de dood – die ons te wachten staan.

Ik kijk weer over de rand en zie de ingang, die nu vlakbij is: een hek dat zich kilometerslang naar beide kanten uitstrekt, zonder dat ik het eind kan zien, zeker tweeënhalve meter hoog, met elektriciteits- borden erop. Een grijs, betonnen gebouw staat hard en hoekig als een doos naast de ingang; daarnaast een wachttoren met een plat dak waarop twee bewakers staan, beide met een geweer over hun schouder, die met samengeknepen ogen op ons neer kijken.

Voor ons ligt de toegangspoort, die onze aankomst markeert en wacht tot we eronderdoor rijden: aan beide zijden betonnen pilaren, met daarop een stenen plaat als een grafsteen die de zuilen verbindt. Ik fluister de woorden die erin gegraveerd staan: Geef uw leven voor onze Geliefde Leider Kim Jong-il. Er gaat een rilling door me heen.

Voor het eerst sinds de executie kijkt mijn grootmoeder me aan en de haat in haar ogen, de afkeer die ze voor me voelt, is angstaanjagend. Maar ik begrijp het wel. En ik neem het haar niet kwalijk. Dit wat ons te wachten staat, en de dood van haar zoon, haar enige kind, zijn allemaal mijn schuld. En daar kan ik helemaal niets aan veranderen.

'Grootvader?' fluister ik, en ik kijk in zijn donkere ogen, waarvan ik weet dat ze me nooit zullen haten. 'Komen we hier ooit weer uit?'

Hij zwijgt. Als hij me aankijkt, zie ik dat zijn ogen vochtig zijn, en hij slikt moeizaam. Er valt een traan op mijn gezicht, zijn eerste traan. 'Eén dag tegelijk, Yoora. Eén stap tegelijk. Eén voet voor de andere en wie weet. Wie weet.'

Wat kan ik terugzeggen? Ik kan geen woorden vinden; hoeveel excuses ik ook maak, het haalt niets uit.

Ik knik en pak zijn hand.

Hoofdstuk 17

Ik trek de deken strakker om me heen en gluur naar buiten, terwijl de vrachtwagen steeds dieper het kamp binnenrijdt. De poort en het hek en de wachttoren en de wereld daarachter trekken zich terug, krimpen en verdwijnen ten slotte helemaal.

Een herinnering.

We rijden langs bewakers met uniformen die lijken op die van het Volksleger: de donkergroene kleur van oud mos, zwarte laarzen die ondanks de modder nog steeds glimmen en een strakke, bruine riem om de smalle taille. Hun ruggen zijn kaarsrecht en hun gezichten staan grimmig, nors en onbeweeglijk.

We passeren eindeloze rijen barakken, bergen grond en stenen, bouwvallige hokken en grote betonnen gebouwen. Landbouwgrond en gekapte bomen, kantoorgebouwen, een fabriek, een school en een kolenmijn. Er komt geen eind aan. Deze gevangenis is immens en strekt zich naar alle kanten uit; zo groot als een dorp, nee groter, zelfs groter dan een stad. Maar het is een strafkamp, en de sfeer die er hangt is die van angst en verschrikking en macht.

Ik krijg kippenvel over mijn hele lichaam.

De vrachtwagen houdt stil bij een groep houten hutten en zodra ik de mensen zie die ervoor staan, pak ik grootvaders hand vast en kijk naar zijn gezicht, dan naar dat van mijn grootmoeder. Ik zie de ontzetting in hun ogen, dezelfde emotie die ik door mijn eigen lichaam voel stromen en in mijn hoofd voel bonken.

De mensen hier zijn wandelende skeletten. Hun ledematen lijken wel stokken; hun botten steken uit hun huid; hun kleren zijn tot op de draad versleten, het zijn vodden die om hun lijf hangen; hun haar is een bos klitten met vuil ertussen. Ik zie een vrouw zonder onderarm, een jongen met slechts drie vingers aan zijn ene hand, een gebochelde man die moeizaam over de ruwe aarde hinkt.

Dit zijn geen mensen – dit zijn gedrochten.

Mijn mond valt open van verbazing en ik kan ze alleen maar aanstaren. Ik kruip bij de laadklep vandaan en beef over mijn hele lichaam door de aanblik van deze wezens.

Een vrouw, ik heb geen idee hoe oud ze is, strompelt mijn kant op. Ze heeft blauwe en paarse builen in haar gezicht, en wondjes en korsten op haar handen. Ze buigt zich naar me toe en een penetrante lucht komt me tegemoet.

'Zo zagen wij er ook uit toen we hier aankwamen. Het duurt niet lang,' mompelt ze. 'Over drie maanden zijn jullie net als wij.'

Ik wend me af, verbijsterd en vol afschuw. Ik wil vluchten, me verstoppen, ik wil hier weg, of gewoon ontwaken uit deze nachtmerrie. Maar ik ben al wakker. Dit is de realiteit.

Ik kijk weer naar de mensen, de onmensen, die op hun beurt naar ons kijken, nieuwsgierig naar de nieuwkomers. Ze vragen waar we vandaan komen, of we hun familieleden of vrienden kennen en of we nieuws hebben van buiten, of er iets veranderd is. Maar ik durf ze niet aan te kijken; ik ben bang van hun holle, ingevallen wangen, de ogen die diep in hun oogkassen liggen en die ons aanstaren met een mengeling van belangstelling en leegte. Ze vervullen me met afgrijzen, verschrikking en angst. Maar één woord van een bewaker en weg zijn ze. Ze verspreiden zich als droge bladeren bij een windvlaag. Ik denk terug aan de jongen van school, die met de radio, en ik vraag me af of hij op een plek als deze is geëindigd en of hij nog leeft.

Ik vraag me af of hij het verdiend had. En voor het eerst hoop ik dat hij door iemand anders dan mij is aangegeven.

De bewakers gebaren met hun geweren naar ons en we tillen onze twee dozen met bezittingen uit de vrachtwagen – mokken en borden en pannen die moeder of vader of iemand anders heeft ingepakt – en ze brengen ons naar een rij hutten.

Terwijl ik loop, kijk ik om me heen en neem alles in me op: de bergen die aan het kamp grenzen, de sneeuw op de toppen, de met bomen begroeide hellingen, de dorre aarde aan mijn voeten, het kamp dat zich naar alle kanten uitstrekt. Er hangt een ziekmakend gevoel over alles heen, een dreigende stilte. Leegte en stilzwijgen. Onbehagen en dreiging.

Ik voel me veel minder volwassen dan ik ben; ik voel me weer een kind, naïef en zwak en nutteloos. Mijn schuld vreet alle rijpheid weg die ik dacht te hebben.

De bewaker brengt ons naar een houten hut. 'Hier wonen jullie,' zegt hij. 'Samen met de hutten hiernaast vormen jullie een werkeenheid. Om zes uur 's morgens kom je naar het appèl, waar je te horen krijgt wat je dagtaak is. Je werkt tot zes uur 's avonds, dan is er weer appèl. Jullie werken zeven dagen per week. Er zijn geen vakanties.

Jij en jij…' Hij wijst naar mij en grootvader. 'Jullie rantsoen is vijfhonderd gram, want jullie moeten werken. De oude vrouw krijgt vierhonderd en moet eten koken. Naast jullie hut is een stukje grond waar je groenten kunt verbouwen.

Jullie hebben geluk,' gaat hij verder, terwijl hij de deur van de hut opent. 'De meubels van de vorige familie zijn achtergelaten, en ook het beddengoed. Anders zou je niks hebben.' Hij blijft bij de deur staan en ik stap de hut binnen.

'Wat is er met hen gebeurd?' fluister ik.

Zonder met zijn ogen te knipperen, loopt hij met grote passen op me toe en voordat ik kan wegduiken, slaat hij me hard in mijn gezicht. De tranen springen in mijn ogen en ik wankel, maar het lukt me rechtop te blijven staan; ik knipper de tranen weg en kijk strak voor me uit.

'Iemand van jullie werkeenheid komt jullie maïs brengen,' zegt hij en hij vertrekt.

Mijn grootvader slaat zijn arm om me heen en streelt met zijn magere hand over mijn wang.

'Ik weet niet hoe we het hier warm moeten stoken,' zegt mijn grootmoeder. 'Moet je dat dak zien: je kunt tussen de kieren door de lucht zien. En de muren en de vloer,' gaat ze verder, 'zijn gewoon van modder.'

'Het spijt me,' fluister ik tegen grootvader.

'Zo is het genoeg, Yoora,' zucht hij.

'En hoe moet ik het vuur aankrijgen? Er zijn geen lucifers. We zullen vergaan van de kou. En hoe moet dat met onze kleren? We hebben geen kleren meegebracht!'

Haar stem klinkt paniekerig. Grootvader neemt haar in zijn armen en houdt haar vast, strijkt haar grijzende haar uit haar gezicht, fluistert troostende woorden in haar oor die alleen voor haar zijn bestemd. Ik wend me af.

Hij is een oude man, zijn haar is dun en zijn lichaam is versleten door jaren van zorgen en hard werken. Er moet voor hem gezorgd worden en zoals dat bij ons gebruikelijk is, is dat de verantwoordelijkheid van zijn zoon.

Maar ik heb zijn zoon de dood in gestuurd.

We kijken rond in ons nieuwe onderkomen: één kamer, die eruitziet als een schuur. Er ligt vuil beddengoed over de vloer verspreid, aan de andere kant is een lege vuurhaard, zonder lucifers of brandhout. In het midden staat een tafel met een paar stoelen, aan de andere kant een ladekast en een hoge kast. De lucht is koud en ijzig en bedompt.

Vanochtend, ontwaken in mijn huis, de executie van mijn vader, de grijns op Sooks gezicht, wegrennen voor de bewakers – het lijkt allemaal eeuwen geleden. Nu daalt het duister over ons neer en verzwelgt ons, weegt zwaar op onze smalle schouders.

Grootvader trekt aan een touw en een kaal peertje dat aan het lage plafond hangt, verspreidt een flikkerend, flauw licht en werpt spookachtige schaduwen op onze gezichten, alsof we al in skeletten zijn veranderd.

We staan hier alleen maar en zwijgen; misschien zijn we in shock. Ik voel de ijskoude wind door de gaten in het dak en de kieren langs de deur naar binnen waaien, en ik begin te rillen. Zo koud heb ik het nog nooit gehad.

'We slapen bij elkaar,' zegt grootvader. 'Dan houden we elkaar warm.'

Ik hoor voetstappen voor onze hut en ik beweeg me niet, houd mijn adem in. Ik probeer te stoppen met beven zodat ik kan luisteren wat er buiten gebeurt. Ik hoop niet dat het de bewaker is die terugkomt, en in mijn hoofd verschijnen beelden van geweren en stokken en vuisten.

De deur gaat knarsend open en er verschijnt een gezicht dat er nog ouder uitziet dan dat van mijn grootmoeder. 'Ik hoor bij jullie werkeenheid. Hier is jullie maïs.'

Ik durf weer adem te halen. Er stapt een vrouw naar binnen en we kijken allemaal toe als ze naar de vuurhaard loopt. 'Ik heb ook wat hout meegebracht, maar jullie moeten wel ander hout teruggeven – ik kan het niet zomaar weggeven. Hier,' zegt ze tegen grootmoeder en ze buigt zich voorover. 'Ik zal je laten zien hoe je vuur moet maken zonder lucifers en hoe je de vlam aan de praat kunt houden. En hoe je eten maakt op de vuurhaard. Er zijn hier geen fornuizen.'

Het hout begint te knisperen en te branden. Ik ga ernaast zitten en wrijf in mijn koude handen. Ik voel de warmte van het vuur op mijn pijnlijke huid en ik zie het licht van de vlammen over de lemen muren dansen en flakkeren.

De vrouw ziet er oud uit, mager en uitgemergeld, maar ze vertelt dat ze in de veertig is. 'Ik ben hier nu tien jaar, maar tien jaar in een strafkamp maakt je dertig jaar ouder. Ik heb geluk dat ik nog leef, maar ik zal hier sterven.'

Ze vraagt niet waarom we hier zijn en zegt ook niks over haar eigen achtergrond; ze is kortaf, op het onbeleefde af, maar ze heeft al tien jaar strafkamp overleefd. 'Ik heb wat maïs van jullie gepakt,' zegt ze, terwijl ze de overgebleven korrels in een blik met water gooit en op de vuurhaard zet. 'Als vergoeding omdat ik jullie help.'

De verbazing is waarschijnlijk van mijn gezicht af te lezen, want ze kijkt me met grote ogen aan en verklaart: 'Ik ben hier niet om vriendschap te sluiten. Ook niet om ruzie te zoeken trouwens – er zijn hier genoeg mensen die je maar al te graag ergens van beschuldigen om zichzelf te redden of om bij de bewakers in een goed blaadje te komen, of wat extra eten toegestopt te krijgen. Zo ben ik niet. Ik ben vroeger verpleegster geweest, maar hierbinnen doe ik niets voor niets. Dat doet niemand. Probeer niet op te vallen en doe wat ze zeggen, dan blijf je misschien lang genoeg in leven om gewoon ziek te worden en daaraan dood te gaan.'

We staren haar alle drie verbouwereerd aan.

'Ontsnapt er wel eens iemand?' Ik praat heel zachtjes.

Ze snuift, schudt haar hoofd, draait zich naar me toe en brengt haar gezicht vlak bij het mijne. Ik zie dat ze een paar tanden mist, en ik zie de groeven en littekens in haar huid, en haar dunne haar. 'Je zou wel gek zijn om dat te proberen. Het hek staat onder stroom en als je het toch waagt om het aan te raken, gaan de sirenes af en komen de honden naar buiten en de geweren. Aan de andere kant van het hek is een gracht die het hele kamp omsingelt, en die is diep en breed. Op de bodem van de gracht steken scherpe spijlen omhoog. Als je niet ver genoeg springt...' Ze haalt haar schouders op. 'Om de zoveel meter staat een bewaker of een uitkijktoren en twee keer per dag is er appèl. En zelfs als, áls het je zou lukken om de bewakers en de torens te omzeilen en je over het hek en de greppel heen komt, waar moet je dan naartoe? Heb je die bergen gezien? Ga je die beklimmen?'

Ze schudt haar hoofd. 'Weet je wat er gebeurt als je gepakt wordt?' gaat ze verder. 'Dan word je geëxecuteerd – doodgeschoten of opgehangen. Ik heb nooit gehoord dat iemand het er levend heeft afgebracht. Nee, je moet wel gek zijn om dat te proberen.' Ze staat op om te vertrekken. 'Maar ach,' zegt ze, dan pauzeert ze even en draait zich om. Ze kijkt ons alle drie aan en vervolgt: 'Als je hier een paar maanden bent, word je sowieso gek.' En volgens mij zie ik een glimlachje over haar gezicht trekken.

Hoofdstuk 18

De nacht is koud en we liggen bibberend onder de dekens van de
vorige familie – dekens die ruiken naar rotting, ontbinding en dood.
Ik heb het idee dat hun lichamen overal om me heen zijn, dat ik ze
bijna kan horen ademhalen.

Misschien wel hun laatste ademhaling.

Misschien zijn ze onder deze dekens gestorven en adem ik hun
pijn en ziekte in.

Zijn hier luizen, vraag ik me af. Vlooien die hun bloed hebben
opgezogen voordat ze zich aan dat van ons tegoed doen? Hoeveel
gezinnen hebben hier voor ons gewoond? Hoeveel zullen er nog na
ons komen?

In de zijkant van de mat zit een gleuf en daar schuif ik de ansichtkaart in. Mijn hoop, mijn geheim, dat ik veilig wil bewaren.

De volgende morgen eten we ons ontbijt van maïsmeel – onvol-
doende om de honger weg te nemen – en daarna lopen we met de
rest van ons 'dorp' naar het appèl. Onze status van nieuwkomer trekt
aandacht en mensen draaien hun hoofd naar ons om. Ik vraag me
af of ze nieuwsgierig zijn naar wat er met ons gebeurd is, of alleen
maar willen weten of we eten bij ons hebben om te ruilen tegen
informatie of tips om te overleven.

We antwoorden op het afroepen van onze namen, we horen die
van andere, zwakke en zachte stemmen in de ruimte om ons heen,
en we trekken het uniform aan dat ons wordt aangereikt: zware,
donkerpaarse, kriebelig stof, die over onze armen en benen schuurt.
Ik probeer mijn schrik te verbergen als grootvader te horen krijgt
dat hij in de kolenmijn werkt. Ikzelf moet de berg op om bomen
te kappen en hout te hakken.

Ik kijk toe als grootmoeder terugkeert naar onze hut met in haar ene hand een emmer die ze heeft gekregen om water te halen, en in de andere de kleren die we net hebben uitgetrokken. Haar hoofd hangt naar beneden en haar voeten schuifelen over de bevroren grond.

Uit informatie die we hebben gekregen bij het appèl blijkt dat grootmoeders leven niet makkelijk zal worden, ook al hoeft ze niet te werken. Ze moet een halfuur lopen naar de beek, het ijs breken als het bevroren is, de emmer vullen en teruglopen. En dan kan ze weer van voor af aan beginnen, en dat de hele dag door. Ze zal op de bergen naar iets eetbaars moeten zoeken om onze rantsoenen aan te vullen, anders overleven we het gewoon niet. Misschien boomschors, bladeren die niet giftig zijn maar nog wel groen in de winter, insecten of kruiden die ze aan de maïs kan toevoegen.

Maar als ik naar de heuvels om ons heen kijk, zie ik dat veel hellingen al kaal zijn. Er hebben al zo veel mensen in dit kamp de grond en het landschap afgestruind op zoek naar alles wat enigszins eetbaar is. Hogerop zie ik nog stukken bevroren groen, maar dat is verder lopen, een steile klim, en ik betwijfel of mijn grootmoeder sterk genoeg is om zo ver te komen. Ze is oud en zwak, en als ik in de verte haar kleine lichaam moeizaam weg zie strompelen, heb ik medelijden met haar.

Ook grootvader kijkt haar na en in zijn ogen zie ik het schuldgevoel dat ook ik in mijn hart heb. Maar ik weet niet waarom hij zich schuldig zou moeten voelen.

De enige drie woorden die ik te bieden heb – het spijt me – heb ik al te vaak gebruikt en ze kunnen niets aan onze situatie veranderen, ook niet aan mijn schuld. Ik draai me om en loop met een handjevol andere gevangenen naar mijn werkuitgifte. Ik hoop dat ik over twaalf uur nog in leven ben, en grootvader en grootmoeder weer terugzie; ik hoop dat zij het er ook levend van af zullen brengen.

Ik probeer niet meer aan hen te denken, maar me op mijn nieuwe omgeving te richten. Ik loop door de ijzige kou en besluit me geen zorgen te maken over grootmoeder, die de berghelling op moet, of grootvader, die opgesloten zit in de mijn, waar zo weinig zuurstof is, of over hoe oud en kwetsbaar ze allebei zijn.

Want dat maakt het alleen maar moeilijker.

Ik denk alleen maar aan één stap tegelijk, zoals grootvader zei, en één houtblok tegelijk en één minuut tegelijk. Zo breekt op de een of andere manier het einde van de dag aan. Met armen van lood en benen waar ik bijna doorheen zak, slaag ik er op de een of andere manier in terug te lopen naar onze hut.

En op de een of andere manier slagen zij daar ook in.

We zitten zwijgend rond de tafel, die we vlak bij de haard hebben gezet. De wind fluit door de gaten in de deur en de kou valt door de spleten in het dak op ons neer. We leggen dekens om onze schouders, terwijl we onze maïspap naar binnen lepelen. Het is niet genoeg om onze hongerige magen te vullen, daar is veel en veel meer eten voor nodig.

Twaalf uur hard werken. Zonder pauze. Zonder onderbreking. Zonder lunch. Ik ben koud en moe en hongerig, en de realiteit van ons nieuwe leven treft me als een mokerslag. Ik zie grootvader knikkebollen en tegen de slaap vechten, zodat hij zijn kom nog leeg kan eten, maar ik durf hem niet aan te kijken. Ik kan wel huilen. Ik wil dat iemand me uit deze situatie redt. Ik wil wakker worden en weer thuis zijn, in mijn vaders ogen kijken als hij me vraagt of ik een boze droom heb gehad.

'Ja,' zou ik antwoorden. 'Veel bozer dan anders. Jij was er niet. En dat was míjn schuld.'

Ik zou in het licht van de maan zijn glimlach kunnen zien en ik zou zijn vingers op mijn wang voelen terwijl hij me vertelde dat het maar een droom was. Alleen maar een droom.

En dan zou ik wakker worden en zou het ochtend zijn, de ochtend van de dag waarop ik Sook voor het eerst zag. Ik zou mijn corveetaken gaan doen, en nadat ik hem had laten zien waar hij de nachtdrek moest brengen, zou ik zijn broodje niet aannemen. Ik zou niet met hem afspreken. Ik zou nooit met hem gaan wandelen in het donker. Ik zou nooit naar hem glimlachen of zijn hand vasthouden of hem in de ogen kijken, ogen waarvan ik dacht dat ze om me gaven.

Ik zou nooit verliefd op hem worden.

En ik zou hem nooit en te nimmer vertrouwen.

Mijn lepel schraapt over de bodem van de kom, die veel te snel leeg is. Ik heb een hekel aan maïsmeel. Zelfs de soep die mijn moeder thuis kookte was beter dan dit.

'Ik vraag me af wat moeder nu aan het doen is,' fluister ik zonder na te denken.

'Het verbaast me dat dat jou iets kan schelen,' snauwt grootmoeder terug.

Ik voel het bloed naar mijn wangen stijgen en wens dat ik niks gezegd had. 'Natuurlijk kan me dat iets schelen,' antwoord ik, maar ik kijk haar niet aan. 'Het was niet mijn bedoeling dat dit gebeurde.'

'Nee. Je bent gewoon roekeloos geweest. Zelfs nadat ik tegen je had gezegd dat je uit zijn buurt moest blijven. Je wist toch wie zijn moeder was? Je wist van de gevaren. Wáárom heb je het hem verteld? Hoe kon je zo stom zijn om te denken dat hij het niet aan zijn moeder zou doorvertellen?'

Haar woede is niet te verdragen, maar ik zeg niets terug.

'Dit alles is jouw schuld. Het komt door jouw dwaasheid en egoïsme. Dat mijn zoon dood is. Dat we hier vastzitten. En dat we hier zullen sterven.'

'Maar... ik wilde niet... Ik wilde alleen...' Ik zucht. 'Ik heb hem verteld over die stad in mijn droom. Ik dacht dat het Pyongyang was, maar hij zei dat het Pyongyang niet kon zijn omdat hij daar gewoond heeft, maar in mijn droom...'

'Je droom!' Ze valt me smalend in de rede. 'Hoe denk je dat dat allemaal in je hoofd is gekomen? Het was echt geen visioen over je toekomst of zo. Het zat in je geheugen door alle brieven en ansichtkaarten en verhalen die je grootvader je vroeger vertelde. Het is ook zijn schuld. Hij met zijn ideeën en beslissingen.'

Ik zie dat mijn grootvader opkijkt. Hij doet zijn mond open om iets te zeggen, misschien om zichzelf te verdedigen, maar hij sluit hem weer en zijn blik dwaalt af.

'Wat?' vraag ik grootmoeder. 'Waar heb je het over?'

Ze buigt zich naar me toe. 'Ik heb tegen hem gezegd dat hij je niks meer moest vertellen. Ik zei dat je geen geheim kunt bewaren. En ik heb gelijk gekregen.'

'Maar…'

'Hij had je nooit iets moeten vertellen. Het heeft al die tijd allemaal in je hoofd gezeten, totdat het een keer naar buiten moest.'

Ik wrijf met mijn handen over mijn gezicht, over mijn voorhoofd en in mijn ogen. Mijn hoofd bonkt en omdat ik zo moe ben, kan ik het allemaal niet meer op een rijtje krijgen. 'Ik weet niet waar je het over hebt,' herhaal ik.

Ze duwt haar kom van zich af en buigt zich opnieuw naar me toe. Haar ogen schieten vuur en zachtjes zegt ze: 'De misdaad waarvan je vader werd beschuldigd – dat hij wilde vluchten – ze zeiden dat ze dat hadden gehoord van Sooks moeder, de vrouw waarvoor ik je gewaarschuwd heb. Weet je nu wél waar ik het over heb? Ze kan het alleen van jou gehoord hebben; dat jij het aan haar zoon hebt verteld.'

Ik schud mijn hoofd. 'Maar… maar dat heb ik niet gezegd. Hij dacht het alleen maar omdat… omdat…' Ik kan niet helder denken, weet niet meer wat ik precies tegen Sook heb gezegd. Ik heb geen zin om ertegen in te gaan, ik heb er de kracht niet voor. Ik kan niet nog meer schuld dragen, niet nog meer verantwoordelijkheid op me nemen. Ik wil haar vragen naar de brieven, en wat ze die ochtend aan het verbranden waren, wat ze bedoelde met de dingen die grootvader me heeft verteld toen ik klein was. Maar ik doe het niet.

'Ik hield van hem,' fluister ik en ik zie vanuit mijn ooghoek dat ze over me heen komt staan, dominant en hooghartig, haar hoofd schudt en zich dan tot haar echtgenoot wendt.

'Met liefde kom je nergens,' sist ze. 'Neem dat maar van mij aan.'

Haar woorden klinken dreigend en koud, en ze blijven tussen mij en grootvader in de lucht hangen. Ik zie hem zijn handen van tafel halen en twee vuisten maken. Ik hoor hem zachtjes zuchten en zie de schaduw van zijn hoofd als het naar voren valt.

Ik heb van Sook gehouden.

Als ik 's avonds op bed lig en probeer te slapen, doemt zijn gezicht achter mijn gesloten oogleden op en ik zie zijn glimlach, voel zijn warmte en luister naar zijn stem die tegen me spreekt tijdens onze nachtelijke wandelingen. Maar ik duw de beelden weg en probeer ze te vergeten. In plaats daarvan denk ik terug aan zijn kwaadaardige grijns bij de terechtstelling van mijn familie, ik hoor het schot waarmee mijn vader werd geëxecuteerd en ik haal herinneringen op aan mijn moeder die me omhelst.

Ik haat hem, zeg ik tegen mezelf. En als ik hier ooit uitkom, zoek ik hem op en dan pak ik een mes en vermoord ik hem.

Want ja, het is mijn schuld, het komt door mijn dwaasheid, mijn naïviteit en een of ander romantisch idee dat ergens binnen in me verborgen is. Maar ik zou hem niet voor mezelf doden. Ik kan met mijn schuldgevoel en met mijn woede leven.

Ik zou het doen voor mijn familie.

Hoofdstuk 19

Ik wil niet meer aan hem denken. Wil een einde maken aan het eindeloos in mijn hoofd afdraaien van de gesprekken die we hadden en de besluiten die ik heb genomen.

Het gaat dagenlang door, terwijl ik met houtblokken en takken sleep, en blaren op mijn handen krijg, terwijl ik de berghelling opklauter en de spieren in mijn benen het uitschreeuwen van de pijn.

Ik veracht mezelf om de dingen die ik heb gezegd; ik kwel mezelf met herinneringen, nog zo pril, die ik steeds weer oproep: aan de laatste ochtend thuis, de uitdrukking op mijn vaders gezicht toen hij besefte dat ik hem verraden had, de stem van mijn moeder die tegen me zei dat ik moest vluchten, me moest verstoppen.

En hoewel ik aan het eind van de dag zo moe ben dat ik nauwelijks mijn ene been voor mijn andere kan zetten of mijn ogen open kan houden, en hoewel mijn lichaam smeekt om rust, speelt mijn geest alles weer opnieuw af en kan ik de slaap niet vatten.

De eerste paar lange, vermoeiende nachten is alles nog nieuw en angstaanjagend en vreemd en verschrikkelijk. Ondanks de duizenden mensen in de hutten en gebouwen om me heen die het net zo slecht hebben als ik, voel ik me eenzaam en verlaten. De enige manier waarop ik mijn boosheid en frustratie lang genoeg op afstand kan houden om in slaap te vallen, is door me voor te stellen dat ik Sook vermoord. Dan zie ik het glinsterende lemmet in mijn hand, zijn gepijnigde blik, het licht in zijn ogen dat uitdooft. Dan hoor ik mezelf tegen hem fluisteren – de laatste woorden die hij ooit zal horen: *Dat is voor mijn familie.*

Ik denk het zo vaak, stel het me zo vaak voor, dat de beelden mijn dromen binnendringen als ik eindelijk door de slaap word meegenomen. Maar als ik de woorden in mijn droom uitspreek en het bloed op mijn handen zie, en als ik zijn ogen dof zie worden, voel ik alleen maar verdriet, een vreselijk, afmattend verdriet. En ik zie hem zijn hoofd schudden en ik luister naar de woorden die hij terug fluistert: *Maar ik houd van je.*

Dan word ik wakker en ga rechtop zitten. Ik ben nat van het zweet en ik staar naar mijn handen om te kijken of ze schoon zijn. En ik schaam me, ik voel me schuldig en ik ben in de war.

Ik huil stille tranen om alles wat ik kwijt ben en alles wat ik heb aangericht. En ik wacht tot de pijn minder scherp wordt en de beelden in mijn hoofd vervagen.

Tussen bomen waaraan de eerste voorjaarsknoppen uitspruiten en over gras dat al een beetje groener begint te worden, lopen we moeizaam de helling op: een groepje mensen, mijn werkeenheid. Het enige geluid dat ik hoor is dat van onze zware ademhaling en onze slepende voeten.

Ik realiseer me dat de tijd om me heen verdwijnt; de ene dag vloeit over in de andere. Ik besef dat de tijd hier snel verstrijkt en dat ik hier makkelijk vergeet hoelang ik er al ben, dat ik ouder geworden ben, dat ik hiervoor een fatsoenlijk huis heb gehad, ook al was het sober, dat ik een moeder had die van me hield en een jongen kende die mijn leven opvrolijkte met zijn glimlach.

En dat het allemaal in een zucht verdwenen is.

Mijn armen doen pijn en mijn benen zijn zwaar. Mijn rug kraakt en mijn vingers knakken. Ik kan me maar net bewegen, maar ik ga door; ik moet wel. Want uitputting of honger of pijn is geen excuus. Er is geen enkel excuus. Deze dag gaat snel voorbij, maar daarna volgt een nieuwe dag. En nog een. En nog een.

Ik zet een stap, en nog een stap, en ik denk aan de mensen om me heen, wat ze hebben gedaan, hoelang ze hier al zijn, hoe ze heten, wat ze nu, op dit moment denken. Of ze überhaupt denken.

Ik zie ze sloffen met hun kapotte schoenen en versleten laarzen, enkelen blootsvoets, en ik richt mijn blik op het meisje naast me. Haar uniform is oud en gescheurd, de mouwen zijn te kort, de pijpen gerafeld en er zitten gaten in de knieën. Ik kijk naar haar gezicht: ze is vel over been en haar haren zijn een bos klitten. Ik kijk naar de volgende persoon en naar degene die daarachter loopt: een voor een hebben ze een lege blik in hun ogen, alsof ze hun menselijkheid, hun persoonlijkheid, hun hart, hun warmte en zelfs hun wezen hebben verloren.

Ze gehoorzamen allemaal omdat ze geen keus hebben. Omdat je wordt geslagen of gemarteld als je dat niet doet. Tenzij je wordt vrijgelaten. Maar dat is heel ongebruikelijk, heel zeldzaam, dat is een mythe, een onwaarschijnlijk verhaal.

Veel minder zeldzaam is de dood. Ik vraag me af hoe welkom die zal zijn als hij mij komt halen.

Het meisje naast me kijkt even mijn kant op en dan weer voor zich, ze negeert me. Ik zou best met haar willen praten, haar dingen willen vragen, meer over het leven hier te weten willen komen, wat je kunt doen en wat je beter kunt laten, hoe je aan extra eten komt, hoe je warm blijft, welke bewakers het ergst zijn, hoe je moet leven, hoe je kunt overleven.

Maar ik weet dat de bewaker achter me loopt, dat hij luistert en wacht op een kans om te laten zien dat hij de baas is, dat we moeten doen wat hij zegt. Wat als hij me hoort praten? Wat doet hij dan? Zou de straf pijn doen? Kom ik dan wel weer thuis vanavond? Zie ik dan mijn grootouders nog terug?

Ik werp een blik op het meisje en verzamel moed. 'Hoelang ben jij hier al?' fluister ik.

Haar ogen schieten mijn kant op, haar gezicht staat strak en gespannen. Ze waarschuwt me zonder woorden en uit mijn ooghoek zie ik de bewaker mijn kant op marcheren, zijn geweer heffen en de loop op me richten. Zijn vingers rusten op de trekker.

Ik buig mijn hoofd voorover, wacht op de knal, staar naar mijn schoenpunten. Ik verwacht pijn, mijn gezicht brandt, mijn hart gaat tekeer en ik wacht tot ik op de grond val en de duisternis me bedekt. Zijn voetstappen komen dichterbij; ik hoor zijn ademhaling en ik voel de punt van zijn geweer in mijn schouder prikken. Maar er komt geen knal.

'Er wordt niet gepraat!' blaft hij.

Is dit angst? Seconde na seconde in afwachting zijn van pijn, leed en dood?

Ik voel de bewaker recht achter me, voel zijn ademhaling in mijn nek, zijn ogen die zich in me boren. Ik wil langzamer lopen en achteromkijken, halt houden, tegen hem schreeuwen, maar mijn blik is alleen op de grond gericht en mijn voeten lopen in hetzelfde ritme verder. Omdat ik niet wil weten wat hij zal doen; omdat gehoorzaamheid weliswaar moeite kost, maar minder pijn doet; omdat mijn instinct me zegt dat ik moet overleven en dat daarom opstandigheid geen optie is.

En dus praat ik die dag met niemand en geef me over aan de harde, veeleisende, lichamelijke arbeid. Ik kap bomen met een bijl die zo bot is dat hij roest en ik zeg geen woord. Ik zaag de takken van de bomen met handen die kapot zijn en pijn doen, maar ik maak geen enkel geluid. Ik verzamel het hout en zeul ermee de berg af, terwijl de blaren aan de binnenkant van mijn hand openspringen, maar zonder te klagen, jammeren, huilen of zuchten.

Ik ben te bang, niet alleen voor de bewaker, maar ook om iets op de verkeerde toon of de verkeerde manier te zeggen. Dat de andere gevangenen, wie dat ook zijn, een hekel aan me krijgen, me uitlachen of veroordelen. Me rapporteren. En hoewel ik graag een vriendin wil hebben of iemand met wie ik kan praten en aan wie ik dingen kan vragen, wil ik niemand iets schuldig zijn, zelfs geen glimlach.

Ik ga gewoon mijn werk doen en daarna terug naar de hut. En morgen weer en de dag daarop ook. Hoelang het ook gaat duren. Wat *het* ook moge zijn.

Onder aan de berg gooi ik mijn stapel hout neer. Ik probeer geen aandacht te schenken aan mijn schoenen die langs mijn enkels schuren en bij mijn tenen knellen, maar klim de helling weer op. Als ik naar boven staar, besef ik dat de boomgrens zich steeds verder terug zal trekken naarmate we meer bomen kappen, dat de wandeling naar boven steeds meer tijd zal vergen naarmate ik hier langer verblijf.

Terwijl ik daarover nadenk, hoor ik hem: de schreeuw. Ik vraag me af wat er met al het hout gebeurt dat we kappen, want het is zeker niet bedoeld om ons gevangenen warm te houden. Dan hoor ik nog een schreeuw. Mijn maag trekt samen en mijn voet blijft een ogenblik lang in de lucht hangen voordat ik verder loop, terug naar de bomen en in de richting van het geschreeuw.

Ik wil niet weten wat er aan de hand is. Ik wil het niet horen of zien, want dan droom ik er vannacht over en dan word ik weer wakker. Maar als ik dichterbij kom en mijn bijl weer opzoek, wordt mijn aandacht getrokken door wat zich vlak voor me afspeelt. En hoe ik ook mijn best doe, ik kan niet weglopen.

Een jongen. Jonger dan ik en kleiner dan ik. Magerder, knokiger en zwakker. Zijn armen proberen een blok hout op te tillen dat vreselijk groot en zwaar is; de huid waar zijn spieren horen te zitten is strak gespannen; zijn gezicht is vertrokken van de pijn en frustratie. En angst.

De bewaker staat over hem heen gebogen en schreeuwt in zijn oor: 'Je bent lui. Je bent een slappeling, een schande voor ons land. Kim Jong-il en Zijn vader hebben je zo veel gegeven en dit is wat Ze ervoor terugkrijgen.'

De eerste klap valt en ik verstijf. Dat vreselijke geluid van knokkels tegen huid, een slag tegen zijn jukbeen en de plof van zijn lichaam tegen de grond.

Ik zie dat de jongen een hand naar zijn mond brengt. Er zit bloed op zijn vingers en met ogen vol angst kijkt hij op naar de bewaker, die boven hem uit torent, en dan kijkt hij weg omdat hij iets ziet wat te erg is, wat niet te verdragen is. Ik kan wel huilen.

De jongen komt met moeite overeind, bukt zich en zijn vingers trekken aan het houtblok. Hij slaagt erin het op te tillen, maar zijn lichaam, zijn armen en benen trillen en beven zo hevig dat het blok weer op de grond valt.

'Je bent niks waard!' buldert de bewaker. 'Je bent een zwakkeling. Je bent een verspilling van mijn tijd en van de lucht die je inademt.'

Hij slingert het geweer van zijn schouder. Ik kijk toe en kan me niet verroeren. Hij haalt de veiligheidspal over. De mond van de jongen valt open, zijn lippen trillen, zijn ogen smeken.

De bewaker tilt het geweer naar zijn schouder, buigt zijn hoofd naar één kant en tuurt door het vizier. De verschrikking is van het gezicht van de jongen af te lezen. Vrees, afgrijzen en ongeloof. Zijn ogen zijn groot van angst; hij heft zijn handen op. Ik hoor de bewaker inademen en zie zijn vinger op de trekker, die hij langzaam naar zich toe trekt...

'Nee,' fluister ik onwillekeurig.

Dan een klik. Geen knal.

En ik zie dat de jongen zijn schouders ontspant en ik voel mijn eigen schouders ook verslappen. Maar hij beweegt zich niet, probeert niet te vluchten. Hij staart alleen maar naar de bewaker. Net als ik. Dan komt de bewaker in beweging, draait zich om en staart mij aan.

Eerst denk ik dat hij naar iemand anders kijkt, iemand achter me of naast me, iemand die net zo verlamd naar dit schouwspel staat te kijken als ik, hoewel hij het niet wil, eigenlijk weg wil kijken, weg wil lopen, maar het niet kan. Die niet uit nieuwsgierigheid toekijkt, maar uit een gevoel van verantwoordelijkheid.

Dit moet ik onthouden. Ik moet het onthouden voor de jongen. Maar de bewaker kijkt wel degelijk naar mij én naar de bijl in mijn hand, en ik besef dat hij mijn fluistering gehoord moet hebben. Hij loopt met grote passen op me af, en eerst denk ik dat hij mij gaat neerschieten in plaats van de jongen. Maar dat doet hij niet. Hij pakt de bijl en probeert hem uit mijn handen te trekken.

Plotseling voel ik een golf van afschuw door me heen gaan omdat ik begrijp wat hij gaat doen. Gedurende een kort ogenblik, slechts een seconde, verstevig ik mijn grip en probeer de bijl vast te houden. Ik kijk hem aan terwijl ik mijn best doe te voorkomen dat hij hem afpakt. Ik kijk hem recht in zijn ogen en ik voel me klein en nietig. Waardeloos. Met zijn andere hand slaat hij me – hard. En dan laat ik los.

Ik laat los.

Door mijn snikken heen hoor ik het smeken en huilen van de jongen. Door mijn tranen heen zie ik de slag neerkomen. Die ene slag met mijn bijl.

Ik hoop dat hij door de shock niets gevoeld heeft. Ik hoop dat hij bewusteloos was voordat zijn hersenen de pijn registreerden. Ik hoop dat hij dood was voordat zijn lichaam de grond raakte. Maar ik denk het niet. Want terwijl ik zonder nadenken een gil slaak en de bewaker zich naar me omdraait, terwijl hij zijn geweer grijpt en naar me toe loopt, zie ik de ogen van de jongen die daar op de grond ligt en ik zie dat hij nog leeft. Ik blijf naar hem kijken totdat het leven uit zijn ogen verdwijnt. En al die tijd zeg ik zachtjes in mijn hoofd de woorden *het spijt me, het spijt me, het spijt me.*

Opeens staat de bewaker weer voor me, met een grijns op zijn gezicht. Hij richt de loop van zijn geweer onder mijn kin. Niemand kijkt, niemand zal het zien als hij me doodschiet en niemand zal het zich herinneren. Niemand zal het leven uit mijn ogen zien verdwijnen.

'Zullen we eens kijken of hij nog steeds weigert?' vraagt hij.

Ik denk aan mijn vader, aan zijn moed in die laatste minuten. Zijn dit mijn laatste minuten, vraag ik me af.

Ergens diep vanbinnen voel ik woede. En ik heb weer dat rebelse gevoel dat ik ook had toen ik 's nachts met Sook afsprak. Iets wat ik niet kan tegenhouden, dat binnen in me brandt en kriebelt. Iets waarvan ik – dat weet ik – vast en zeker spijt zal krijgen. Maar toch…

Ik neem een hap lucht en spuug hem in zijn gezicht. Ik voel de adrenaline en de razernij en de opstandigheid en de haat door me heen stromen. Ik staar hem aan, recht in zijn ogen. Dan sluit ik langzaam mijn ogen en wacht. En ik zie niet langer het gezicht van de bewaker voor me, maar dat van Sook.

En terwijl ik naar Sook kijk, in zijn bruine ogen kijk, naar zijn gezicht en zijn lippen, voel ik de klik van het geweer tegen mijn borst en daarna voel ik dat de loop niet langer mijn huid raakt. Ik doe mijn ogen weer open en Sooks gezicht verdwijnt. De bewaker staart me aan en gooit het geweer op de grond. Ik zie een vleugje triomf in zijn ogen en ik zie spetters bloed op zijn gezicht, en ik voel het houten handvat van de bijl die mijn vingers raakt, en dan mijn handpalm. Ik pak hem aan en de bewaker loopt weg; mijn vingerafdrukken vervangen de zijne en ik voel het plakkerige bloed aan mijn handen. Dan kijk ik naar het lichaam van de jongen.

'Het spijt me,' fluister ik. Ik sta op iets te wachten, alleen weet ik niet wat. Er is niets wat ik kan doen en ik stel de vraag: is er iets wat ik had kunnen doen, had moeten doen om je in leven te houden?

Ik voel een hand op mijn rug en als ik me omdraai, zie ik het meisje met wie ik eerder die dag heb geprobeerd een gesprek aan te knopen.

'Hoe heette hij?' vraag ik.

Maar ze schudt haar hoofd. 'Dat doet er niet toe,' zegt ze. 'Je moet er niet naar kijken.'

En dat is precies wat zij doet: ze draait zich om en loopt weg.

Dus dat is het, zeg ik tegen mezelf. Dat is hoe je hier overleeft. Je kijkt niet meer. Je wendt je af van mededogen en menselijkheid. Je slaagt er niet meer in je in te leven in het verdriet en de treurnis. Het kan je niks meer schelen.

Maar het kan mij wél iets schelen. En ik kan me niet voorstellen dat er ooit een tijd komt dat het me niets meer kan schelen.

Hoofdstuk 20

De bewaker houdt me de rest van de dag in de gaten. Hij duwt me omver, trapt me tegen de grond of slaat me in mijn gezicht. En hoewel er altijd een aanleiding is, is die nooit erg groot: een vergissing, een zwakke slag met de bijl, te langzaam werken, de verkeerde kant op lopen.

Voortdurend zijn die ogen daar, hopend op een fout nog voordat ik die gemaakt heb. Wachtend, lijkt het wel, op een excuus, hoewel hij dat niet eens nodig heeft. Hij speelt een spel met me, pest me en kwelt me met zijn constante dreiging van straf en geweld, van pijn en vergelding.

Het is een lange dag, een zware dag, die zo langzaam verstrijkt dat het wel een week lijkt. Mijn hoofd tolt en duizelt van de beelden en gedachten en herinneringen aan mijn vader, mijn moeder, aan Sook. En aan de jongen die gedood is met mijn bijl. Ik voel me misselijk, maar ik weet niet of het van uitputting is of van de emoties en het schuldgevoel en de frustratie. En mijn lichaam doet zo veel pijn dat ik bij elke stap die ik zet en elke keer dat ik de bijl of de zaag pak, denk dat het de laatste keer zal zijn.

Ik denk dat ik ga flauwvallen.

Maar op de een of andere manier haal ik het einde van de dag, en ik denk bij mezelf: als ik het einde van deze dag kan halen, kan ik het einde halen van alle dagen die nog in het verschiet liggen, hoeveel dat er ook mogen zijn.

Maar de bewaker houdt zijn blik nog altijd op me gericht, ook als ik de bijl pak en de berg begin af te lopen, naar mijn hut en mijn grootouders, naar het eten dat klaarstaat – ook al stelt dat nog zo weinig voor – en naar mijn bed waarnaar ik heel erg verlang.

'Jij!' schreeuwt hij. 'Terugkomen!'

Ik stop en draai me om, verstijfd van de schrik.

'En jij,' voegt hij eraan toe, en wijst naar het meisje met wie ik eerder gesproken heb. 'Jullie allebei, ruim de jongen op.'

Ik houd mijn adem in en kijk naar hem, maar hij draait ons de rug toe en loopt weg, en ik weet precies welke uitdrukking hij nu op zijn gezicht heeft: een van zelfingenomenheid en voldoening. Hij heeft het laatste woord; hij is de enige die überhaupt iets te vertellen heeft. Ik hoef er niet tegen in te gaan, want ik verlies het altijd. Hij haat me. Misschien haat hij ons allemaal wel. Maar ik ben niet langer anoniem voor hem en dat voelt gevaarlijk.

En de jongen… Ik zucht. Ik wil niet naar hem kijken, ik wil hem niet aanraken of dragen. Ik wil gewoon de berg aflopen, terug naar de hut en alles vergeten.

'Kom op,' fluistert het meisje tegen me. 'We moeten hem hier weghalen.'

'Dat kan ik niet,' antwoord ik hoofdschuddend.

'Je hebt geen keus.' Ze loopt naar de plek waar zijn lichaam ligt. 'Kom op,' zegt ze nogmaals.

'Wat gaan we doen? Waar brengen we hem naartoe? Moeten we… Moeten we hem niet naar zijn familie brengen? Het hun vertellen?'

Ze schudt haar hoofd. 'Alleen doen wat hij je heeft opgedragen. Niets meer en niets minder. Dat leer je wel. Als je dat niet doet, ga je dood. Zo simpel is het.'

'Maar… het is niet goed… Wat hij gedaan heeft, is toch zeker…'

Ze haalt haar schouders op. 'Wat maakt het uit? Bij wie ga je een klacht indienen?'

Het gaat allemaal mijn verstand te boven. Hoe kunnen mensen zo hardvochtig zijn, denk ik bij mezelf. Omdat iemand ze dat opgedragen heeft? Of omdat het mag? Omdat er niemand is bij wie je een klacht kunt indienen, niemand die erachter komt?

Ik kijk naar de jongen. Hij ligt roerloos op de grond, zijn benen in een vreemde hoek, het gras gebogen onder zijn vingers, de gelaatstrekken waaraan je kunt zien wie hij was, zijn nog zichtbaar. Maar hij is bleek, bijna grijs, en achter zijn ogen zit niets, geen glinstering, geen vonkje, hij is alleen een lege huls. Wat is het leven kwetsbaar en wat kun je het snel verliezen, denk ik bij mezelf.

Ik kijk naar het meisje naast me; ze is dun en broos. En ik denk aan de gevangenen die we zagen toen we hier aankwamen, en hun drang om te overleven.

Je kunt je vastklampen aan het leven. Maar uiteindelijk verlies je het.

We lopen moeizaam tussen de bomen door. Ik heb nooit geweten dat het kamp zich zo ver uitstrekte. We dragen het lichaam van de arme jongen tussen ons in en slepen de spades voort die we om ons middel hebben vastgebonden. Zijn lichaam voelt heel zwaar, en meer dan eens laat ik het uit mijn handen glippen of op de grond zakken omdat ik geen kracht meer in mijn armen heb.

Elke keer dat dat gebeurt, moet ik huilen en elke keer maak ik hem mijn excuses. Het meisje kijkt me aan alsof ik een kind ben, en vol ongeduld en onbegrip schudt ze haar hoofd naar me. Maar ik geef om hem. Nog steeds. Dood of levend, ik geef om hem. Ten slotte komen we bij een stuk grond waar de bomen zijn uitgedund. Daar stoppen we en laten hem op de grond zakken.

'Meestal komt niemand zo ver,' zegt het meisje. 'Alleen om mensen te begraven.'

Ik kijk naar de bergen aarde die verspreid om ons heen liggen. 'Is dit de plek…?'

'Niet allemaal. Dit kamp telt vijftigduizend mensen, althans dat heb ik gehoord. Er zijn nog meer van zulke plekken.'

Ik draai me om en kijk naar beneden, naar het kamp. De rijen hutten die ons dorp vormen, het pad ernaartoe, een groepje gebouwen, een modderige weg, de mijn in de verte, verderop nog meer hutten, heuvels met geboomte aan de andere kant, in de verte bergen met sneeuw op de toppen. We worden vastgehouden in een vallei. De bergen en het terrein houden ons gevangen, net zoals het hek dat doet. Geen wonder dat niemand ooit probeert te ontsnappen.

'Wat is het uitgestrekt,' fluister ik.

Ze slaakt een zucht, knikt en kijkt me dan aan. 'Ik zal je een keer meenemen, dan lopen we naar de andere kant,' zegt ze. 'Ik ben hier acht jaar geleden met mijn oom en vader gebracht, toen ik elf jaar was, zonder uitleg en zonder proces. Maar ik heb nog bijna niets van het kamp gezien, alleen ons kleine stukje. En een paar gebouwen. Je mag geen contact hebben met andere dorpen, maar soms worden er briefjes gesmokkeld, over welke bewakers het ergst zijn, of over eten of nieuwkomers.'

'Leven ze nog?' fluister ik. 'Je vader en je oom?'

Ze wendt haar gezicht af. 'Mijn oom is gestorven toen we hier een maand waren. Ik weet niet waaraan; op een ochtend werd hij gewoon niet wakker.' Ze haalt haar schouders op en kijkt naar haar schoenpunten. 'De maand daarna hebben ze mijn vader twee weken lang in een kist opgesloten – de *sweatbox* – omdat hij op de verkeerde manier naar een bewaker keek. Hij kwam terug, maar ik herkende hem bijna niet.' Ze aarzelt, neemt een diepe hap lucht en kijkt me aan. 'Soms denk ik aan doodgaan. Soms durf ik te denken dat ik word vrijgelaten. Maar meestal is het beter om helemaal niet te denken.'

Ik kijk naar haar, naar haar huid die strak over haar botten ligt, naar de lijnen en rimpels in haar gezicht, hoewel ze nog een tiener is.

Dan kijk ik om me heen. Een stukje verderop zie ik zilverkleurig gaas dat omhoog steekt en daarnaast een hoge, betonnen toren. 'Is dat de grens?' vraag ik.

Ik zie haar blik rondgaan en ze knikt ten antwoord. En heel even, zomaar heel even, zeggen we niets en doen we niets. Ik denk alleen aan dat hek, aan wat het betekent en wat er aan de andere kant ligt.

Dan, zonder dat ik bevestiging nodig heb, til ik mijn spade op en volg haar naar een plek om te graven. Eindeloos lang stoten we onze schoppen in de grond, die nog steeds hard is door de vorst. De zon verdwijnt achter de bergen en de wereld rondom ons kleurt oranje: het lichaam van de jongen, de boomtoppen, de hutten en de gevangenen in de vallei.

We zwoegen verder terwijl de duisternis en kilte over ons neerdalen. Tegen de tijd dat we een gat hebben gegraven dat maar net groot genoeg is, hebben we alleen nog het licht van de maan om te kunnen zien waar we zijn lichaam hebben neergelegd.

'We moeten hem uitkleden,' zegt het meisje.

Ik staar in het donker naar haar silhouet.

'Je krijgt maar één keer per jaar een nieuw uniform,' zegt ze. 'Soms zelfs dat niet. We kunnen ze niet begraven, ze zijn te kostbaar. En dat geldt ook voor zijn schoenen.'

'Moeten we ze niet aan zijn familie geven?' vraag ik.

Maar ze lacht schamper en zegt hoofdschuddend: 'Je houdt het hier niet lang uit als je niet eerst aan jezelf denkt. Ik neem zijn kleren, jij krijgt zijn schoenen. Als ze niet passen, kun je ze altijd nog ruilen voor eten of zaad, of een pan. Controleer ook zijn zakken.'

Ik hurk naast hem neer en voel me harteloos en koud, egoïstisch en oneerbiedig. Zijn kleur is verdwenen en zijn lippen zijn blauw. Ik verzamel moed en steek mijn handen in zijn zakken, die tegen zijn stijve armen en benen aan liggen. Maar ik vind niks. We trekken en sjorren, draaien en worstelen, net zolang tot we hem van zijn kleren hebben ontdaan.

Ik ben nog nooit zo dicht bij een dode geweest, heb nog nooit een dode gezien, laat staan aangeraakt. Ik kijk naar zijn huid in het maanlicht. Ik heb nog nooit iemand naakt gezien. Hij is onfatsoenlijk in plaats van vredig, onbeholpen in plaats van mooi. Kwetsbaar.

We laten hem in het ondiepe gat zakken. Ik vul mijn handen met losse aarde, maar dan aarzel ik. Ik kan het niet. Ik kan het niet op zijn gezicht gooien, dat ik weliswaar niet kan zien in het donker, maar waarvan ik weet dat het daar is, en dat het jong en onschuldig de wereld inkijkt die zo wreed voor hem is geweest.

Maar ik doe het toch. En ik zeg tegen mezelf dat hij blij zal zijn dat hij niet langer op deze plek vol ellende en pijn en droefenis hoeft te wonen.

Wat is het oneerlijk, denk ik bij mezelf. Zo'n kort leven en toch zo veel verdriet. Niets, geen enkele misdaad, geen enkele fout kan dat rechtvaardigen.

Terwijl we de berg af strompelen en op de tast onze weg zoeken, stel ik me voor hoe zijn leven eruitzag voordat hij naar het kamp kwam, toen hij een klein kind was. Ik hoop dat hij gelukkig was. Ik zie het huis voor me waarin hij heeft gewoond, de broer met wie hij speelde en de ouders van wie hij hield. Ik zie hem lachen. En ik hoop dat het waar is.

'Hoe moet het met zijn familie?' fluister ik als we in het dal aankomen en de contouren van de gebouwen ons de weg wijzen.

'Hun hut is vlak bij die van mij,' antwoordt ze. 'Ik zal het ze vertellen.'

Op de plek waar onze wegen zich scheiden, houden we even halt en tot mijn verbazing legt ze haar hand op mijn arm. Ik kan haar gezicht nauwelijks zien, maar ik hoor duidelijk de ernst in haar stem.

'Kijk uit voor die bewaker,' fluistert ze. 'Hij zal het je moeilijk maken.'

En dat doet hij. Elke dag, totdat mijn besluit genomen is.

Het besluit waartoe hij me dwingt.

Hoofdstuk 21

Het kamp is griezelig stil als ik terugloop naar onze hut. Een vreemd blauw maanlicht beschijnt de daken van de hutten waar ik langsloop. Wat zijn het er veel – de familieverblijven – sommige met drie mensen, zoals wij, andere met veel meer: ouders en grootouders, kinderen, ooms en tantes. Maar er komt haast nergens geluid naar buiten; ik hoor alleen een zacht gefluister door de dunne muren, een snik die nauwelijks waarneembaar is, een houten plank die kraakt, een lepel die over een bord schraapt.

Er loopt niemand over straat, geen mens die zingt of fluit of zijn stem verheft. We worden als vee behandeld, 's avonds in ons hok gestopt en in bedwang gehouden door angst. Het is niet alleen verdriet dat ik voel in de muffe lucht die hier hangt, het is ook apathie en uitzichtloosheid.

Ik doe voorzichtig de deur open en mijn grootouders kijken met een schok mijn kant op. Grootvader springt overeind, de tranen in zijn ogen. Hij omhelst me, pakt met gestrekte armen mijn schouders vast, zijn blik speurt mijn gezicht en mijn lichaam af, de modder op mijn kleren, de opgedroogde tranen op mijn gezicht, de wonden en blauwe plekken op mijn huid.

'Wat is er gebeurd?' fluistert hij.

Maar ik wil alles niet nóg een keer meemaken, wil er niet aan denken. Ik schud mijn hoofd. 'Ik wil niet... wil er niet over praten, grootvader. Alsjeblieft.'

Hij knikt. Dan kijkt hij me onderzoekend aan en streelt mijn wang. 'Maar gaat het goed met je?'

Ik probeer te glimlachen. Ik ben hier toch, denk ik bij mezelf. Ik sta voor je. Ik haal nog adem. 'Ja,' antwoord ik terwijl ik tranen in mijn ogen krijg. 'Nu gaat het wel weer.'

Hij slaat zijn armen weer om me heen. 'We maakten ons zorgen,' fluistert hij in mijn haar. 'Wij allebei.'

Ik zou wel voor altijd door hem vastgehouden willen worden, veilig in zijn armen.

Ze hebben wat maïsmeel voor me bewaard en we zitten zwijgend rond de tafel. Grootvader heeft in de gaten dat het me moeite kost mijn lepel naar mijn mond te brengen.

'Ik heb pijn in mijn maag,' zeg ik, en tussen twee happen door sluit ik mijn ogen, zo'n slaap heb ik.

'Ik ook, Yoora,' antwoordt mijn grootvader. 'Het komt omdat we alleen maar maïs eten. Je lichaam went er wel aan.'

'Is er niets anders?'

Ik hoor grootmoeder snuiven, maar ik ben te moe om me af te vragen of ik haar beledigd heb of iets verkeerds gezegd heb. Ik weet alleen dat ik me slap voel, dat ik nog steeds honger heb en dat ik een zeurende pijn in mijn buik heb.

'Wat kan ik eraan doen?' zegt ze. 'Ik heb geen zaad voor de moestuin en ik heb niets om mee te ruilen.'

'Misschien is er hoger op de heuvels iets te vinden. Boomschors om te koken. Bladeren. Insecten,' stelt grootvader voor.

Ze kijkt hem dreigend aan, maar zegt niets terug. De weerzin en woede zijn van haar gezicht af te lezen.

'Daar ben ik vandaag geweest,' mompel ik. Ik sta op van tafel en wankel door de kamer naar de deur. Ik pak de schoenen die ik bij de deur heb laten staan en zet ze bij de tafel op de vloer.

'Hier. Gebruik die maar om te ruilen. Ze zijn te klein voor me. Het was maar een klein jongetje.'

Ik ga weer zitten, moe, koud en hongerig. En verdrietig. Ik heb genoeg gehad voor vandaag. Ik kijk naar grootmoeder, dan naar grootvader. En dan neem ik een hap lucht.

'Vertel eens over Seoul,' zeg ik. 'De brieven, de ansichtkaart, alles. Leg eens uit waarom wie die in huis hadden. Hoe we daaraan kwamen.' Ik wrijf in mijn ogen. *Ik ga niet huilen. Ik wil niet dat grootmoeder ziet hoe verdrietig ik ben, hoe wanhopig. Ik wil sterk zijn.* 'Ik wil het begrijpen,' zeg ik langzaam. 'Ik moet weten hoe… waarom… ze ons naar deze plek hebben gebracht.' Ik gebaar met mijn hand naar de muren om ons heen. 'Dat is wel het minste wat ik hoor te weten.'

Grootvader staart me aan. Mijn grootmoeder ook. Maar ze zwijgen allebei.

'Hoe zijn jullie het te weten gekomen? Van de buitenwereld?' vraag ik terwijl ik moeizaam en diep ademhaal en mijn best doe om mezelf de baas te blijven.

'We… we…' stottert hij.

'Hij weet niets,' valt grootmoeder hem in de rede.

'Hij móet wel iets weten,' sis ik terug. 'Want je hebt zelf gezegd, grootmoeder, dat hij verhalen en ideeën in mijn hoofd heeft gestopt.'

'Ha!' sneert ze. 'Hoe kom je daar nou bij? Dat heb je gedroomd zeker.'

'Nee,' zeg ik, en ik voel me zo boos worden dat ik het liefst tegen haar zou schreeuwen. Maar ik zeg alleen: 'Ik heb het niet gedroomd. Want je hebt het zelf gezegd toen we hier pas waren.'

'Luister,' zegt ze en buigt zich over de tafel naar me toe. Haar stem is vol ingehouden woede, maar uit haar gezicht spreekt verdriet. 'Hij weet helemaal niets van Seoul.'

Ze kijkt waarschuwend naar grootvader, maar als ik zijn kant op kijk, heeft hij zijn ogen neergeslagen en zijn hoofd rust in zijn handen.

Ik sta op en buig me over de tafel naar haar toe. 'Je liegt,' fluister ik en wijs met mijn vinger naar haar gezicht. 'Ik weet dat je liegt.'

Nu zal grootvader me wel terechtwijzen. Tegen me zeggen dat ik ouderen moet respecteren of dat ik niet op die toon tegen grootmoeder mag praten, maar hij zegt niets, kijkt niet eens op.

Ik heb nu al zo lang gewacht, zeg ik tegen mezelf. Ik kan nog wel even wachten.

Ik laat me op mijn slaapmat vallen zonder mijn kleren uit te doen of het vuil van mijn huid te wassen. Ik vertel ze niets over de jongen of de bewaker, hoewel ik het eigenlijk wel aan grootmoeder wil vertellen, alle details van wat er die dag is gebeurd en wat ik heb gezien. Want ik wil dat ze weet hoeveel ik vandaag geleden heb, dat ik de straf draag waarvan zij vast en zeker vindt dat ik die verdiend heb.

Voordat ik ga slapen, trek ik een harde splinter uit de vloer en kras een streep in de muur van leem, naast alle andere strepen die ik erin heb gekerfd sinds we hier zijn aangekomen, één voor elke dag. Hoeveel zijn het er nu? 32? Ik ben te moe om te tellen. Hoeveel meer zullen er nog volgen? Dat is ons nooit verteld. Een heel leven aan streepjes? Een verspild leven.

Ik heb het gevoel dat mijn leven een zuchtje is in de onmetelijke tijd, een ademtocht die nooit gezien of gehoord zal worden − of herinnerd. Mijn leven betekent niets, voor niemand, nergens.

Ik heb geen bestaansrecht. En ik wacht tot ik doodga.

Hoofdstuk 22

De regens komen, zwaar en onafgebroken.

Er valt zo veel en het duurt zo lang, dat ik begin te geloven dat de hemel leeg moet zijn. Proberen droog te blijven heeft geen zin. Alles aan mij is doorweekt: van het haar dat op mijn hoofd zit vastgeplakt, tot aan de kleding die aan mijn huid kleeft en mijn voeten die soppen in schoenen die gevuld zijn met modderwater.

Met veel moeite beklim ik de berghelling, en ik zie de regen van de neuzen van de andere gevangenen lopen, alsof ze zwaar verkouden zijn. Over hun gezichten gutsen rivieren, zo veel water dat het geen zin heeft om het weg te vegen. Het is vreemd, maar tegelijkertijd fascinerend. Het regenseizoen is begonnen.

Ik probeer te werken, maar vaak blijft de zaag in het hout steken of mijn voeten glijden uit in de modder, of de blokken hout glibberen uit mijn natte handen en vallen op de grond. Steeds opnieuw. En elke keer dat mijn handen het laten afweten, denk ik terug aan de jongen en kijk ik naar de bewaker die hem heeft gedood. Dan draait mijn maag zich om. Er gaat veel tijd verloren doordat ik even stop, zucht, mijn handen aan mijn kleddernatte broek afveeg, en naar de anderen kijk die net zo aan het ploeteren zijn als ik. De wanhoop grijpt ons naar de keel omdat we beseffen dat we ons quotum niet gaan halen.

Voor de zoveelste keer vandaag stop ik om mijn handen af te vegen en ik zie naast me het meisje staan met wie ik de jongen heb begraven. Zij pauzeert ook.

'Moet je kijken,' fluistert ze. De eerste woorden die ze tegen me zegt sinds die avond.

Ik draai me om en kijk. Ik zie de bewaker, en even denk ik dat ze me waarschuwt, zoals ze eerder heeft gedaan, maar als ik wat beter kijk – voor zover ik dat durf – zie ik wat ze bedoelt: de meest hilarische vertoning op de meest afschuwelijke plek.

Hij probeert de helling te beklimmen, maar zijn voeten glijden elke keer na een paar stappen uit, waardoor hij weer terugglijdt naar waar hij is begonnen. Keer op keer.

Ik kijk weer naar het meisje en zie een zweem van een glimlach over haar gezicht dansen.

'Niet de hele tijd kijken!' sis ik.

'Moet je zijn schoenen zien: ze zitten helemaal onder de modder.'

Ik gluur voorzichtig tussen mijn haren door naar de bewaker, bang dat hij me ziet en me straf geeft. Maar vanuit mijn ooghoeken kijk ik geboeid toe. 'Hij gaat zo vallen,' fluister ik.

Ze werpt me een ondeugende blik toe en ik begrijp dat ze heel erg hoopt dat dat gebeurt.

Ik waag het nogmaals zijn kant op te kijken, en dan zie ik zijn voeten wegglijden en zijn lichaam naar één kant zwaaien; zijn handen graaien door de lucht naar iets wat er niet is. 'Kijk!' fluister ik. En terwijl ze zich omdraait, valt hij voorover; zijn knieën landen in de doorweekte aarde, zijn handen plonzen in de modder en ten slotte glijdt zijn hele lichaam langzaam naar beneden.

We kijken elkaar aan en draaien dan snel van hem weg. Schuddend van de lach doen we alsof we onze aandacht op het blok hout voor ons richten, met onze hand voor onze mond, als giechelende schoolmeisjes. We pauzeren even om op adem te komen, maar zodra we elkaar weer aankijken, proesten we het uit van het lachen. Plezier te midden van waanzin; een lichtpuntje in de duisternis.

Vandaag halen we ons quotum niet, maar als het tijd is om dat te controleren, is de bewaker al verdwenen.

Ik loop terug naar de hut en denk terug aan het plezier dat we hadden en hoe we moesten lachen, aan dat heerlijke, lichte gevoel vanbinnen. Ik probeer te vergeten dat de laatste keer dat ik me zo voelde bij Sook was. En ik hoop dat de bewaker ons niet heeft zien lachen.

Ik hoop dat we er morgen niet voor moeten boeten.

Hoofdstuk 23

De volgende morgen staan we heel lang op appèl, in kleren die nog steeds nat en zwaar zijn, terwijl de regen op en rondom ons neerklettert en het water tot aan onze enkels staat. Mijn geest raakt van de wijs. Ik denk terug aan gisteren, toen het meisje en ik zo hebben lachen om de bewaker die onderuitgleed. Tot mijn verbazing is zijn uniform weer smetteloos schoon en ik vraag me af hoelang hij erover gedaan heeft om de modder eraf te schrapen. Of heeft hij misschien iemand die dat voor hem doet?

Heeft hij ons gezien, vraag ik me af. Is hij van plan ons straf te geven? Wraak te nemen?

Ik krijg het er warm van.

Nee. Niet aan denken. Niet aan denken, zeg ik tegen mezelf.

Ik dwing mezelf aan andere dingen te denken, andere plaatsen, en ik beur mezelf op door te denken aan een plek die beter is, gelukkiger, vrijer. Droger misschien.

'Is er een regenseizoen in Seoul?' vraag ik fluisterend aan grootvader naast me.

'Sst,' zegt hij.

'Ze kunnen ons niet horen,' antwoord ik. 'En ze kijken toch niet onze kant op.'

'Ja.' Het is een andere stem die antwoord geeft, aan mijn rechterkant geloof ik, en ik werp een vluchtige blik opzij. De man naast me knikt. 'Tussen juni en september. Het is de Oost-Aziatische moesson.'

Verbaasd draai ik zijn kant op. 'Hoe weet u dat?' vraag ik.

'Ik heb erover…' Maar dan zwijgt hij. Zijn blik laat de mijne los en zijn ogen worden groot als hij naar iets achter me kijkt dat zijn aandacht trekt. Hij draait zijn hoofd weer terug en kijkt recht vooruit, staart in de verte, zijn blik op oneindig, zijn gezicht en zijn hele lichaam een standbeeld.

'Hoe weet u dat?' herhaal ik, dit keer luider.

'Yoora,' sist mijn grootvader, maar het dringt nauwelijks tot me door.

'Bent u daar geweest? Bent u in Seoul geweest?'

Maar de man verroert zich nog steeds niet. Ik aarzel. Om mij heen is alles stil en onbeweeglijk. Maar er is iemand vlak bij me, zo dichtbij dat ik zijn ademhaling kan voelen, zijn ogen die me gadeslaan, wachtend. Ik houd mijn adem in en draai me om. En daar is hij: de bewaker.

'Jij,' zegt hij. 'Alweer.'

Ik til trots mijn hoofd op en kijk hem recht in zijn ogen, en daar zie ik iets... iets waarvan ik schrik, waarvan ik kippenvel krijg en wat mijn adem doet stokken. Er gaat een golf van paniek door me heen, die elk deel en elke vezel van mijn lichaam raakt. Ik zie in zijn ogen iets wat zo sterk, zo boosaardig is, dat het alleen al pijn doet om ernaar te kijken. Daarom sluit ik mijn ogen en buig mijn hoofd.

Hij grijpt me bij mijn haren en sleept me uit de rij naar voren. Hij zet me vooraan neer, waar iedereen me kan zien. Ik hef mijn hoofd en kijk naar alle gezichten: leeg, wezenloos, anoniem, net slaven. Onder hen bevindt zich het meisje waarvan ik dacht dat ze een vriendin was. En grootvader. En grootmoeder.

Niet huilen, zeg ik tegen mezelf. Niet huilen.

Ik probeer rustig in en uit te ademen, maan mezelf tot kalmte, probeer mijn hart tot bedaren te brengen en mijn geest aan iets anders te laten denken dan de vreselijke dingen waarvoor ik bang ben.

Ik ga op mijn tenen staan als hij me aan mijn haren omhoogtrekt, en nog hoger, en ik sluit mijn ogen. Ik probeer aan mijn moeder en vader te denken, hun kracht en moed.

Maar in plaats daarvan duikt er een herinnering aan Sook op. Zijn gezicht in de regen. Dat naar me lacht. Toen we een keer samen 's avonds tussen de bomen zaten en heel naïef hoopten dat die ons tegen de regen zouden beschermen. We waren warm, maar doorweekt.

Hoe kan ik dat zijn vergeten, vraag ik mezelf af.

Zijn voeten waren zo nat dat hij zijn schoenen uittrok; hij stond in de modder die tussen zijn tenen omhoog kroop en hij vertelde hoe lekker dat voelde. Hij zei dat ik het ook moest doen. Lachte naar me toen ik op blote voeten door de modder waadde. Ik ging voor hem staan en onze voeten maakten zompende geluiden en gleden alle kanten op. Wij samen. Lachend om hoe we erbij stonden en om de bizarre situatie.

Sook, denk ik terwijl ik voor mijn hele 'dorp' sta en wacht op wat de bewaker gaat doen. *Sook*. En ik laat die gedachte toe in mijn hoofd, laat hem aan mezelf zien en horen: *ik mis je.*

De bewaker laat mijn haar los en grijpt me bij de keel. 'Ik kan je doodmaken wanneer ik maar wil.' Zijn stem snerpt in mijn oor, zacht, geheimzinnig, dreigend. 'Vandaag, morgen, wanneer ik maar wil. Ik kan het nu doen als ik wil. Niemand zou zich er iets van aantrekken. Of ik kan je laten gaan, je laten denken dat je veilig bent, wachten tot je bomen aan het kappen bent of de heuvel afloopt of 's nachts ligt te slapen in je hut – ik kan je nog even wakker maken vlak voordat ik je doodmaak. Ik kan met je doen wat ik wil.'

Ik voel zijn adem op mijn gezicht als hij voor me gaat staan. 'Doe je ogen open,' snauwt hij.

Ik doe mijn ogen open, maar staar naar de grond.

'Kijk me aan!' schreeuwt hij.

Langzaam til ik mijn hoofd op, totdat ik in die blik kijk, die blik vol haat die me dreigend keurt, bij me naar binnen kijkt.

'Want op een dag maak ik je dood. Als ik genoeg van je heb.' Zijn hand knijpt in mijn keel en ik voel de druk in mijn hoofd toenemen.

'Mijn gezicht,' zegt hij met een valse grijns, 'zal het laatste zijn wat je ziet voordat je sterft.'

Nee, denk ik. Het laatste gezicht dat ik zie als ik doodga, zal van iemand zijn van wie ik houd. Je kunt me mijn verbeeldingskracht niet afnemen.

Hij verstevigt zijn greep nog verder en langzaam maar zeker wordt alles zwart voor mijn ogen. Ik zie alleen nog beelden in mijn hoofd: een gezicht dat mijn kant op komt en steeds scherper wordt, naar me lacht. Niet moeder. Niet vader.

Sook.

De bewaker laat me los en ik val op de grond, snakkend naar lucht. En het gezicht verdwijnt.

Door de spetterende modder en de stromende regen zie ik de voeten van de gevangenen in een rij langslopen, op weg naar hun werk. Niemand, zelfs niet het meisje met wie ik gepraat en gelachen heb, stopt om te kijken hoe het met me gaat, niemand legt een hand op mijn schouder. Niemand toont belangstelling. Alleen mijn grootvader houdt zijn pas in, net voldoende om te zien dat ik nog ademhaal en me zijn lege handen te laten zien: een gebaar om duidelijk te maken dat hij niets voor me kan doen.

Want er is niets. En dat weet ik.

Ik krabbel overeind, adem een paar keer diep in en uit. Dan loop ik achter mijn werkeenheid aan de berg op. Ik zou me daar het liefst laten vallen en het opgeven.

Nee, spreek ik mezelf toe. Niet opgeven. Doorgaan, doorgaan. En ik denk aan grootvaders woorden: één dag tegelijk, één stap tegelijk, één voet voor de andere en wie weet. Wie weet.

Ik negeer de regen die met bakken uit de hemel komt, en probeer mezelf te kalmeren. Ik richt mijn aandacht op de bladeren die glimmen van het water en het licht weerkaatsten; ik luister naar de druppels die een ritme trommelen als ze neerkomen op de bomen en struiken, de handen en gezichten, alsof ze een lied van de natuur ten gehore brengen, en ik kijk hoe ze zich verzamelen in de modderpoelen, en heen en weer klotsen onder de voeten van de gevangenen.

Ik hoor iemand naast me en ik kijk voorzichtig opzij. Daar staat het meisje. Het enige wat ze doet, is naar me kijken, maar dat is iets wat niemand anders doet.

Hoofdstuk 24

Ik had gehoopt dat die kleine momenten die we samen deelden, het meisje en ik – toen we moesten lachen om de bewaker, toen ze naar me keek nadat hij me vernederd had – het begin zou inluiden van een vriendschap, maar dat gebeurt niet. Althans niet helemaal. In plaats daarvan ontwikkelt zich een soort kameraadschap, een verstandhouding, een relatie waarin we niet van elkaar weten hoe we heten of waarom we hier zijn, waarin we zelfs nooit meer dan een paar woorden met elkaar wisselen.

Maar we wenken elkaar als we bessen vinden, verborgen tussen de struiken. En we helpen elkaar onze zakken en monden ermee te vullen. En we wijzen elkaar op de paarse vlekken op onze vingers of lippen, waaraan de bewakers en alle andere hongerige gezichten om ons heen zouden kunnen zien dat we bessen hebben gegeten.

Het zijn momenten waarop ik even op adem kan komen. Want elke morgen en elke avond bij het appèl marcheert die bewaker langs de rijen gevangenen, en elke keer dat hij langs mij loopt, vertraagt hij zijn pas en zie ik zijn hand naar zijn geweer gaan, legt hij zijn handpalm om de kolf en zijn vinger om de trekker.

En elke keer word ik misselijk. Elke keer denk ik dat ik ieder moment kan doodgaan. Dan ben ik bang dat hij zijn geweer optilt en de loop op mij richt, bang voor een lichtflits voor mijn ogen, bang dat het donker me verzwelgt. Hij heeft me nog onverminderd in zijn macht en hij laat zijn greep op mij geen moment verslappen. Nooit. Niet in de herfst, niet als de winter komt, niet als ik me realiseer dat er een jaar voorbij is.

Ik lig in bed terwijl de kou door me heen snijdt en de wind rond de hut huilt en door de gaten blaast, en ik luister naar elk geluid, wachtend op de dag dat ik wakker word met zijn klamme handen rond mijn keel of zijn koude geweer tegen mijn hoofd.

Vaak is zelf mijn uitputting niet genoeg om in slaap te komen, en dan laat ik me meevoeren door de momenten waarop ik een soort vriendschap voelde met het meisje. Dan beleef ik opnieuw de weken dat er dikke lagen opgewaaide sneeuw over alles heen lagen en we om de beurt voorop liepen de berghelling op, zodat de ander het pad van haar voorganger kon volgen en alleen maar haar voeten in de sporen en de voetstappen hoefde te zetten die al in de sneeuw waren gemaakt.

Misschien is het vriendschap, denk ik bij mezelf. Of misschien is ze alleen maar een van de vele gevangenen.

Maar welke naam ik eraan geef, maakt eigenlijk niet uit. Hoe ik het ook noem, het helpt me in slaap te vallen, het helpt me om elke dag adem te halen en in leven te blijven. Want het leven is ondraaglijk, hoewel we het verdragen. Het leven bestaat uit ontberingen. Het leven is onterend en schrikwekkend.

Veel mensen, van alle leeftijden, sterven door ziekte of ondervoeding of honger. Of ze worden doodgeslagen. Of geëxecuteerd. Of er wordt op hen geëxperimenteerd, heb ik gehoord.

Ik wil die dingen helemaal niet horen of zien, ik hoor liever verhalen over mensen die hun vrijheid terugkrijgen of over een geslaagde ontsnapping, verhalen die me opbeuren of hoop geven, die me helpen niet steeds het gezicht van de bewaker voor me te zien en zijn bedreigingen in mijn hoofd te horen. Maar ik wissel wel eens een paar woorden met mensen uit mijn 'dorp', en grootmoeder spreekt soms mensen als ze de heuvels beklimt op zoek naar eten, en grootvader fluistert met de andere mannen in de kolenmijn. Maar het enige wat we steeds horen, zijn de meest afschuwelijke dingen waarvan je niet begrijpt dat de ene mens die de andere kan aandoen.

Ik denk na over degenen die toestaan dat een plek als deze bestaat, en dan blijft er niets over van de geïdealiseerde kijk die ik op mijn land had. Ik denk terug aan mijn vaders woorden na de droom die het begin was van zo veel veranderingen; ik vraag me af of hij misschien alleen schuldig was aan het vertellen van de waarheid.

Want dit is niet goed. Geen enkel vergrijp kan zo erg zijn dat het de straffen rechtvaardigt die hier worden uitgedeeld. De enige misdaad waarvan iedereen hier wordt beschuldigd, zo lijkt het, is die tegen de staat of tegen onze Leider. Maar dat is zo vaag en zo makkelijk te manipuleren. Ook als ik om me heen kijk, naar de heimelijk gesproken woorden luister of naar de gefluisterde gesprekken, besef ik dat overal onschuld is. Maar onschuld is een woord dat hier niets betekent.

Hoofdstuk 25

De gedachte aan de ansichtkaart, de brieven, foto's en tijdschriften die mijn ouders en grootouders hebben verbrand, laat me niet los. Niet wanneer het 's morgens eerder licht wordt en de dagen lengen, ook niet wanneer ik het smeltende ijs hoor kraken op de bevroren beek en ik weet dat de lente er aankomt.

Elke dag als ik aan het werk ben, denk ik na over nieuwe manieren om aan grootvader te vragen wat het allemaal betekent, wie ons die spullen heeft toegestuurd, waar de rest van mijn familie is, wat zijn verhaal is, dat ik het heel graag wil weten voor het geval hun iets vreselijks overkomt en ik de waarheid nooit meer te weten zal komen.

Maar elke keer als er weer een dag voorbij is en de avond valt, we aan tafel zitten en ik zijn gezicht zie dat er moe en afgetobd uitziet, als ik zie hoe zijn gezondheid achteruitgaat, kan ik de juiste woorden niet vinden. Het lijkt wel alsof mijn moed om hem die dingen te vragen met de dag kleiner wordt, en mijn angst om hem van streek te maken groter.

Ik zou willen dat ik een foto had van ons toen we hier aankwamen, dan kon ik zien hoe we allemaal veranderd zijn, althans aan de buitenkant. Zelfs in het schemerlicht valt me op dat het haar van mijn grootmoeder steeds dunner wordt en uitvalt, dat haar wangen hol zijn en dat zelfs de boosheid in haar ogen afneemt, en daarmee ook haar levenskracht, zo lijkt het.

Ik kijk naar de vingers van mijn grootvader die zich rond zijn lepel buigen, en het valt me op dat zijn knokkels uitsteken. En als hij door de hut loopt, zie ik dat zijn rug krom is en zijn voeten schuifelen. Voordat ik ga slapen, geef ik hem een knuffel. Ik voel zijn wervels onder mijn vingers en de botten van zijn schouder drukken tegen mijn wangen. De tranen springen in mijn ogen en mijn hart doet pijn.

Ik denk terug aan mijn vaders woorden in het donker: *Ik kan de botten in je armen en benen voelen... maar ik heb geen eten dat ik je kan geven... Ik zie je bleke huid en je blauwe lippen... maar ik heb geen brandstof om je warm te houden...*

Nu begrijp ik wat je bedoelde, vader, zeg ik in gedachten tegen hem.

Ik weet niet wat er aan mijn lichaam veranderd is, hoeveel ik afgevallen ben. Maar ik kan mijn ribben tellen en ik voel mijn heupen door mijn huid steken. Ik kan mijn vingers rond mijn bovenarm leggen. Ik zie het verdriet en de schaduwen in grootvaders ogen als hij naar me kijkt, en ik vraag me af of hij ziet dat ik wegkwijn, net zoals ik dat met hem zie gebeuren.

We zijn in skeletten veranderd, in gedrochten; we zijn levende doden.

Maar hoewel het moeite kost, lukt het me steeds beter om mijn gedachten af te wenden van de nare dingen. Ik weet dat ze weliswaar onze lichamen en onze bewegingen in hun macht hebben, maar dat mijn verbeelding en herinneringen me overal naartoe kunnen brengen waar ik wil, en dat kleine dingen kunnen troosten, al is het maar voor even.

Dus als ik na de zoveelste dag hard werken terugloop naar de hut – die ik nog steeds weiger mijn huis te noemen – speuren mijn ogen de grauwe aarde af en ik word vrolijk als ik een groen puntje boven de grond uit zie steken. Mijn mond krult zich tot een glimlach als ik een mus zie zitten op de tak waar ik onderdoor loop. Hij heeft een paar twijgjes in zijn snavel om een nest te maken. Ik blijf staan bij een bloem in de berm, verscholen tussen het dorre gras. Ik voel de warmte en blijdschap door me heen stromen. Ik graaf het bloemetje met mijn vingers uit, voorzichtig om de wortels of de fragiele wit met roze bloemblaadjes niet te beschadigen.

Ik hoop dat ik het plantje in leven kan houden in de vensterbank van de hut. Dan kan ik er elke morgen naar kijken als ik wakker word. Althans een tijdje.

Mijn ogen dwalen over het landschap voor me. Mijn voeten bewegen zich in een automatisme naar de plek waar ik kan uitrusten, naar de hut om even te kunnen slapen voordat alles morgen van voren af aan begint. Maar nu met een bloem als ik wakker word.

Maar dan hoor ik een gil. Een geluid. Een kreet. Zacht en zwak, maar doortrokken van angst en pijn. Al mijn zintuigen staan op scherp en ik sta stil, mijn hoofd schiet omhoog en ik staar naar de hut waar het geluid vandaan komt. Mijn hut.

Het klinkt opnieuw, luider dit keer, banger. De deur vliegt open en ik verstijf. Ik kijk hulpeloos toe als de bewaker naar buiten komt stormen, die ene die me haat, die ene die de jongen heeft vermoord, in wiens gezicht ik heb gespuugd. Met zijn ene hand houdt hij zijn geweer vast en met zijn andere trekt hij mijn grootmoeder aan haar haren over de grond.

Ik sla mijn hand voor mijn mond om te voorkomen dat ik ga gillen. Ik dwing mezelf te blijven waar ik ben, terwijl ik toekijk hoe ze haar armen optilt en rondzwaait, haar handen naar haar hoofd brengt in een zinloze poging zichzelf te beschermen. Haar benen krabbelen in de modder als ze probeert overeind te komen. En haar gezicht... Haar gezicht is... kwetsbaar... en broos... en benauwd.

Ook nu, net als bij de jongen, doet niemand iets. Niemand loopt erheen om te helpen. Niemand wordt boos. Er staat zelfs niemand stil om te kijken wat er gebeurt. Op één persoon na: mijn grootvader, die inmiddels naast me is komen staan.

We staan zwijgend naast elkaar en zien hoe ze wordt weggesleept. We horen haar gegil dat door de lucht snijdt, en we weten dat het misschien wel de laatste keer is dat we haar zien. Maar er is niets, *niets,* wat we kunnen doen. Ik voel de snikken in grootvaders lichaam omhoogkomen als hij dichter bij me komt staan en zijn vingers de mijne raken. Ik pak zijn hand en sla een arm om hem heen, trek hem tegen me aan, mijn grootvader. Mijn trouwe, lieve, zorgzame, milde, tedere en fantastische grootvader.

We zien grootmoeder in de verte verdwijnen, in de richting van de gebouwen waarvan de dreiging altijd aanwezig is, waarover iedereen verhalen heeft gehoord. Verhalen over experimenten met gas en chemicaliën, eenzame opsluiting of in elkaar geslagen worden, straffen te wreed om je er een voorstelling van te kunnen maken. En ik voel haar priemende ogen die me aankijken, me haten, me alles verwijten wat er gebeurd is sinds de dag dat Sooks moeder die mannen op ons af heeft gestuurd.

Ja, ik heb er spijt van, met mijn hele hart, nu ik haar zie verdwijnen en de pijn en het verdriet van mijn grootvader voel. Wat heeft ze gedaan of gezegd waarom ze bij ons wordt weggehaald? Vast iets kleins; het kan ook niets zijn. Ik wil en hoef het niet te weten.

Ze verdwijnt, en met haar verdwijnen ook haar gegil en het razen en tieren van de bewaker.

Hoofdstuk 26

We wachten in onze hut en eten ons maïsmeel op, hopend dat de deur zal kraken en we haar voetstappen op de vloer horen, haar gemopper over de vele keren dat ze naar een rivier heeft moeten lopen en het weinige eten dat ze heeft kunnen vinden.

Ik zet de bloem in een gebarsten mok en plaats die op de vensterbank: mijn teken van hoop op haar thuiskomst. De duisternis valt over ons heen, stil en onopvallend, en we wachten. Waarop? Denken we echt dat ze vanavond nog terugkomt? Dat ze ooit terugkomt?

We leggen onze slaapmatten naast elkaar en kruipen onder de dekens om warm te blijven, om troost te vinden bij de aanwezigheid van elkaars lichaam.

'Denk je dat ze dood is?' Zijn vraag is zo eerlijk dat het pijn doet.

'N-nee,' stamel ik.

'Ik wel.'

Ik verroer me niet. Breng mijn hand niet naar de zijne om troost of steun te bieden. Ik lig hier alleen maar, in de kwellende stilte, en ik voel zijn borst op en neer gaan als hij ademhaalt. En stiekem, schuldbewust, egoïstisch, ben ik dankbaar dat híj niet door de bewaker is meegenomen.

'Wil je me...' fluister ik, 'wil je me alsjeblieft vertellen wie die brieven en ansichtkaarten heeft gestuurd. Vertel me wat er is gebeurd.'

Hij schudt zijn hoofd.

Ik zucht. 'Waarom niet? Waarom mag ik het niet weten? Is het zó erg? Ben je bang dat ik slecht over je ga denken? Want weet je, wát het ook is, hoe erg je ook denkt dat het is, er verandert niets. Je bent en blijft mijn grootvader.'

Hij wrijft met zijn hand over zijn gezicht.

'Je zult altijd belangrijk voor me blijven,' fluister ik.

Hij zucht lang en diep, en sluit dan zijn ogen. Ik denk dat hij gaat slapen. Hij wil me niks vertellen en er zal niets veranderen. En straks is hij er ook niet meer, net als grootmoeder. Dan neemt hij zijn geheimen en verleden met zich mee. En ik zal het nooit te weten komen en nooit begrijpen.

Maar dan begint hij te praten. 'Ik heb een vreselijke fout begaan, Yoora,' fluistert hij, en hij kijkt me aan met zijn ogen vol tranen. 'Dat heeft ze me nooit vergeven.' Nu pak ik zijn hand en houd die vast. Zijn huid is zo droog dat ik bang ben dat hij loslaat; de botjes in zijn hand zo broos dat ik bang ben om ze te breken.

'Ik heb heel vaak mijn excuses gemaakt, maar dat hielp niet. Excuses maken mijn fout niet ongedaan. Ik weet dat je denkt dat het jouw fout is dat we hier zitten, in deze gevangenis, in dit kamp. Ik weet dat je jezelf de schuld geeft, maar dat klopt niet. Het enige wat je hebt gedaan, is iemand vertrouwen.'

'Grootmoeder geeft me de schuld.'

'Nee,' zegt hij hoofdschuddend. 'Heb je je wel eens afgevraagd waarom we deel uitmaken van de laagste klasse? Waarom we boelsoen zijn, onreinen?'

Ik haal mijn schouders op.

'Ik heb er jarenlang bij je ouders op aangedrongen dat ze aan je zouden uitleggen hoe het zit, maar dat hebben ze nooit gedaan. Je vader wilde het wel, maar je moeder niet. Maar ja, moeders willen niets liever dan hun kinderen beschermen, toch?' Op zijn gezicht verschijnen rimpels die zich tot een glimlach vormen, een glimlach die ik lange tijd niet gezien heb en die met een diepe zucht ook meteen weer verdwijnt. 'Goed, kind, laten we beginnen bij het begin, zo ver terug als ik me kan herinneren, oké?'

Ik knik en fluister: 'Ja.'

'Ik was zes jaar en ik stond op het dek van een schip. Ik staarde naar de uitgestrekte grijze lucht boven me en het eindeloze blauw onder me. Ik had nog nooit zoiets gezien. "Dat is de zee," legde mijn moeder uit. "Hij is nat en koud, dus zorg dat je er niet in valt."' Hij glimlacht bij de herinnering.

'Het schip slingerde op en neer en heen en weer, en hoewel mijn moeder me verhalen vertelde over het goede leven dat voor ons lag, moest ik overgeven en hing ik over de reling. Ik voelde me ellendig en tuurde de horizon af op zoek naar land. Het was 1941 en we waren op weg naar Japan. Veel mannen daar waren gaan vechten in de oorlog en daarom was er een tekort aan arbeiders. Dus werd Koreanen zoals mijn ouders allerlei beloften gedaan om hen naar Japan te lokken.'

'Jullie gingen van Noord-Korea naar Japan?'

Hij schudt zijn hoofd. 'Nee, we kwamen uit het Zuiden.'

Ik staar hem verbaasd aan.

'Korea was toen nog niet verdeeld. Er was geen Noord en geen Zuid; het was één groot land. Wij kwamen uit een dorpje bij Seoul.'

'Maar dat betekent... dat betekent dat jullie...'

Het flikkerende kaarslicht valt over zijn gezicht en ik probeer de uitdrukking in zijn ogen te lezen: zorg of angst of teleurstelling?

'De vijand zijn?' Hij snuift. 'Zie ik eruit als de vijand? Of je grootmoeder? Ziet die er zo uit?'

'Komt die ook uit het Zuiden?'

Hij knikt.

Ik kijk hem aan. 'Maar... maar... het Zuiden is de oorlog tegen het Noorden begonnen, dus...'

Hij valt me in de rede, schudt zijn hoofd en zwaait zijn vinger voor mijn gezicht heen en weer. 'Nee, Yoora. Dat hebben ze jou en iedereen wijsgemaakt. Maar het is niet waar. Ze hebben de geschiedenis herschreven zoals het hun uitkomt en niemand durft hen tegen te spreken. Mensen van mijn generatie weten hoe het zit, maar ze hebben nooit iets gezegd. Hoe konden ze ook?'

Het gaat in tegen alles wat ik geleerd heb en alle geschiedenisboeken die ik op school heb gelezen. Maar ik besef nu dat ik niets meer kan geloven wat mijn land betreft, niet zonder meer. Hoeveel ervan is gelogen? Ik hoop dat ik dat op een dag zal weten. Maar nu geloof ik wat grootvader me vertelt, net zoals ik de woorden geloof die ik lang geleden van mijn vader heb gehoord. Volledig en volkomen.

'We kwamen in Japan aan met nauwelijks meer dan de kleren die we aanhadden, maar met beloften die ons optimistisch stemden. We zouden het beter te krijgen, makkelijker. We zouden gelukkig worden.

Maar die beloften werden niet waargemaakt. We bleven buitenstaanders en we hadden de neiging bij elkaar te kruipen op plekken met veel Koreaanse arbeiders, in achterbuurten van steden. Mijn vader verhuisde van het ene baantje naar het andere, en ondertussen zag ik dat de uitdrukking op mijn ouders' gezicht overging van hoop in frustratie, en zelfs in apathie.

De tijd verstreek en ik ontmoette een meisje – jouw grootmoeder – en na een poosje werd ik opeens verliefd op haar. Het voelde alsof...' Ik zie hem zijn ogen opslaan alsof hij in de duisternis bij het plafond naar het juiste woord zoekt. '... Alsof ik wakker werd... Alsof ik eindelijk begon te leven.'

Hij zucht en ik kijk bij het licht van de kaars naar zijn gezicht, waar ik in een spel van schaduw en licht de warmte van de herinneringen in zijn ogen zie. Ik denk aan Sook, aan het gevoel dat hij me gaf – het gevoel klaarwakker en springlevend te zijn – net als grootvader zegt, en ik voel die vreselijke droefheid weer aan me knagen.

'Maar...' gaat hij verder, 'je maakt plannen, denkt na over de toekomst, maar dan word je overvallen door... door het leven zelf. Op 3 november 1959, de Japanse Culturele Dag, waarop de vrijheid en vrede worden gevierd, vertelde ze me dat ze zwanger was.'

Ik sla mijn hand voor mijn mond en staar hem aan. 'Maar jullie waren niet getrouwd?' fluister ik.

Hij haalt zijn schouders op en er trekt opnieuw een glimlach over zijn gezicht als hij mijn verbaasde blik ziet. 'Nog steeds niet,' fluistert hij.

Ik ben verbijsterd. Dit is niet te geloven. Mijn grootmoeder? Die zwanger is en niet getrouwd? Die doet alsof ze wél getrouwd is?

'Niemand weet het,' voegt hij eraan toe, en zijn gezicht is zo dicht bij het mijne dat ik de glinstering in zijn ogen zie die me doet vermoeden dat hij altijd iets rebels heeft gehad. Maar in het geheim. Stilletjes.

'We hebben een tijdje nagedacht wat we moesten doen en aan wie we het zouden vertellen, wát we zouden vertellen. Hoe zouden mijn ouders reageren en die van haar? Maar uiteindelijk besloten we helemaal niets te zeggen, tegen niemand. Ik was bang dat haar ouders me zouden verbieden nog met haar om te gaan, dat ik haar nooit meer zou zien en de baby ook niet. Daarom heb ik haar overgehaald met me te vluchten, terug naar Korea, en daar met z'n drieën een nieuw leven te beginnen.

Toen was het land al in tweeën gedeeld. Zij wilde naar het Zuiden, waar we beiden familie hadden wonen. Ik wilde naar het Noorden, waar gratis gezondheidszorg en onderwijs was. Dat was er in het Zuiden niet. En in het Noorden woonden geen familieleden van haar die haar bij me weg konden houden.

Ik heb als een klein kind gezeurd en gejengeld, net zo lang tot ze bakzeil haalde. Toen we hier aankwamen, deden we net alsof we getrouwd waren, alsof we al ouder waren. Een tijdje ging alles goed, heel goed zelfs, en ik was ervan overtuigd dat we het juiste besluit hadden genomen. We stuurden brieven naar Japan met excuses en uitleg; we schreven dat we hen zouden opzoeken en dat we hoopten dat zij ons zouden opzoeken. We misten hen.

Het land leek welvarend. We kregen werk, een plek om te wonen, elke week een rantsoen eten. De straten en gebouwen waren schoon; er was haast geen criminaliteit. We voelden ons veilig en gelukkig. En onze kleine jongen, je vader, werd geboren.

Maar langzaam maar zeker – ik weet niet precies wanneer – begonnen er dingen mis te gaan. We moesten verhuizen van de stad naar het platteland. Ik raakte mijn werk in de fabriek kwijt en je grootmoeder haar kantoorbaan. We moesten allebei op het land werken. Zware lichamelijke arbeid. Met steeds minder eten. We schreven naar onze familie dat we verhuisd waren, maar er kwam geen enkel briefje terug. Keer op keer vroegen we de autoriteiten om een vergunning om hen op te zoeken, maar die werd steeds afgewezen.

Er gingen jaren voorbij en ik begon te geloven dat onze families ons verstoten hadden. We stopten met schrijven. Ik zag de levenslust en schoonheid uit je grootmoeder verdwijnen, en ik zag haar haat en boosheid tegenover mij groeien. Wat kan ik doen, dacht ik steeds. Er moet toch iets zijn... iets. Ik kon maar één ding bedenken: ik schreef naar alle adressen die ik nog wist in Japan en alle adressen die ik me kon herinneren in het Zuiden. Ik wist de brieven het land uit te smokkelen. En ik wachtte. En hoopte. En wachtte. En eindelijk, na bijna een jaar, kwam er een brief terug van mijn broer in Zuid-Korea. Hij vertelde hoe radeloos ze waren geweest toen ik was gevlucht; dat ze Japan verlaten hadden en teruggekeerd waren naar Seoul. Hij vertelde ook over de reis die een brief moest maken van het ene vriendelijke paar handen naar het andere, duizenden kilometers lang.'

Terwijl mijn grootvader zijn verhaal doet, begin ik te begrijpen waarom niemand ooit iets over mijn familie heeft verteld, of heeft uitgelegd waarom we boelsoen zijn. In het kaarslicht zie ik alle schuld en pijn die als rimpels in zijn gezicht staan gegroefd en zijn haar grijs hebben gemaakt.

'Ze had geen hekel aan je,' fluistert hij. 'Ze hield van je. Dat weet ik zeker. Dat doet ze nog steeds.'

Hij knijpt in mijn hand. Ik zie de tranen in zijn ogen en het verdriet dat zijn mondhoeken naar beneden trekt.

'Ze heeft iedere dag tegen me gezegd,' fluistert hij, 'dat ze mij verantwoordelijk houdt en een hekel aan me heeft. En iedere dag heb ik mijn excuses aangeboden. Maar ze heeft ze nooit aangenomen. Ik heb haar leven verwoest.' Nu stromen de tranen over zijn wangen en zijn woorden worden onderbroken door snikken.

Ik open mijn mond om hem naar de ansichtkaart te vragen, of zijn broer die had gestuurd, hoe die bij ons terecht is gekomen, maar dit is niet het juiste moment. Ik zou willen dat ik zijn pijn kon wegnemen, maar ik ben niet de juiste persoon om dat te doen. Daarom sla ik mijn armen om hem heen en trek hem tegen me aan.

Vreemd, denk ik bij mezelf, dat beslissingen die zo lang geleden zijn genomen, hiertoe hebben geleid: dat wij elke dag moeten vechten om te overleven, van zonsopgang tot zonsondergang, van uur tot uur, van minuut tot minuut. Met de dood die op de loer ligt, die dreigend in ons oor fluistert en wacht tot onze tijd is gekomen.

Hoofdstuk 27

Vannacht droom ik, niet over de bewaker of het meisje, of over mijn ouders of grootouders, maar over iemand anders, een jongen of een man. Ik volg hem van een afstandje. Hij loopt over straat. Door armetierige, haveloze en lege straten. Hij loopt met zijn hoofd naar beneden, met afhangende schouders, op versleten schoenen die over de straatstenen slepen, zijn armen slap langs zijn lichaam.

Vuilnis dwarrelt door de diepe goot en er liggen lichamen voorover langs de kant van de weg. Er is geen muziek te horen, er zijn geen winkels, geen lichten of kleuren. Alles heeft een grauwe tint en hij is het enige levende wezen.

Ik volg hem. De ene straat uit, de hoek om, de andere straat in. En nog eens. In rondjes. Het ene rondje na het andere. Maar na een tijdje stop ik en wacht tot hij de hoek om komt. Daar is hij. Ik zie zijn gezicht.

Sook.

Hij kijkt me aan en ik zie zo veel liefde in zijn ogen dat mijn adem stokt. Hij loopt op me toe en ik kijk hem aan. Ik glimlach naar hem en strek mijn armen naar hem uit.

'Sook,' fluister ik.

Maar dan komen er armen en lichamen uit het niets en grijpen hem, trekken hem alle kanten op, rukken aan zijn kleren en nemen hem mee. Om hem te doden, dat weet ik.

Dan word ik wakker. Buiten adem en in paniek, en heel, héél verdrietig.

Dat wil je toch, schreeuwt een stem in mijn hoofd. Dat verdient hij toch?

Ik ga weer liggen, sluit mijn ogen en probeer niet te denken aan de avonden die we samen deelden, de keren dat we samen moesten lachen, de glimlach op zijn gezicht die mijn hart verwarmde. Ik wil niet herinnerd worden aan wat hij ons heeft aangedaan, hoe hij me heeft verraden. En aan hoe dom ik ben geweest.

Dat doet te veel pijn.

's Morgens word ik wakker met het gezang van vogels. Met zonnestralen die tussen de houten planken van ons dak op mijn gezicht schijnen. Met de bloem die ik heb uitgegraven en die nu zijn bloembladen geopend heeft naar de zon. Het lijkt een ander leven. Waar vrede is omdat ik me niets herinner. Waar geluk is omdat ik niets weet.

Ik zou hier wel altijd willen blijven liggen, zonder gedachten, herinneringen of zorgen. In de rust. Stilte. Vergeving. Ik zou wel in dit hier en nu van onwetendheid willen blijven. Maar ik hoor mijn grootvader zuchten, ik hoor zijn rochelende hoest, opgelopen tijdens de vele uren in de mijn, en ik kom met een schok terug in de realiteit en ga rechtop in bed zitten. Nog steeds geen grootmoeder.

Ik kijk naar mijn schoenen. Het lijkt alsof ze me staan op te wachten. Ze zijn bedekt met een laag opgedroogde modder die ze bij elkaar houdt. Mijn kleren die ik zal moeten dragen: vol vlekken, nog nooit gewassen, de oksels stijf van het zweet, kleren die te lang nat blijven, maar waarvan ik geen extra stel heb.

Ik ben net zo geworden als alle anderen. Ik ben een levend skelet; mijn huid is bedekt met zweren en eczeem; mijn botten steken uit en mijn haar is zo geklit dat het nog het meest op een vogelnestje lijkt. De moedeloosheid maakt mijn benen zwaar en drukt op mijn schouders.

We staan op, mijn grootvader en ik, en kleden ons zwijgend aan. Als we de hut verlaten om te gaan werken en hij de deur achter ons dichttrekt, zie ik de blik in zijn ogen: hij hoopt, net als ik, dat ze ons hier zit op te wachten als we vanavond terugkomen. Hij hoopt, denk ik, dat hij haar voor de zoveelste keer kan vertellen hoezeer het hem spijt en hoeveel hij van haar houdt.

En ik hoop dat ze tegen hem hetzelfde zal zeggen.

Het is toch droevig om zo oud te zijn, grootouder te zijn, zo lang samen te zijn en nog steeds behoefte te hebben aan die woorden en bang te zijn dat de ander ze niet meer voelt.

Ik sta samen met onze 'dorpelingen', onze collega's, onze mede-gevangenen op appèl en krijg de instructies en quota voor deze dag, alsof het een gewone dag is. Ik staar naar de lege plek waar zij had moeten staan en ik weet niet wat ik moet denken of wat ik moet doen. Ik wil niet eens de mogelijkheid overwegen dat ze niet meer terugkomt, maar ik wil ook niet zo naïef zijn te geloven dat ze nog in leven is.

Waarom? Ik wil niet dat grootvader nog meer pijn te verduren krijgt.

Ik ontmoet de blik van het meisje dat ik als vriendin beschouw. Ik zie hoe ze knikt, eerst naar de lege plek en dan naar mij. Ik haal zo onopvallend mogelijk mijn schouders op. Maar als de rijen zich in beweging zetten en de mensen naar hun werk lopen, schuif ik voorzichtig haar kant op. Ik probeer zonder de aandacht van de bewaker te trekken, steeds dichter bij haar te komen. Uiteindelijk lopen we naast elkaar, vertragen onze pas. Zonder elkaar aan te kijken, fluistert ze zo zachtjes dat het nauwelijks verstaanbaar is: 'Ze zit in de isoleer.'

Ik geef een knikje, net genoeg om te laten zien dat ik haar heb gehoord en loop verder, zonder te kunnen vragen waarom of voor hoelang en zonder haar te kunnen bedanken voor die paar woorden, die mij een beetje troost bieden, maar waarmee ze haar eigen leven riskeert. Ik schenk geen aandacht aan het gefoeter van de bewaker terwijl ik de berg oploop, en ook niet aan de gemoedstoestand van de mensen om me heen, zelfs niet aan het zonlicht dat tussen de bla-deren van de bomen door op mijn pad valt.

Ik weet wat het betekent: in de isoleer. Niet zo simpel als het klinkt, niet gewoon afgezonderd van de anderen. Op zo'n plek als deze betekent het natuurlijk iets anders, iets afschuwelijks. Ze zijn vindingrijk als het om straffen gaat en het lijkt wel alsof ze steeds iets nieuws bedenken, nieuwe manieren om ons te kwellen of om meer macht uit te oefenen.

Ik geloof niet dat ze ons allemaal haten. Sommigen van hen hebben denk ik een deel van zichzelf bij de poort achtergelaten toen ze hier kwamen, omdat ze anders niet in staat zouden zijn bevelen uit te voeren. Maar de meesten, en zeker die ene die mij haat, scheppen er genoegen in om ons te slaan en zijn er trots op als het ze lukt ons aan het huilen of schreeuwen te krijgen, van pijn of verdriet. Of als een van ons doodgaat. Ze genieten van ons omdat we ze de gelegenheid geven wrede dingen te doen.

Ik heb gezien waar mensen toe in staat zijn als er geen gevaar of vergelding dreigt om ze af te schrikken.

Ik kom met moeite vooruit en het meisje loopt steeds verder bij me vandaan. Mijn zwaarmoedigheid en verdriet en hopeloosheid maken het lopen zwaar. Er gaan beelden door mijn hoofd van de bewaker die grootmoeder wegsleept, haar blote benen trappelend in de modder, haar mond wijd open als ze schreeuwt, haar ogen zoekend naar hulp tussen de mensen, die haar negeren. Ik ben nog steeds geschokt. En nog steeds bang.

Ik zie haar voor me in de isoleercel, die meer weg heeft van een kist: te klein om rechtop te kunnen staan of te kunnen liggen, een ruimte die haar dwingt op haar knieën te zitten met haar handen op haar dijen en haar billen op haar hielen. Spijkers steken uit de zijkant om te voorkomen dat ze ertegen kan leunen. Haar zwakke lichaam kan zich niet bewegen. Urenlang. Dagenlang. Soms, heb ik gehoord, wekenlang.

Ze was al een oude vrouw voordat ze hier kwam en in de afgelopen achttien maanden is ze achttien jaar ouder geworden. Wat zal dit met haar doen?

Ze gaat hier dood aan, denk ik bij mezelf.

Ze gaat dood.

En grootvader…?

Als ik de boomgrens bereik, rollen de tranen over mijn wangen.

Ik ben het aan hen verplicht. Ik moet het op zijn minst proberen.

Een paar dagen geleden is onze taak gewijzigd. Er is behoefte aan medicinale kruiden en ginseng, hebben ze gezegd – al betwijfel ik of wij daar wat van terugzien. Misschien voor de bewakers en hun gezinnen in de wijken waar zij wonen, met hun warme, schone, comfortabele huizen en scholen, met hun eten dat niet bestaat uit maïs of boomschors of gras, waar je niet de ene dag diarree van krijgt en de volgende dag obstipatie.

Maar dit werk geeft ons meer vrijheid. We kunnen dwalen totdat we buiten gehoorsafstand van de bewaker zijn en zelfs buiten zijn gezichtsveld. Ging hij maar eens ergens zitten, een eindje bij mij vandaan, met zijn ogen dicht, een tukkie doen, dan liet hij ons tenminste met rust. Dan ga ik heus wel door met mijn werk: we moeten natuurlijk ons quotum halen, want anders volgt er straf.

Maar het lijkt me heerlijk om te kunnen werken zonder die ogen die me gadeslaan, zonder dat hij langsloopt en mijn benen onder me vandaan schopt, zonder dat hij de helft van mijn quotum aan iemand anders geeft of zijn geweer op mijn hoofd richt zoals hij al zo vaak gedaan heeft, en dan kijkt naar de angst op mijn gezicht, het zweet op mijn voorhoofd en het trillen van mijn handen. Omdat ik niet weet of hij deze keer de trekker over zal halen.

Vandaag zie ik hem van de ene naar de andere gevangene lopen en hun tassen controleren, kijken of ze de bodem niet hebben volgegooid met aarde of de verkeerde bladeren om eerder klaar te zijn. Ik speur het kreupelhout af, dat al helemaal kaal geplukt is, op zoek naar de juiste planten en bladeren. Maar mijn gedachten zijn ergens anders.

Een idee. Een plan. Hoe gevaarlijk ook.

Ik zie het meisje weer, mijn vriendin. Ze staat voorovergebogen over het gras en plukt met haar vingers tussen de planten. Ik loop haar kant op, schuif stapje voor stapje naar haar toe, buig me voorover en werp steeds een blik achterom om te checken waar de bewaker is.

'Hoe krijg ik haar daaruit?' fluister ik. Haar ogen schieten heel kort mijn kant op.

'Mijn grootmoeder, hoe krijg ik haar uit de isoleer?'

Ze schudt haar hoofd. 'Doe niet zo stom. Je weet dat dat niet kan.'

'Maar... als ik dat niet doe... dan gaat ze dood daarbinnen.'

Ze haalt haar schouders op. 'Ja. En zo niet, dan gaat ze dood als ze weer vrijkomt. Dat gebeurt soms ook. Er is niets wat je kunt doen, dat weet je.'

'Maar...'

Ze komt overeind en draait zich naar me toe. 'Nee,' zegt ze. 'Vergeet het. Vergeet wat ik je verteld heb. Ik had beter mijn mond kunnen houden.'

'Ik ben blij dat je me verteld hebt waar ze is,' fluister ik.

'Ik niet.' Ze plukt een paar bladeren, brengt ze naar haar neus en gooit ze dan in haar tas. 'Want nu ga je iets doen wat levensgevaarlijk is en ben je straks dood. Of ik. Ik had beter moeten weten dan aardig te zijn. Daar kom je hier niet ver mee; je moet aan jezelf denken om te kunnen overleven.'

'Aan mezelf denken is juist de reden dat ik hier terecht ben gekomen,' sis ik.

Ze zegt niets terug en ik loop bij haar weg, verward en verdrietig. De enige gevangene in dit kamp die meer dan vijf zinnen tegen me gesproken heeft in het afgelopen jaar, waarmee ik iets deel, waarvan ik dacht dat ze misschien een vriendin was – ik wil haar niet kwijt. Maar moet ik werkeloos toezien terwijl ik weet wat er met mijn grootmoeder gebeurt? Omdat ze me misschien vermoorden? Dat kan ook gebeuren als ik niets doe. Ik kijk naar mijn lege tas, er zitten geen kruiden en geen ginseng in.

Zo haal ik mijn quotum nooit, zeg ik tegen mezelf. Daar krijg ik sowieso straf voor.

Terwijl ik verder terugloop, vang ik de blik van mijn vriendin: ze kijkt bezorgd. Ze schudt haar hoofd naar me. Maar ik wend me opnieuw van haar af en loop verder, want wat zij ook denkt of wat de gevolgen ook zullen zijn, ik moet het op zijn minst proberen.

Hoofdstuk 28

Alles om me heen verdwijnt en alle geluiden dempen. Ik ben alleen over. Met de bewaker. En mijn grootmoeder ergens aan de voet van de berg.

Ik ben zo bang dat ik niet eens het luide kloppen van mijn hart hoor of mijn gejaagde, onregelmatige ademhaling.

Ik kijk over mijn schouder naar de bewaker en zie hem agressief tegenover een man staan; hij stompt hem in zijn gezicht; zijn mond gaat open en dicht alsof hij schreeuwt. Maar ik hoor niets. Ik zuig mijn longen vol lucht, houd mijn adem even in en laat de lucht dan weer langzaam ontsnappen. Mijn besluit is genomen. Ik beweeg me voorzichtig in de richting van de bomen.

Als het me lukt om de bomen te bereiken, zeg ik tegen mezelf, dan kan ik me verstoppen. Misschien merkt hij niet eens dat ik weg ben. Althans een poosje. Dan kan ik wegglippen naar het kamp en grootmoeder gaan zoeken.

Ik sta stil, buig me voorover en doe alsof ik bladeren pluk. Ondertussen gluur ik opzij. Ik zie dat de bewaker verder de berg oploopt, iets uit zijn zak haalt en het naar zijn mond brengt. Hij eet terwijl wij verhongeren.

Ik kom weer overeind en haast me naar de bomen. Dit is misschien mijn enige kans en ik hoop tegen beter weten in dat hij niet mijn kant op kijkt. Dat niemand mijn kant op kijkt. Dat niemand iets in de gaten heeft en zich afvraagt wat ik aan het doen ben.

We hebben nauwkeurige instructies gekregen over waar we moeten zoeken. En ik bevind me nu niet op een plek waar ik hoor te zoeken.

Ik ben er bijna. Ik houd mijn blik op de bomen gevestigd, maar nu ik dichterbij kom, lijken de takken dunner, het gebladerte minder dicht. Hier val ik te veel op, denk ik bij mezelf. Hier kan ik me niet verschuilen. Hier kan hij me nog steeds zien. Maar mijn benen jagen me verder en als ik de boomgrens bereik, houd ik heel even halt. *Ik kan me nu nog omdraaien. Ik kan me nog bedenken, teruglopen.*

Ik twijfel. Ik denk na… Ik zet een stap tussen de bomen. Dan nog een. En nog een.

Ik zou wel willen dat de bomen hun takken om me heen slaan, me omarmen, me verzwelgen en veilig naar het kamp beneden brengen. Ik baan me een weg door de struiken en denk bij mezelf: ik heb geen plan voor als ik beneden ben… Ik heb hier niet goed over nagedacht… Wat moet ik doen? Waar moet ik naartoe? Waar kan ik haar vinden?

Plotseling klinkt er een geweerschot. Eentje maar. Het geluid snijdt door de lucht. Ik duik naar de grond, rol op mijn zij en probeer te zien waar het vandaan komt. Ik kijk achterom naar mijn werkgroep en realiseer me dat ik helemaal niet zo ver ben als ik dacht. Ik kan nog steeds hun contouren zien, kan nog steeds zien wie wie is.

Ik krabbel overeind en verschuil me achter een boom. Ik zie de bewaker met het geweer in zijn hand; hij marcheert met grote passen heen en weer en er staat iemand bij hem met opgetrokken schouders, bevend over haar hele lichaam. En ik weet dat zij het is, mijn vriendin.

Ik zucht en sluit mijn ogen. Hij heeft gemerkt dat ik er niet ben. Denkt dat zij weet waar ik ben. En ik wéét wat hij zal doen om daarachter te komen. Ik hoor hem tegen haar tekeergaan, een stortvloed aan verhaspelde woorden. En ik zie haar in elkaar duiken.

Mijn vriendin.

Hij zal haar slaan, weet ik, haar trappen, schoppen, stompen, alles doen wat hij wil. En als ze het hem vertelt – want dat zal ze doen – slaat hij haar opnieuw. Gewoon omdat hij dat kán.

Zal hij haar vermoorden? Ik buig mijn hoofd. Ik wil de geluiden niet horen, niet zien wat hij doet. Wéér iemand die pijn heeft en wéér is het mijn schuld.

Waar ben ik mee bezig?

Maar… Ik keer haar de rug toe, zucht diep en ren het struikgewas in. Al mijn zintuigen staan op scherp. Mijn hart bonkt in mijn keel, mijn adem brandt in mijn longen, terwijl ik tussen de bomen door spring. Mijn benen doen pijn omdat er geen kracht in zit. Onder mijn voeten breken takjes; takken zwiepen om mij heen en bladeren ritselen. Mijn kleding blijft achter doorns hangen; de modder glijdt weg onder mijn voeten; boomschors kleeft vochtig en ruw aan mijn handen.

Schuldgevoel en vastberadenheid strijden om voorrang in mijn hoofd.

Dan hoor ik iets achter me. Een moeizame ademhaling, gehijg. Voetstappen die neerploffen, versnellen.

Dichterbij komen.

En nog dichterbij.

Mijn voeten gaan door en door. Sneller en sneller de berg af. Heel snel. Te snel. Een hand op mijn schouder, iets trekt aan mijn haar…

Dan lig ik op de grond.

Hoofdstuk 29

Ik til mijn hoofd van de grond en daar is hij. Hij staat over me heen gebogen en kijkt woedend op me neer. Hij neemt niet eens de moeite zijn geweer op me te richten. Hij vernauwt zijn ogen tot spleetjes en de haat druipt van zijn gezicht. Er zit speeksel op de dunne lippen die zich tot een kwaadaardige grijns trekken. Ik zie spetters bloed op zijn wang.

Mijn borst doet pijn en ik lig met mijn mond open naar adem te snakken. Hij grijpt mijn kraag vast en trekt me overeind. Hij houdt me zo hoog dat ik op mijn tenen moet balanceren. Dan buigt hij zich naar me toe tot zijn neus bijna de mijne raakt. Ik voel zijn adem op mijn gezicht en ruik de gore lucht van rotting.

'Waar dacht jij dat je naartoe ging?' snauwt hij.

Ik krijg geen woord over mijn lippen. Mijn mond is kurkdroog; ik tril over mijn hele lichaam. Er komt geen geluid uit mijn keel.

'Ik vroeg waar je naartoe ging!'

Ik slik moeizaam en adem diep in. 'Mijn grootmoeder,' weet ik met moeite uit te brengen en dan houd ik mijn adem in. De bomen om me heen tollen rond en hellen over, de hemel kantelt en gaat op en neer, en ik voel mezelf schommelen en zwaaien. 'Ik... ik... wilde... wilde mijn grootmoeder zien.' Ik doe mijn mond dicht en probeer mezelf te kalmeren, normaal adem te halen, helder te denken, na te denken.

Ik zie zijn hoofd heen en weer bewegen als in slow motion en ik zie die valse grijns weer over zijn boosaardige gezicht trekken. Hij steekt zijn neus in de lucht en zijn borst naar voren om te laten zien hoeveel macht hij over me heeft. Zijn rauwe lach barst los in de lucht om ons heen.

'Lopen,' commandeert hij. Zijn stem klinkt nu ingehouden en wreed. Hij grijpt mijn haar vast en trekt me daaraan de helling af.

Ik moet moeite doen om overeind te blijven. Als ik struikel, wordt het haar uit mijn hoofd gerukt. Hij pakt een andere pluk, steviger; hij trekt nog harder, gaat sneller lopen. Ik breng mijn handen naar mijn hoofd en probeer mijn haar vast te houden zodat het minder pijn doet, en elke keer dat ik een misstap zet, wordt eraan getrokken. Dan heeft hij een hand vol haar, laat die op de grond vallen en pakt me ergens anders beet. En zelfs als we in het dal zijn aangekomen, laat hij me nog steeds niet los.

'Alstublieft,' zeg ik, 'ik loop wel mee.' Maar hij geeft geen antwoord.

Omdat hij mijn haar vasthoudt, kan ik niet normaal lopen en val steeds. Ik haal mijn benen en knieën open aan de steentjes op de grond, en als ik mijn handen uitsteek, schaven ze over het plaveisel. En ondertussen malen de gedachten door mijn hoofd: waar brengt hij me naartoe? Wat gaat hij met me doen? Wat heeft hij met mijn vriendin gedaan? Leeft ze nog? Leef ik aan het eind van de dag nog? En grootmoeder?

We houden halt bij een deur van een van de personeelsvertrekken. Mijn haar zit vastgeklemd in zijn vuist en mijn hoofd is gedraaid, dus ik kan me niet bewegen. Met zijn vrije hand haalt hij een bos sleutels uit zijn zak en met zijn vingers zoekt hij naar de juiste sleutel. Hij neuriet een liedje. Ik herken het. Ik ken het nog van school en ik zou wel willen dat ik daar weer was. Ik probeer me de woorden te herinneren en denk terug aan de laatste dag op school, toen we dit lied zongen:

De bajonet schittert en onze voetstappen weerklinken.
Wij zijn soldaten van de Grote Generaal.
Wie kan ons verslaan?
Wij blinken uit in dapperheid.
Wij zijn het leger van de Leider der Kameraden.

Hij stopt met neuriën en de sardonische glimlach keert terug. Hij trekt me door de deur naar binnen en gooit me op de grond. Ik kijk om me heen: dit is geen plek om straffen uit te delen; het is een soort kantoor. Maar het ziet er oud en ongebruikt uit, stoffig en vies. En leeg. We zijn alleen.

Hij doet de deur achter zich dicht en loopt naar me toe. Ik probeer op te staan, maar zijn vuist slaat tegen de zijkant van mijn hoofd en ik val om. Ik probeer het nog eens, achteruit kruipend, maar hij slaat me opnieuw. En nog eens en nog eens.

Ik weet niet meer wat er gebeurt. Ik bied geen weerstand meer.

Ik blijf liggen, leg mijn armen beschermend rond mijn hoofd en trek mijn knieën naar mijn borst. Hij komt weer naar me toe; ik sluit mijn ogen en wacht tot de klap valt die me hopelijk van deze plek weg zal voeren. Maar die klap komt niet. In plaats daarvan hoor ik het metalen geluid van een riem. Mijn zintuigen staan op scherp. Ik probeer rechtop te gaan zitten, sleep mezelf over de grond naar de muur, bij hem vandaan. Maar ik kan geen kant op en zijn hand grijpt me vast.

Ergens weet ik nog een restje vechtlust vandaan te halen: ik schop naar hem, sla met mijn armen door de lucht en krabbel in het wilde weg, maar het helpt niets. Hij pakt me zo stevig vast dat ik me niet kan bewegen. Hij is gewoon groter en sterker dan ik. Hij buigt zich over me heen, zijn gewicht drukt op mijn lichaam, zijn gezicht hangt boven het mijne. Ik doe mijn ogen dicht en draai mijn hoofd opzij. Dan voel ik zijn mond dicht bij mijn oor en de woorden die hij spreekt, weerklinken in mijn hoofd en in de holle ruimte om me heen:

'Als je je verzet of schreeuwt of gilt, ga ik de berg weer op en ransel je vriendin net zolang tot ze dood is. Daarna doe ik hetzelfde met je grootmoeder. En je grootvader.'

Ik houd mijn adem in, probeer niet te gillen of te huilen of te smeken of hij me alsjeblieft wil laten gaan.

Mijn tranen maken geen geluid. Ik houd mijn ogen gesloten. Ik wil niets zien, ik wil de vernedering en de pijn niet voelen, en ik wil ergens anders zijn, hier ver, heel ver vandaan.

Mijn verbeelding en mijn herinneringen voeren me mee naar de akkers rond mijn geboortedorp, de rijen huisjes die verspreid over het landschap liggen, de kinderen op weg naar school met hun uniformen en rode sjaals, die wapperen tegen de grauwe achtergrond. Ik stap over de drempel mijn huis binnen en zit met mijn familie aan tafel. De glimlach op hun gezichten is breder dan ik ooit heb gezien en ik houd ontzettend veel van hen allemaal.

Op een warme, zwoele zomeravond kijk ik vanaf mijn slaapmat door het raam naar de zonsondergang. Ik hoor de ademhaling van mijn ouders dieper worden als ze door de slaap worden meegenomen. Sterren verschijnen als speldenknopjes aan de donkerblauwe hemel en het maanlicht valt over het dorp. Ik luister naar de insecten en hoor een uil roepen. Ik slaak een zucht van verlangen.

Ik wandel over een zandweg bij het licht van de maan. Ik word gedragen door een warme stilte en daar, op de hoek, zie ik zijn schaduw, zijn silhouet. Hij draait zich naar me om en begroet me met een glimlach. Als ik zijn hand vastpak, gaat er een golf van opwinding en verwachting door me heen. Ik wil bij hem zijn. Ik wil zijn hand vasthouden en zijn gezicht aanraken, naar hem glimlachen en plezier met hem maken, hem naast me voelen en weten dat hij bij me is, dat hij er voor me is. Ik wil van hem houden en voelen dat mijn liefde wederzijds is.

Dit is geen herinnering. Dit is verbeelding: een droom die ik graag had zien uitkomen, een blijdschap en tevredenheid die ik in mijn leven nooit heb gekend.

Vlak voor me, achter mijn gesloten oogleden, verstart het gezicht van Sook en hij laat mijn hand los. En langzaam, heel langzaam glijden de liefde en warmte uit hem weg, en zijn glimlach verandert in een brede grijns, en zijn ogen vullen zich met haat en woede, ze bespotten me en lachen me uit. Zo makkelijk is het dus om mij te misleiden en te verraden.

Ik wil tegen hem zeggen dat ik hem haat, maar als ik mijn ogen opendoe, zie ik niet diegene van wie ik zo veel hield. Sook is verdwenen. Ik zie alleen de hatelijke blik van de bewaker die boven me uit torent. Hij lacht me uit en blaft me toe: 'Aan het werk jij!'

Iedereen haat me.

Ik ben waardeloos.

Hoofdstuk 30

Vanavond is grootmoeder niet teruggekomen.

Als ik naar bed ga, kras ik dit keer geen streep in de muur om de dagen te tellen. Ook vertel ik niet aan grootvader wat er met me is gebeurd. Misschien heeft hij een vermoeden, vanwege de toestand waarin ik verkeer, hoe ik ruik, dat ik bij het eten geen hap door mijn keel krijg, niets tegen hem zeg, hem niet eens aankijk. Ik was mezelf keer op keer totdat hij, gespannen als hij is, tegen me uitvalt omdat ik zo veel water gebruik.

'Hoe vaak denk je dat ik naar de beek heb moeten lopen voor al dat water?' zegt hij, en trekt de emmer uit mijn handen. Maar ik voel me nog steeds vies: ik voel de bewaker nog op mijn huid en in mijn haren, ik ruik hem nog steeds, zie zijn gezicht als ik probeer te slapen, wil het beeld uit mijn ogen krabben en uit mijn hersens, net zolang aan mijn huid trekken totdat er geen plekje meer over is dat hij heeft aangeraakt.

Het is gedaan met me.

Het is afgelopen met me.

Ik wil helemaal niets meer.

De volgende morgen word ik wakker in de hoop grootmoeder op haar slaapmat te zien liggen, het geluid van haar ademhaling te horen, haar zachte gesnurk. Of op mijn zij te rollen en haar aan tafel te zien zitten. Meer voor hem dan voor mezelf, maar toch verbaast het me wat ik voor haar voel nu ze er niet is.

Maar als ik me omdraai, zie ik alleen grootvaders ogen terug staren, vol van de droefheid waaruit zijn leven nu bestaat, en vol tranen die elk moment kunnen vallen. We zeggen niets, maar we wisselen honderden gedachten uit, en ik zie dat hij verteerd wordt door verdriet en schuldgevoelens. Ik zou willen dat ik iets voor hem kon doen.

'Het spijt me,' fluister ik.

'Mij ook.'

Ik mis mijn moeder. Ik mis mijn vader. Ik mis mijn huis en mijn verleden en mijn jeugd, die steeds verder van ons verwijderd raken. In mijn herinnering lijkt mijn oude leven veel beter dan het in werkelijkheid was, maar zelfs de werkelijkheid van toen was vele malen beter dan dit.

Dit is de hel.

En voor het eerst besef ik, terwijl ik mijn grootvaders hand vastpak en het begin van een nieuwe dag probeer uit te stellen, dat de hoop levend houden dat we misschien een keer vrijkomen al een kwelling op zich is. Die kans is zo gering dat hij eigenlijk niet bestaat. En alleen door er heel hard in te geloven, wordt hij zichtbaar. Als je even aan iets anders denkt, met je ogen knippert, als je een fractie van een seconde twijfelt, is de hoop al vervlogen. En om hem dan terug te vinden, een zweem, een vleugje hoop, lukt niet meer.

Het leven hier is geen leven.

Wie ben ik hier, denk ik bij mezelf. Wat doe ik hier behalve wachten op de dood?

Yoora, de persoon die ik ben geweest, is verdwenen. Ik ben een lege huls. Ik besta alleen voor slavenarbeid, voor hun plezier en om ze een excuus te geven voor hun wreedheid. Ik houd mezelf in leven met een onmogelijke hoop. Ik klamp me eraan vast omdat ik het alternatief – mezelf bevrijden van deze pijn – altijd voor onmogelijk heb gehouden.

Toch staat op de vensterbank nog steeds mijn bloem met de zachte, wit met roze blaadjes.

Deze ochtend, als ik met mijn werkeenheid sta te wachten op instructies voor vandaag, doet mijn hele lijf pijn van de klappen; ik voel me een wandelend geraamte, lusteloos; ik heb kale plekken op mijn schedel en mijn resterende haar is een klittenbos; mijn huid is droog en gebarsten, en bedekt met builen en schrammen.

Mijn vriendin staat een eindje verderop en ik probeer haar aandacht te trekken, haar blik te vangen, een knipoog misschien of een bezorgde uitdrukking op haar gezicht. Maar als ze me aankijkt, zie ik vooral minachting en haat. In haar gezicht zit een snee die gehecht had moeten worden en één oog is zo opgezwollen dat het niet open kan.

Ik wend mijn blik af en knipper mijn tranen weg. Ik zou me het liefst op de grond laten vallen en huilen als een klein kind, totdat er iemand langskomt die mijn haar streelt en in mijn oor fluistert dat alles goed zal komen. Ik wil dat mijn moeder haar armen om me heen slaat. Ik wil mijn vaders stem horen die me moed inspreekt. Grootvaders warme glimlach en zijn meelevende, begripvolle woorden. Ik verlang zelfs naar mijn grootmoeder, die altijd zo direct en scherpzinnig is, die me eerlijk vertelt dat alles níet goed zal komen, maar dat we altijd ruzie zullen blijven maken.

Wil ik Sook? Wil ik weer die liefde voor hem voelen? Of wil ik hem haten? Hem doden?

Ik sjok de helling op. De eerste zonnestralen verschijnen en kleuren de hemel roze, oranje en rood. De verschillende tinten groen en bruin van de bomen die overal om ons heen staan, lichten op en in de lucht hangt de belofte van de zomer. Het is rustig, sereen en mooi. Maar daaronder, vanbinnen, is alles lelijk.

Ik kijk naar de andere gevangenen. Ze zien er net zo uit als ik: hun haar is lange tijd niet geborsteld, geknipt of gewassen, ze zijn in vodden gekleed, vel over been, hebben huiduitslag, zweren en ondervoede gezichten. Ze zijn stervende, allemaal, door honger, ziekte of uitputting.

En de hele dag praat er niemand tegen me, niemand kijkt me aan of laat zelfs maar merken dat ik er ben; ze haten me om wat ik gisteren heb gedaan, het gevaar waaraan ik hen heb blootgesteld. Als de bewaker me niet gepakt had, zouden ze allemaal straf hebben gekregen voor mijn acties en voor het ontbreken van mijn werkquotum.

Ik heb in korte tijd veel vijanden gemaakt, maar ik heb er niets mee bereikt. Ik ben teleurgesteld in mezelf; boos op mezelf vanwege mijn roekeloosheid; gefrustreerd omdat ik niet sneller kon rennen. En ik schaam me voor wat de bewaker met me heeft gedaan.

Zou ik het weer doen? Ik zou willen dat ik ja kon zeggen, want dan heb ik het tenminste geprobeerd. En dan zou ik althans een beetje trots op mezelf kunnen zijn. Maar na wat er gebeurd is – en niet alleen met mij – ben ik er niet zo zeker meer van.

Hoofdstuk 31

Vannacht droom ik weer over mijn stad van licht, maar dit keer heb ik het gevoel dat mijn geest een spelletje met me speelt, me voor de gek houdt, me kwelt met beelden die ik nooit te zien zal krijgen.

Ik zal nooit kijken in de witte koplampen van auto's die in rijen langsrijden, of langs die gebouwen omhoogkijken en de oranje, geel en wit verlichte ramen zien. Ik zal nooit de etensgeuren opsnuiven die uit restaurants en afhaaltentjes naar buiten komen zweven, of de zoete smaak op mijn tong proeven. En ik zal nooit muziek uit cafés naar buiten horen schallen, of mensen in felgekleurde kleren en met blije gezichten zien dansen.

Ik trek de ansichtkaart uit mijn slaapmat en houd hem in de straal stoffig maanlicht die de kamer binnenvalt. Ik zie de kleuren en beelden, maar ze worden een waas doordat mijn ogen zich vullen met tranen die over mijn wangen naar beneden rollen en op de foto terechtkomen van die stad: Seoul.

Ik sta op met de dekens om me heen gewikkeld, en in een vlaag van haat en woede loop ik naar de vuurhaard en houd de ansichtkaart boven het laatste vlammetje. Het likt aan de hoek en ik zie oranje strepen langs de witte rand omhoog kruipen, zie de rand zwart worden en uit elkaar vallen. Ik zie hoe de oranje streep naar de gebouwen en lichten uit mijn droom kruipt…

Maar dan bedenk ik me en trek de kaart terug. Ik brand mijn vingers als ik de vlammen doof, die grijze as op mijn handen achterlaten. Voor de tweede keer heeft het vuur hem bijna opgeëist.

En pas dan, als ik me omdraai met mijn vingers om de ansichtkaart geklemd, zie ik het: er ligt iets op de grond. Van een afstandje en in het halfduister lijkt het op een hoopje verkreukelde kleren met overal bloedvlekken en vuil. Heeft iemand dit voor ons gebracht? Wat oude kleren? Of is het bedoeld om mij te bedreigen?

Ik doe een stap naar voren, strek mijn arm uit, kniel neer en buig me voorover. Ik raak met mijn hand de stof aan, trek die naar me toe. Het lijkt wel een gezicht. Ik kijk nog eens beter, buig me verder voorover... nog dichterbij... en dan verstijf ik...

Grootmoeder.

Dan zie ik ook mijn grootvader zitten, met zijn rug tegen de muur en zijn knieën opgetrokken naar zijn borst, rillend in de nachtelijke lucht, zijn blik strak op haar lichaam gericht.

'Is ze...?' fluister ik, maar ik maak mijn zin niet af. 'Is ze...?' Maar ik krijg de woorden niet over mijn lippen. Ik wacht op zijn reactie, kijk hem aan voor een blijk van erkenning, maar hij zegt niets; zijn gezicht is een masker door de schok.

Ik trek de stof van haar gezicht weg en raak haar wang aan: die is koud. Ik leg mijn vingers in haar hals en zoek naar haar hartslag. Ik doe mijn ogen dicht om me te concentreren, en dan geloof ik dat ik iets voel. Toch?

Ik breng mijn gezicht vlak bij dat van haar, houd mijn wang bij haar mond, en nu weet ik zeker dat ik haar adem voel. Ik leg mijn oor tegen haar borstkas en luister ingespannen. Ik wacht, ik voel... een hartslag, ik weet het zeker. Zwak, langzaam, maar een hartslag.

'Ze...' begin ik en staar door de duisternis naar grootvader. Hij schudt zijn hoofd en ik kijk weer naar het lichaam dat voor me op de grond ligt. Ik strijk een paar grijze haren uit haar gezicht, streel met mijn vingers over haar huid. En dan zie ik haar oogleden trillen.

Ik houd mijn adem in, draai me weer naar grootvader, weet niet wat ik moet zeggen, staar hem aan en knik langzaam. Hij komt in beweging, kruipt naar haar toe; zijn blik laat haar niet los. Dan ziet hij hetzelfde als ik: haar mond gaat een stukje open, ze haalt haar tong langs haar lippen, haar ogen knipperen. Zijn gezicht klaart als bij toverslag op; er verschijnt een glimlach om zijn mond; tranen van opluchting springen in zijn ogen. Hij buigt zich over haar heen en tilt haar op, haar hoofd tegen zijn borst; hij wiegt haar lichaam heen en weer en kijkt naar het gezicht dat hij zo lang heeft liefgehad. Dat bij hem is teruggebracht. Levend.

Ik kijk er even naar hoe ze daar samen zitten, maar schuifel dan op mijn knieën weg – ik voel me een indringer. Maar als ik opnieuw een vluchtige blik op hen werp, zie ik grootmoeders vermoeide ogen mijn kant op kijken.

Ze probeert iets te zeggen, maar haar stem is te zacht, raspend en pijnlijk. Ze biedt een jammerlijke aanblik. Ik schep wat water in een kopje en houd het bij haar mond zodat ze een slok kan nemen. Ik kijk naar haar gezicht vol schaduwen en duisternis, dat nauwelijks leeft, en dan geef ik haar een kus op de wang. Ik hoor haar heel zachtjes fluisteren: 'Ik had ongelijk.'

Ik kijk haar fronsend aan. 'Nee…'

Maar ik zwijg als ik zie dat ze haar lippen weer van elkaar doet. 'Ik was er trots op je grootmoeder te zijn.'

Daar heb ik geen antwoord op. Ik weet niet wat ik moet zeggen. Ik schuif achteruit, naar mijn slaapmat, terwijl de tranen over mijn wangen stromen. Ik verdwijn naar de achtergrond en probeer niet te luisteren naar het haperende gesprek dat volgt, vol verontschuldigingen en liefde en spijt.

Ik weet dat ze de ochtend niet zal halen, dat ze vannacht zal sterven, maar ik ben blij met de woorden die ze tegen me heeft gesproken, en dankbaar voor de uren die ze met grootvader kan doorbrengen. Dat ze afscheid kunnen nemen en er geen zaken onuitgesproken blijven.

Ik hoop dat ze zijn excuses aanvaardt, ook al vind ik ze overbodig. En ik hoop dat hij zichzelf vergeeft.

Of ze het mij nog steeds kwalijk neemt dat ze in de gevangenis is beland, of ze nog steeds boos op me is vanwege mijn loslippigheid, doet er niet toe. Ik ben niet belangrijk. Híj is belangrijk. Wat ze voor hem voelt in haar laatste uren en wat ze tegen hem zegt als ze uit elkaar gaan.

Hoofdstuk 32

Ik moet mijn ogen hebben dichtgedaan. Ik moet hebben geslapen. Ik herinner me niet dat hun stemmen verstomden. Of dat ze ophield met ademhalen. Ik heb niet gemerkt dat hij haar op haar bed heeft neergelegd. Als ik mijn ogen opendoe, schijnt de zon naar binnen en zie ik haar vredig liggen, haar gezicht en lichaam bedekt.

Ik leg mijn hand op die van hem, maar hij blijft voorovergebogen zitten, en verbergt zijn verdriet voor me. Er zijn geen woorden om de pijn te verzachten, er is geen uitleg, geen excuus.

Nu zijn we met z'n tweeën. Nog maar met z'n tweeën. En met z'n tweeën gaan we die dag aan het werk, aangezien we geen keus hebben. En het lijkt wel alsof we de enigen zijn die om haar rouwen of die haar missen.

Er is hier geen fatsoenlijke begraafplaats, geen plek waar je naartoe kunt om afscheid te nemen van de doden. Het lijkt wel of de lichamen gewoon verdwijnen, en soms verdwijnen de mensen zelfs als ze nog leven.

Waarom grootmoeder bij ons teruggebracht is toen ze nog leefde, is een vraag die we aan niemand kunnen stellen en waarop we nooit antwoord zullen krijgen; net zoals met veel andere dingen zijn het de grillen van de bewakers. Het is onze taak om voor haar lichaam te zorgen, dus na twaalf uur gewerkt te hebben en een klein beetje te hebben gegeten, beklimmen we opnieuw de berg.

Hij draagt haar in zijn armen, tegen zich aan. We hebben niks om haar lichaam in te wikkelen, dus ze heeft alleen haar vieze, met bloed bevlekte kleren aan. Ik wil hem helpen, het gewicht verdelen, maar ze weegt niets; ze is een pop. Haar armen en benen slingeren als stokjes tijdens het lopen.

Het is bijna donker en ik leid mijn grootvader zo goed als ik kan naar de plek waar ik samen met mijn vriendin de jongen heb begraven, een paar honderd meter bij het hek vandaan. We graven een gat met de metalen kommen uit onze hut, aangezien we geen schep hebben. We moeten maar hopen dat we een plek hebben gekozen waar nog niemand ligt of dat het koude, zwakke licht van de wacht-toren, dat elke paar minuten onze kant op zwaait, het ons laat zien wanneer dat niet het geval is.

Een paar uur later zitten we uitgeput bij haar ondiepe graf, waar-op ik mijn bloem heb geplant. De stilte is voor een keertje mooi en herinnert me aan de avonden thuis, als ik samen met iemand om wie ik gaf buiten zat, als we er alleen maar waren, in stilte. Ik zou willen dat ik de tijd hier en nu kon stilzetten.

Ik schuif dichter naar grootvader toe en hij slaat zijn arm om me heen. Samen wachten we totdat het licht onze kant op zwaait, hyp-notiserend getimed.

'Vertel nog eens iets over mijn familie,' zeg ik.

'Yoora, ik…'

'Leg eens uit hoe alles in mijn hoofd kwam, die droom over die stad. Ik wil het weten voordat dit mij overkomt,' zeg ik met een knikje naar het graf. 'Of jou.'

Hij laat zijn schouders hangen. 'Oh, kind toch.' Hij zucht en kijkt me hoofdschuddend aan. 'Zo zou ik je niet moeten noemen, hè? Want dat ben je niet, al lang niet meer. En je hoort hier niet te zijn. Ik zou willen dat je hier niet was, dat je heel ver hiervandaan was, waar het veilig is.

Die ansichtkaart van Seoul,' vervolgt hij, 'is waar de rest van je fa-milie woont. De kinderen van mijn broer met hun echtgenoten en echtgenotes, en hun kinderen. Dat heb ik je pas verteld. Daar komen de brieven vandaan. En de tijdschriften en kranten. En alle foto's. We hebben elkaar jarenlang geschreven, sinds we weer iets van hen hadden gehoord toen je vader nog een jongen was. De brieven wer-den de grens met China over gesmokkeld en weer terug. Ze weten alles van je: we hebben ze foto's gestuurd toen je een baby was en toen je opgroeide.' Hij pakt mijn hand vast.

'Toen je klein was, las ik de brieven aan je voor, liet je de foto's zien, vertelde je dat je familie had in een ander land, een andere wereld. Ik heb je alles over hen verteld. Hun namen, hun beroep, hoe hun huizen eruitzagen, waar ze van hielden, en je vond het prachtig. Maar toen je naar school ging, vertelde je aan je leraar dat je een oom had die in een vliegtuig had gezeten en een neef die van popmuziek hield.

Het is ons gelukt om ons eruit te praten; we zeiden dat je een grote fantasie had en dat je dacht dat Kim Jong-il je oom was. Maar toen begrepen we dat het te gevaarlijk was. We konden ons dat risico niet permitteren, dus we zwegen erover. En als je vragen stelde over je familie, veranderden we gauw van onderwerp.

Maar op de een of andere manier bleef het in je hoofd zitten en had je jaren later die droom. Weet je wat die droom was? Hij was opgebouwd uit alles wat je gezien en gehoord had over Zuid-Korea en over je familie. Alle ansichtkaarten die we hadden, alle foto's, alle brieven waarin de gebouwen werden beschreven, het eten, de muziek en de mensen. Alles wat je ons zag verbranden, behalve dat wat je moeder achterhield, en de ansichtkaart die je zelf hebt meegenomen.'

Ik knik. Ik weet het nog. Ik begrijp het.

'Je weet nu dat we jarenlang zijn voorgelogen. Je weet dat we het helemaal niet beter hebben dan in andere landen,' fluistert hij. 'Er zijn heel veel mensen die we kunnen benijden. Er zijn heel veel plekken waar meer eten is dan hier, waar gevangenissen zoals deze verboden zijn. Dat weet je toch?'

Ik knik. Ik weet het. Maar om het hardop te horen zeggen door iemand anders en niet in mijn eigen hoofd vol rondtollende gedachten, maakt het waargebeurd, gewaagd, maakt dat het voelt als kwaadsprekerij.

'En je begrijpt nu ook dat veel van wat je op school hebt geleerd, niet klopt?'

Opnieuw knik ik en dan zwijgen we. Ik begrijp het en ik vermoedde of wist het al een tijdje, maar de omvang is zo gigantisch dat ik het haast niet kan geloven. Dat er zo veel is, voorbij deze gevangenishekken en voorbij de grenzen van dit land, waar ik niets van afweet. En dat ik alles maar heb geloofd, mijn leven lang, terwijl er niets van klopte: alle leugens bedoeld om ons te manipuleren en onder de duim te houden.

'Ik zou nooit tegen je liegen, Yoora.'

Ik leg mijn hand over de zijne. 'Dat weet ik.' En dat meen ik.

'Ik zou willen dat je hier op de een of andere manier uit kon komen, en kon léven. Ik zou willen dat je je moeder kon vinden en de brieven die zij heeft, met alle adressen, en het land kon ontvluchten. Oh, wat zou ik dat graag willen, Yoora, dat je je leven kunt leven. Dat je hen kunt ontmoeten, ze eindelijk kunt zien: je tante en oom, je neef Jin-Kyong…'

'Nee.' Ik val hem in de rede. 'Dat is genoeg. Meer wil ik niet weten. Ik wil niet weten hoe ze heten of hoe ze eruitzien.' Het is zo nutteloos: op die manier denken heeft geen zin. Er is geen uitweg en ik hoef er ook niet op te hopen. Mijn leven is hier en mijn dood zal ook hier zijn. Dat heb ik inmiddels geaccepteerd. Maar hij, grootvader, heeft nog steeds een restje hoop. En hij zou nota bene de wijste moeten zijn, de volwassene, de verstandige. Maar nu heb ik het gevoel dat ik tegen hem moet zeggen dat hij volwassen moet worden en de waarheid onder ogen moet zien.

Hoe kan ik hem dat aandoen?

'Maar Yoora, ik dacht…' Hij maakt zijn zin niet af. Plotseling verstijft zijn lichaam naast het mijne en hij trekt me naar zich toe, en dan hoor ik wat hij gehoord moet hebben: geritsel in de struiken voor ons, gekraak van takjes, zachte voetstappen op de natte aarde. Mijn hart bonkt in mijn keel en mijn mond wordt droog. Ik ben bang.

'De bewaker?' fluister ik in grootvaders oor.

Maar als ik mijn hoofd omdraai en weer voor me kijk, zwaait het licht van de wachttoren onze kant op en zie ik haar. Haar ogen staren grootvader en mij aan, zonder te knipperen, doodstil, wachtend. Maar dan is het licht weer verdwenen en is er niets dan duisternis in de ruimte tussen ons en het dier dat ik zag. Het beest zou door die duisternis best onze kant op kunnen sluipen; ze zou zomaar naast ons kunnen staan, of vlak voor ons, haar klauw in de lucht geheven en haar bek geopend.

De tijger.

Hoofdstuk 33

We wachten een eeuwigheid op een beweging of een geluid of een glimp, een dreigende grauw of haar adem op ons gezicht. Het licht zwaait opnieuw over ons heen en ik zie de indrukwekkende kop van het beest, haar ronde gezicht en haar ogen die ons nog steeds aanstaren, alsof ze dwars door ons heen kan kijken en al onze gedachten en gevoelens kan lezen. Onverschrokken en bewegingloos. Ik ben nu niet meer bang; ik kan weer ademhalen.

Dan draait de tijger zich om en loopt weg. 'Volg haar,' fluistert grootvader terwijl hij me aan mijn arm omhoog trekt. 'Hoe is ze hier binnengekomen?'

'Haar volgen? Wat als ze me aanvalt?'

Voor ons versnelt de tijger haar pas; haar gigantische poten bewegen geluidloos en moeiteloos door de sneeuw.

'Ze woont hier niet. Er is hier niet genoeg voedsel voor een tijger.'

'Maar dat betekent...?'

We volgen haar op een afstandje; haar contouren zijn het enige wat beweegt. En het licht vliegt weer over ons heen, vangt haar gestalte, haar veerkrachtige schouders, haar vacht vol kleuren die ik nooit eerder heb gezien. Ze is prachtig. Maar... ik weet waar ze naartoe gaat.

'Nee.' Ik schud mijn hoofd en ga langzamer lopen, terwijl grootvader aan me trekt. 'Ze gaat naar het hek. Ze zullen ons zien. We worden betrapt.'

'We moeten zien hoe ze wegkomt,' sist hij. 'Kom op!'

Ik strompel verder, bang, ongerust, wil eigenlijk teruggaan. Maar daar is het hek. Ik kan het zien. Omgeven door duisternis en schaduwen, maar ik kan het zien. We zijn zo dichtbij, zo dicht bij de buitenwereld.

De tijger houdt halt en kijk even achterom. Dan buigt ze naar voren en pakt met haar bek iets van de grond: een welpje, heel klein nog. Ik houd mijn adem in en krijg kippenvel over mijn hele lichaam. Er loopt een rilling langs mijn ruggengraat. Ik kijk toe als ze verder loopt, zich tegen de grond aan drukt en onder het hek door kruipt.

We staan als aan de grond genageld en zwijgen, wachten.

Waarop? Tot we wakker worden? Tot we beseffen dat het een droom is? Tot er een bewaker opduikt die ons uitlacht om wat we dachten te zien? Ik denk dat we dat geen van beiden weten. Maar uiteindelijk, na wat wel een uur lijkt, komen we weer in beweging. We lopen naar voren, duiken weg voor het licht en staren dan vol ongeloof naar het gat onder in het hek, de kuil in de grond en de tijger met haar welp aan de andere kant van het hek.

'We kunnen ontsnappen,' fluistert grootvader. 'We kunnen achter haar aan gaan, door het gat heen, en vluchten. Als zij door het gat kan, kunnen wij het ook.'

Ik sta te trillen. 'Maar het staat toch onder stroom?' vraag ik.

'Misschien dit stuk niet. Misschien zorgt het gat ervoor dat het niet werkt. Het is haar gelukt,' herhaalt hij en wijst naar de tijger.

Ik kijk weer naar het dier. 'Waarom staat ze daar nog? Waarom rent ze niet weg?' We zijn zo dichtbij. Ik kijk naar haar, ik zie haar witte snorharen in het maanlicht, de verschillende tinten van haar vacht, haar tanden, zo groot en sterk, waarmee ze voorzichtig haar jong vasthoudt. En haar ogen als gele, glinsterende plassen water, die terugkijken.

Als ik een stap naar voren zet, draait ze zich om en pas dan zie ik wat haar tegenhoudt. De greppel. Ik zucht. Natuurlijk, de greppel.

Maar dan zie ik hoe ze eroverheen springt, dat enorme beest vol kracht, met al die spieren en haar sterke poten, haar aangeboren in-stinct om haar jong te beschermen. Ze vliegt eroverheen. En ik houd mijn adem in, omdat ik weet dat er op de bodem van de greppel me-talen punten omhoogsteken, als een laatste aanval op iedereen die het waagt te ontsnappen.

Voor de tijger geen probleem. Ze verdwijnt in de duisternis, zo vrij als ze altijd is geweest. Gewoon een dier, maar een dier dat weg kan lopen, grenzen kan passeren, kan doen wat ze wil.

'Ik kan het niet, grootvader,' fluister ik. 'Ik kan het niet. Ik durf niet.'
Het enige waaraan ik kan denken, zijn de scherpe punten. Dat ik erop
val. De pijn. De vernedering. Dat de bewakers me vinden, over me
heen gebogen staan en me uitlachen. Toekijken als ik langzaam sterf,
een pijnlijke dood.

'Yoora, we kunnen vrij zijn.'

Ik schud mijn hoofd; het lijkt onmogelijk. 'Maar... maar... over
een paar uur is het appèl. Hoe ver kunnen we komen? Als het ons
lukt om de greppel over te steken. En... en... we hebben geen eten.
Nee,' zeg ik. 'Het is te moeilijk.'

Wat is er met me gebeurd? Waar is mijn moed gebleven? Mijn lef?
Zit ik smoesjes te verzinnen of zijn mijn zorgen gerechtvaardigd? Dit
is mijn kans; het moment staart me aan in een knipperend licht. Zo
meteen zal het in de duisternis verdwijnen. Waar wacht ik nog op?

Ik heb me nooit eerder gerealiseerd wat een macht deze plek over
me heeft, dat mijn geest net zozeer gevangen wordt gehouden als
mijn lichaam. Staat het onder stroom, vraag ik me af. Redden we
het om over de greppel te komen? Hebben we de kracht om ver
genoeg te komen vannacht? Zullen ze ons vinden? Wat zullen ze
met ons doen als ze ons vinden?

Ik draai me om en zet het op een rennen. Want ik houd het hier
niet langer uit, zo dicht bij het hek, bij het gat, bij een ontsnapping, zo
dicht bij de herinnering aan dat prachtige dier, dat recht in mijn ziel
heeft gekeken en met zo veel gemak voor de vrijheid heeft gekozen.

En omdat – dat besef ik maar al te goed – nu me een echte kans
geboden wordt, ik die laat lopen omdat ik niet durf. Mijn strijdlust,
mijn moed is verdwenen. Ik ben bang om weer iets doms te doen.
Ik heb mijn lesje geleerd en daarbij ben ik een deel van mezelf
kwijtgeraakt. Ik ben in een lafaard veranderd en dat vind ik onver-
draaglijk.

'Ik kan niet meer,' fluister ik hoofdschuddend. 'Ik wil niet meer.'

Hoofdstuk 34

De gedachte aan dat gat in het hek laat me niet los. Brengt me in de verleiding om de berg weer op te gaan en het lef te hebben om mijn lichaam erdoorheen te duwen. Kwelt me met het verlangen naar vrijheid en het leven dat achter het hek ligt, met plannen om de bescherming van mijn moeder op te zoeken. En met de overtuiging dat ik het niet kan, niet durf, te laf ben.

Ik denk er vaker aan dan aan mijn grootmoeder.

Misschien, zeg ik tegen mezelf, als ik alleen was, als het alleen om mijn eigen leven ging... Als ik dan niet ver genoeg spring, in de greppel beland en op die punten gespiest word, zou tenminste alles afgelopen zijn, zou ik verlost zijn. Maar ik ben niet alleen, grootvader is er nog. Ik kan hem toch niet van nóg iemand afscheid laten nemen? Ik kan hem toch niet aan zijn lot overlaten?

Het is een groot verschil om iemand bij je te hebben, al is het maar om een blik van verstandhouding mee uit te wisselen als de zon opkomt en je weer een zware dag tegemoet gaat; al is het maar om je te horen zuchten als je uitgeput thuiskomt.

Ik blijf in leven voor hem en ik ben ervan overtuigd dat hij hetzelfde doet voor mij.

Een paar weken nadat we grootmoeder begraven hebben, begint de misselijkheid.

Ik moet steeds overgeven, de hele dag door. Ook als er niets meer in mijn maag zit, blijf ik kokhalzen. Dan laat ik me op mijn knieën vallen, sla mijn armen om mijn lichaam en spuug kleine beetjes gele gal. Dan heb ik het gevoel dat mijn maag mee naar buiten komt. Ik zweet en tril, mijn keel brandt, mijn borst doet pijn en mijn rug is stijf. Dan bonkt mijn hoofd en het oogwit van een van mijn ogen wordt rood doordat er een bloedvaatje gesprongen is. Ik heb me nog nooit zo ziek gevoeld. Het houdt niet op; ik kan aan niets anders denken; het vreet dag in dag uit aan me.

Grootvader houdt me vaak vast en wiegt me heen en weer, veegt het zweet van mijn gezicht en kust me op mijn voorhoofd. Hij probeert me een lepeltje eten te geven of een slokje water. Ik ben al heel lang heel moe, maar nu ben ik aan het eind van mijn Latijn. Ik loop leeg; ik verzwak; ik crepeer.

Ga ik dood?

We lopen alle mogelijkheden af: voedselvergiftiging door het slechte eten of giftige planten, een virus, een bacterie – maar het kan van alles zijn. Elke dag gaat er iemand dood door een of andere ziekte, door iets wat vast en zeker genezen had kunnen worden met de juiste medicijnen, voorkomen had kunnen worden met schoon drinkwater of behoorlijke toiletten. Maar dat hebben we niet. We hebben zelfs geen dokter.

Ik loop 's morgens doodziek de berg op en kom 's avonds doodziek weer naar beneden. En uiteindelijk haalt de bewaker, die afschuwelijke bewaker wiens gezicht ik niet kan verdragen, me uit mijn werkeenheid en zet iemand anders voor me in de plaats. Misschien is hij bang dat iemand erachter komt wat er gebeurd is. Misschien heeft hij liever iemand die fitter en sterker is, die harder kan werken. Of een nieuwe om te pesten en te treiteren. Of misschien heeft hij gewoon genoeg van mij. Ik hoop dat ik hem nooit meer hoef te zien.

Ik word in een schoenenfabriek tewerkgesteld en ik weet niet of ik er blij mee moet zijn of juist niet. Ik zal het meisje dat mijn vriendin was, nooit meer zien; ik zal wat er gebeurd is, niet meer goed kunnen maken of mijn excuses kunnen aanbieden. Maar ik ben bij de bewaker uit de buurt, hoef niet zo ver te lopen, hoef niet zo hard te werken en als de winter komt, ben ik tenminste binnen.

Maar als ik op mijn eerste dag de deuren van de fabriek binnenstap, loop ik tegen een muur van hitte en herrie op, en ik besef dat het buiten zo slecht nog niet was.

En rijst stoom omhoog uit grote kuipen met gesmolten rubber; de hitte verzamelt zich in wolken vochtige lucht die blijven hangen, alles aan het zicht onttrekken, de grond kleddernat maken en de mensen verstikken. De stank van rubber is overal: een smerige, bijtende geur die mijn hoofd zwaar maakt, mijn keel dik, me opnieuw doet kokhalzen. Gigantische snijmachines razen over platen rubber, en bedreigen handen en vingers die niet snel genoeg zijn, maar die altijd moe zijn. Messen trekken zich terug en worden geslepen voordat ze door het leer heen snijden. Machines grommen, deuren slaan dicht en ketels sissen. Maar niemand spreekt een woord.

Mijn hoofd tolt; het zweet druipt van me af; mijn lichaam wankelt van de duizeligheid; de hitte en de vochtigheid drukken zwaar op me.

Met twee andere mensen zet ik een kuip vol gloeiend hete rubber op zijn kant. Hij is loodzwaar. Als ik de zwarte vloeistof kokend en pruttelend in de mal zie stromen, is de stank zo sterk dat mijn maag zich omdraait. Maar ik kan de kuip niet loslaten, want dan valt hij om en loopt het rubber op de grond. Dan is het onbruikbaar en krijgen we straf. Wij allemaal. Maar zodra ik het vat kan neerzetten, ren ik naar buiten om over te geven.

Soms word ik bevangen door de geur en val flauw. Dan word ik even later ergens in een hoekje wakker. Het gebeurt ook dat ik nog op de grond lig en de anderen gewoon over me heen stappen. Niemand bekommert zich om me, er wordt geen dokter bijgehaald en ik krijg geen ziekteverlof. Ik hoor alleen dat ik niet hard genoeg of lang genoeg werk en krijg straf omdat ik mijn quotum niet haal.

Maar hoe moet ik dat ooit halen?

Grootvader krijgt ook ander werk. Dat is geluk hebben, voor zover je van geluk kunt spreken, maar in elk geval een kleine verbetering. Hij hoeft de kolenmijn niet meer in, met die nauwe gangen waar hij een kromme rug heeft gekregen. Die vreselijke plek waar kinderen worden gedwongen explosieven aan te steken en dan weg te rennen. Hij hoeft niet meer naar die plek vol zwart stof dat hij elke dag heeft ingeademd en elke nacht heeft opgehoest.

Nu werkt hij op het land in de buitenlucht; hij zaait gewassen of bewerkt de grond, en zorgt voor een paar dieren. En bovendien kan hij nu in plaats van een stukje kool af en toe wat van het voer voor de dieren meepikken, als de bewaker niet oplet. We zijn dankbaar voor alles wat je kunt eten, vooral als het geen maïsmeel is. Ik zie dat hij verandert, hoe minimaal ook: zijn ogen staan wat helderder, zijn huid is wat schoner en zijn rug wat rechter.

Op een avond zitten we aan tafel met onze kom maïs. We bedanken nog altijd mompelend onze Grote Leider voor de maaltijd die voor ons staat. Ik probeer te eten, maar elke keer dat ik een lepel naar mijn mond breng, voel ik de gal omhoogkomen. Grootvader kijkt me heel bezorgd aan; het is dezelfde bezorgdheid die zijn gezicht al zo lang tekent, maar de lijnen zijn de afgelopen tijd dieper geworden, zijn blik intenser.

'Ik heb iets te eten voor je,' zegt hij. Hij steekt zijn hand in zijn zak en haalt er een paar kakkerlakken, wat wormen en een aantal insecten uit. 'Hier zitten veel eiwitten in. Dan kun je aansterken.'

Ik staar naar de beestjes, in eerste instantie vol afkeer. Maar als het helpt om me beter te voelen, als het me meer energie geeft zodat ik althans kan werken en mijn quotum kan halen, dan is er geen reden waarom ik ze niet op zou eten. Maar toch staar ik ernaar.

Dan pak ik een worm, houd die tussen mijn duim en wijsvinger en zie zijn lichaampje kronkelen. 'Ik zou willen dat hij al dood was,' fluister ik. 'Ik heb het gevoel dat hij naar me kijkt.'

'Dat doet hij ook,' zegt grootvader. 'Hij schreeuwt: "Eet me niet op! Eet me niet op!"'

Er trekt een glimlach over mijn gezicht. 'Jij moet er ook eentje opeten,' zeg ik.

Hij aarzelt en ik kijk hem aan; ik denk dat hij gaat zeggen dat ik ze harder nodig heb of dat hij er morgen wel eentje neemt, of een ander smoesje. Maar dat doet hij niet. Hij pakt een pissebed; zijn kleine pootjes wriemelen door de lucht. Dan stopt hij hem in zijn mond. Ik zie dat hij hem doorslikt, dan doet hij zijn mond open en steekt zijn tong uit om te laten zien dat het beestje verdwenen is.

Hij kijkt me lachend aan. 'Nu jij.'

Ik knik, zucht diep, doe mijn mond wijd open en gooi de worm achter in mijn keel. Ik slik hem door voordat ik kan stilstaan bij wat ik doe. 'Het lijkt wel mi,' sputter ik. En dan gebeurt er iets vreemds: ik hoor een geluid dat ik lange tijd niet gehoord heb, waarvan ik dacht dat ik het nooit meer zou horen: de lach van mijn grootvader. Geen grinnik of gniffel achter zijn hand, maar een diepe, bulderende, warme lach.

Ik voel mijn mondhoeken omhoog krullen en ik barst ook in lachen uit: een zoet geluid dat me herinnert aan familie en liefde.

'Nu een kakkerlak,' zegt hij.

Vol afschuw pak ik twee bruine lijfjes op en geef er een aan grootvader. Ik voel de pootjes kriebelen, op zoek naar vaste grond.

'En dit keer moet je kauwen,' zegt hij.

Ik kijk hem verbijsterd aan en pers mijn lippen op elkaar, terwijl ik het beestje voor me in de lucht laat bungelen. Dan kijk ik toe als grootvader zijn mond opent, zijn tong uitsteekt, de kakkerlak erop legt en zijn mond weer sluit. Mijn ogen worden groot als hij zijn kaken op en neer en heen en weer beweegt, slikt, zijn mond opendoet en zijn lege tong uitsteekt.

Hij gebaart naar mij. 'Kom op.'

Ik doe mijn mond open en met trillende handen leg ik de kakkerlak op mijn tong. Ik voel zijn pootjes bewegen in mijn mond, zijn voelsprieten tegen mijn lippen. Ik schud mijn hoofd.

'Jawel, je kunt het,' dringt hij aan.

Ik doe mijn mond dicht. Grootvader buigt zich naar me toe. 'Stel je voor,' fluistert hij, 'dat die kakkerlak Kim Jong-il is.'

Mijn ogen worden nog groter.

'Stel je voor dat je hem met je tanden kunt vermorzelen, kunt vernietigen. Dat je voor altijd van hem verlost bent.'

Ik kan mijn mond niet opendoen om hem terecht te wijzen.

'Of de bewaker,' gaat hij verder. 'Of de moeder van Sook, of...'

Meer namen heb ik niet nodig. Ik bijt de kakkerlak doormidden met alle haat die ik in me heb. Ik kauw hem tot moes slik hem door. Dan kijk ik naar grootvader met een vergenoegd lachje op mijn gezicht. 'Zullen we de rest ook opeten?' zeg ik.

Opnieuw proesten we het uit. Het lachen gaat over in giechelen, dat weerkaatst tegen onze lemen muren. We lijken wel schoolkinderen. Het kan me niet schelen wat onze buren denken. Een lach is een geluid dat je hier nooit hoort, behalve misschien de wrede lach van een bewaker die geniet van iemand anders' ellende. Dit lachen, met grootvader, is een gedeelde lach, is humor en liefde, maar waarschijnlijk een geluid dat weinigen zullen herkennen. En dat is pas echt verdrietig.

Voor het eerst in maanden, lijkt het, ben ik niet misselijk na het eten. En als we onze maaltijd van beestjes beëindigen, kan ik de opluchting op zijn gezicht zien, de tevreden blik in zijn ogen. De glimlach verdwijnt niet van zijn gezicht. Hij strekt zijn hand uit, een broodmagere hand met een huid die eruitziet alsof hij jarenlang in de zon heeft gelegen, en klopt op mijn arm.

'We gaan je beter maken,' fluistert hij, en volgens mij gelooft hij het echt.

In de maanden daarna eten we alles wat we kunnen vinden: kakkerlakken, wormen, spinnen, torren en insecten. We eten bladeren, hoewel we nooit zeker weten of ze giftig zijn, schors die we van de bomen trekken en zacht maken in heet water. Op een avond eten we varkensvoer dat grootvader uit de stal heeft gestolen. Maar dat is de eerste en de laatste keer, want een collega van grootvader wordt betrapt als hij het voer van zijn handen likt en hij wordt ter plekke doodgeschoten. We eten zelfs schraapsel van leer, dat ik gejat heb uit de schoenenfabriek. We koken het, net als de boomschors.

Op sommige avonden, als ik van de fabriek naar huis loop langs de velden waar grootvader werkt, ruik ik de vers geploegde aarde waarin de herfstregen gevallen is. Dan loopt het water me in de mond en moet ik mezelf bedwingen om niet neer te knielen, een hand aarde op te scheppen en een flinke hap te nemen. Ik zou graag mijn mond vullen en het langs mijn keel naar beneden voelen glijden. Maar ik doe het nooit.

Ik vind een keer een dode vogel die ligt weg te rotten. Ik neem hem mee naar huis en we halen alle maden eruit. Die eten we op. Het is een van de beste maaltijden die ik hier ooit gegeten heb.

Ik hoor van gevangenen die klei eten of stenen doorslikken om hun hongergevoel te stillen. Anderen eten het vlees van dode familieleden voordat ze die begraven. Ze roosteren het, braden het of koken het; ze zeggen dat het naar varken smaakt.

Zou ik dat doen, vraag ik me af. Zou ik dat gekund hebben? Met grootmoeder?

Ik weet het antwoord niet. Honger doet rare dingen met mensen. Degenen die klei hebben gegeten, gaan dezelfde dag nog dood.

We eten al die dingen in een poging te overleven, maar we weten nooit zeker of het niet onze dood wordt.

Hoofdstuk 35

De misselijkheid komt en gaat, maar de vermoeidheid blijft. Ik zou de hele dag wel kunnen slapen als ik de kans kreeg, en ook de hele nacht. Ik heb het gevoel dat ik in slaap zou kunnen vallen en nooit meer wakker worden. Ik slaap door stormen heen, die volgens mijn grootvader zo hevig zijn dat het voelt alsof de hut wordt opgetild en door elkaar geschud. Ik slaap door het schreeuwen van de buurvrouw heen als haar man sterft. Ik hoor het klapperen van onze deur in de wind niet, en ook niet dat iemand me bezoekt en een mes tussen mijn kleren verbergt.

Is het een bedreiging? Of een waarschuwing? Probeert iemand me ergens de schuld van te geven? Ik leg het mes onder mijn matras en ga door met de dingen van alledag.

En ik zeg niets tegen grootvader.

Elke ochtend – hoeveel ochtenden precies wil ik niet weten en kan ik niet bijhouden – sleep ik mezelf uit bed en glimlach naar grootvader. En elke ochtend doet hij hetzelfde.

Ik vraag me elke dag af hoelang ik dit nog kan volhouden. En ik denk ook dagelijks aan de vriendin die ik heb gehad en weer ben kwijtgeraakt. En ik dwing mezelf om niet, om nóóit aan die tijger te denken, of aan het hek of het gat. Dat zou wreed zijn. Dat zou een marteling zijn.

Ik ben dankbaar voor kleine dingen: dat ik van de bewaker ben verlost, dat ik nog leef en grootvader ook. Te snel te dankbaar. Want ondanks dat ik altijd zo diep slaap, word ik op een nacht toch wakker. Niet langzaam of voorzichtig, of dat ik stukje bij beetje mijn ogen opendoe, om me heen kijk en me realiseer dat het nog nacht is en dat ik nog een poosje kan slapen. Maar plotseling, als een klap in mijn gezicht of het schot van een geweer, of een lichtflits in het donker.

Ik kan het horen, ik kan het voelen. Iets in de hut. Ik vertraag mijn ademhaling, lig doodstil en luister in de duisternis naar iets wat hier niet thuishoort, iets wat niet klopt. Ik hoor grootvaders moeizame ademhaling: zijn inademing die inspanning vergt en rochelend klinkt, zijn uitademing als een opluchting, gevolgd door een pauze, en daarna ademt hij weer in.

Maar achter dat geluid bevindt zich nog iets. Iets wat sneller, scherper, schoner is.

Er kraakt een vloerplank en ik draai mijn hoofd in de richting van het geluid. Ik zie een schaduw op me afkomen. Pijlsnel. Hij is hier. Boven me. Zijn gezicht vult mijn blikveld. Zijn onmiskenbare geur vult mijn neus.

Ik wil gillen, om hulp roepen, ook al weet ik dat die niet komt. Ik wil grootvader wakker maken, ook al is er niets wat hij kan doen.

Help me, wil ik uitschreeuwen – naar de hemel, naar de wereld, naar iedereen daarbuiten. Laat iemand zich alsjeblieft om me bekommeren. Doe het bij iemand anders, niet bij mij, niet weer.

Hij drukt zijn hand tegen mijn mond en mijn hoofd in het kussen. Ik schop met mijn benen en sla met mijn armen, maar hij gaat door. Ik denk aan het mes onder mijn matras en probeer dat te pakken, maar dan zie ik de omtrekken van zijn hoofd heen en weer bewegen en hij brengt een vinger naar zijn lippen om me het zwijgen op te leggen.

'Als je beweegt of een geluid maakt, maak ik je grootvader ook dood,' sist hij in mijn oor.

Dus ik houd me stil. Als hij de dekens wegtrekt, verroer ik me niet. En als hij een hand naar beneden beweegt, als mijn hele lichaam huivert en het uitschreeuwt, en ik niets liever wil dan het mes grijpen en het in zijn rug steken, beweeg ik geen spier. Zelfs niet wanneer zijn hand over mijn buik gaat en er stille tranen over mijn gezicht rollen.

Ik weet wat er komt, maar wat kan ik doen? Ik kan geen kant op. Ik ben hulpeloos. En daarom doe ik mijn ogen dicht en laat het gebeuren, terwijl ik diep en onregelmatig ademhaal en wacht. Maar zijn hand gaat weer omhoog. En ik voel zijn vingers op mijn gezicht.

Hij duwt mijn kaken van elkaar en ik voel iets in mijn mond vallen, een soort pil of capsule. Hij rolt achter in mijn keel.

'Weet je nog wat ik tegen je gezegd heb?' fluistert hij en hij drukt mijn mond dicht.

Ik verroer me niet.

'Dat ik je op een dag, als ik genoeg van je heb, zou doodmaken? Weet je nog?'

Door mijn tranen heen zie ik zijn gezichtsuitdrukking veranderen van woede naar genoegen. Er verschijnt een grijns op zijn lippen. Zijn blik is vol leedvermaak en wreedheid. En macht.

'Slikken,' fluistert hij.

Ik staar hem aan. Ik voel de pil achter op mijn tong. Hij is groot en dik. Wat is het, schreeuwt een stem in mijn hoofd. Wat is het?

Zijn andere hand gaat naar mijn keel en met zijn ruwe vingers wrijft hij van boven naar beneden. 'Slikken,' herhaalt hij.

Ik zuig lucht door mijn neus naar binnen en voel de hoeveelheid speeksel in mijn mond toenemen. Nee, zeg ik tegen mezelf. Nee, nee, nee.

'Wil je dat je grootvader ook doodgaat?' fluistert hij in mijn oor.

Ik wend mijn blik van hem af en sluit mijn ogen. En in het donker zie ik het gezicht van mijn grootvader voor me, en daarna dat van mijn grootmoeder en mijn moeder; het ene gaat over in het andere. Mijn vader komt als laatste en ik kijk hem aan, kijk naar zijn glimlach, kijk hem in zijn ogen, en ik denk aan afscheid.

Hoelang zal het duren, vraag ik me af. Hoeveel pijn zal het doen? Dan slik ik.

Hoofdstuk 36

Ik doe mijn ogen niet open als ik voel dat hij van me afstapt. Ook niet als ik zijn zware laarzen over onze vloer hoor lopen of als de deur dichtknalt en de stilte me omsluit.

Ik lig hier alleen maar. Ik voel de pil, groot en dik, als een knoop in mijn keel langzaam naar beneden bewegen.

Hoelang, vraag ik me opnieuw af. Hoeveel pijn? Kon ik maar in slaap dommelen en nooit meer wakker worden. Dat zou een stuk eenvoudiger zijn.

Ik dwing mezelf tot kalmte en dwaal rond in de duisternis achter mijn ogen en in mijn hoofd.

Niet lang, denk ik bij mezelf. Niet lang.

Ik ben zo moe, zo doodmoe van het vechten, van het werken, van het zwoegen, van de honger en pijn en dood die me opwachten. Het is het beste, het eenvoudigste, om hier gewoon te blijven liggen en te wachten tot alles, echt alles, voorbij is.

Voorbij.

Ik doe mijn ogen open, schud mijn hoofd en kruip overeind. 'Grootvader,' zeg ik zo luid als ik kan. Maar hij komt al mijn kant op.

'Wat heeft hij met je gedaan? Oh, Yoora, het spijt me vreselijk dat ik niet wakker ben geworden. Ik heb hem niet gehoord, pas toen hij wegging. Wat heeft hij gedaan?'

Ik word overvallen door een golf van paniek. Mijn longen branden bij elke inademing, mijn hoofd is draaierig en alles wordt wazig.

Ik wil niet dood, zeg ik tegen mezelf. Ik wil niet hier, op deze manier doodgaan.

'Yoora, rustig, haal eens diep adem, zeg iets tegen me.'

Ik til mijn hand op en wijs naar mijn mond, raak mijn lippen aan. 'Hij…' zeg ik naar adem snakkend. 'Een pil… of… hij…'

'Heeft hij je een pil gegeven?'

Ik knik. Het zweet stroomt van mijn gezicht terwijl ik met moeite ademhaal. De kamer, grootvader, alles draait en komt op me af, en ik voel dat ik bijna mijn bewustzijn verlies.

'Yoora, probeer gewoon rustig adem te halen. Anders val je flauw. Kijk me aan.' Hij pakt met beide handen mijn gezicht vast. 'Heb je hem doorgeslikt?'

Ik kijk hem aan met mijn mond open en probeer me te concentreren op wat hij zegt, probeer mijn ademhaling te vertragen. Ik knik. 'Dat moest.'

Plotseling steekt hij zijn vingers in mijn mond en in mijn keel, en ik begin meteen te kokhalzen.

'Die pil is nog niet opgelost,' zegt hij. 'Als we snel zijn, kunnen we hem er nog uithalen.'

Mijn borst en maag trekken samen en doen pijn als ik probeer te braken. Er zit te weinig in mijn maag. Maar dan voel ik hem omhoogkomen in mijn slokdarm en langs mijn keel, en zodra ik het ding in mijn mond voel, spuug ik het uit. Een grote, vieze, witte pil. Grootvader slaat zijn armen om me heen en trekt me tegen zich aan.

'Wat is het?' fluister ik.

Hij voelt eraan met zijn vinger. 'Ik weet het niet. Vergif misschien.' Hij haalt zijn schouders op. 'Maar hij is nog niet opgelost. Het komt goed met je.'

'Waarom, grootvader?' vraag ik. 'Waarom denk je dat hij dat doet?'

Een ogenblik lang kijkt hij me aan. Hij strijkt het haar uit mijn bezwete gezicht en veegt de tranen van mijn wangen. 'Hij heeft nu eenmaal die macht,' zegt hij.

Ik denk dat we vannacht geen van beiden nog kunnen slapen. Ik doe mijn ogen dicht en mijn gedachten dwalen af, maar niet naar iets leuks en niet zonder angst. Steeds dezelfde gedachten. De bewaker verwacht dat ik er morgen niet meer ben, dat ik dood ben. Hij verwacht dat grootvader mijn lichaam meeneemt naar het appèl. We kunnen op geen enkele manier doen alsof ik er niet meer ben. Ik kan me niet verstoppen. Dus ik moet daar weer gaan staan, naar hem kijken, weer aan het werk gaan. Wat zal hij dan denken? Wat zal hij doen? Hoelang zal het duren voordat hij het opnieuw probeert?

Hoofdstuk 37

Aan het begin van elke nieuwe dag ben ik dankbaar dat ik weer wakker word en nog ademhaal. Aan het eind van elke dag slaak ik een zucht van verlichting omdat ik nog een beetje meer tijd krijg, al is het op de meest afschuwelijke plek ter wereld.

Ik weet zeker dat de bewaker het inmiddels weet, dat hij weer plannen aan het maken is, me in de gaten houdt, dat hij wacht tot hij weer kan toeslaan, zodra hij er klaar voor is.

Grootvader neemt tegenwoordig elke avond iets mee terug van het land: een steen met een gekke vorm die hem ergens aan doet denken, een gebroken stok met schors in de kleur van onze vroegere voordeur, een brede grashalm die hij aan beide kanten vasthoudt zodat hij erop kan fluiten. Dingen om me op te beuren, denk ik. Ik waardeer het.

Ik weet dat er een week voorbij is sinds de aanval, want hij brengt voor de zevende keer iets mee.

'Kijk, Yoora,' zegt hij glimlachend. 'Ik heb een veer gevonden.'

Ik pak hem aan; hij is lang en sierlijk en glad, en ik strijk ermee over de palm van mijn hand. Volgens mij is het een slagpen uit de vleugel van een vogel en plotseling voel ik een verlangen naar vrijheid.

'We moeten hier weg, grootvader,' zeg ik. 'Dat is het enige wat we kunnen doen. Hij komt terug om me te doden, en jou waarschijnlijk ook. We moeten onszelf een kans geven, we kunnen het proberen, we kunnen het gat in het hek weer opzoeken, erdoorheen kruipen, over de greppel springen, en... en... we moeten het proberen.'

'Ze hebben het waarschijnlijk gerepareerd,' antwoordt hij, en hij wendt zich af.

'Maar misschien niet. We kunnen erheen gaan om te kijken, en als het gerepareerd is, komen we weer terug.'

Hij zucht diep en lang en moedeloos. Ik kijk naar zijn rug en ik zie dat hij zijn hoofd vooroverbuigt en zijn hand door zijn haar haalt.

'Grootvader,' fluister ik. 'Alsjeblieft. Laten we het proberen.'

Hij draait zich niet naar me om; hij schudt alleen zijn hoofd. 'Nog niet, Yoora, nog niet.'

Wanneer dan, wil ik vragen. Wanneer?

Hoofdstuk 38

Als ik wakker word, weet ik niet welke dag het is of welke maand. Ik heb alle streepjes van de muur geveegd: alle dagen, weken en maanden die ik hier heb doorgebracht, heb ik weggevaagd. Ik wil niet langer bijhouden hoe mijn leven verdwijnt terwijl het ene seizoen overgaat in het andere.

Vandaag is de misselijkheid terug, maar veel heviger dan ooit tevoren.

Ik heb pijn. Meer dan pijn. Mijn maag draait binnenstebuiten en mijn rug doet pogingen me dubbel te vouwen. Ik denk dat ik nu echt doodga.

Ik rol op mijn zij en ga op mijn knieën zitten, kruip mijn bed uit en strompel naar de deur, krabbel aan het handvat en sleep mezelf naar buiten. Ik hurk op de grond en begin te braken. Er stijgt stoom omhoog uit de plas braaksel bij mijn voeten; de gal prikt in mijn neus. Ik kan me niet bewegen. Durf me niet te bewegen omdat dat misschien nog meer pijn doet. Ik wil alleen maar huilen, wil me opkrullen en verdwijnen.

Ik voel grootvaders armen rond mijn middel. Hij tilt me overeind en helpt me terug naar binnen. Kronkelend wankel ik de deur door.

'Ga liggen,' fluistert hij terwijl hij me op bed helpt.

Ik kijk naar hem op. Wat betekent die blik, vraag ik me af. Wat verzwijgt hij voor me?

'Grootvader?' fluister ik. 'Ik denk dat ik doodga.' De tranen rollen over mijn gezicht, en mijn lichaam beeft en trilt. Ik pak mijn buik weer vast en rol voorover. 'Alsjeblieft.'

Hij buigt zich naar me toe. 'Sssst,' fluistert hij. En met zijn gezicht vlak bij het mijne streelt hij mijn haar. Zijn adem is zacht en warm op mijn wang, ontspannen. 'Je gaat niet dood,' zegt hij. 'Niet hier, nog niet.' Hij wrijft met zijn vingers over mijn wang. Ze zijn ruw en droog, maar het kalmeert me. Ik voel me ontspannen onder zijn vingers, voel de pijn wat afnemen.

Ik word eerst heet, dan koud, klam en rillerig. 'Wat hebben we gisteren gegeten?' vraag ik.

Hij haalt zijn schouders op en legt zijn handen op mijn buik, dan in mijn zij. Ik zie dat hij zijn voorhoofd fronst en ik hoor hem zuchten. Hij lacht niet naar me, hij staart me alleen maar peinzend aan. Het beangstigt me, maar hij geeft me een kus op mijn voorhoofd, staat op en loopt naar het raam en kijkt naar buiten. 'Er is sneeuw op komst,' zegt hij.

Ik ga met opgetrokken benen op mijn zij liggen. Mijn rug steekt en mijn lichaam doet overal pijn. 'Ik wil alleen maar slapen,' fluister ik. Mijn ogen zijn gesloten, maar ik voel dat hij naast me komt zitten en ik hoor hem een kom neerzetten. Toch houd ik mijn ogen dicht. Ik kan geen maïsmeel meer zien.

'Je moet wat eten,' zegt hij. 'Ook al komt het er weer uit. Je moet het proberen.'

Ik tuur tussen mijn wimpers door naar de kom en probeer mijn wazige blik scherp te krijgen. Het ziet er niet uit als maïsmeel; het lijkt wel mi. Ik kan het niet geloven. Een kom vol mi. Nee, dat bestaat niet. Ik weet dat dat onmogelijk is. Ik doe mijn ogen verder open. 'Gedroogde wormen,' constateer ik.

'Ik heb ze opgespaard.' Hij zit naast me met zijn maïsmeel op schoot.

'Waarom neem jij geen wormen?'

'Ik ben niet ziek,' antwoordt hij.

'Maar…'

Hij schudt zijn hoofd. 'Einde discussie.' Hij helpt me overeind en zet me tegen de muur. Met trillende handen pak ik een worm en stop hem in mijn mond. Hij brengt een beetje water naar mijn lippen en de koelte ervan voelt heerlijk op mijn tong en in mijn keel.

Ik weet dat ik naar mijn werk moet en ik weet dat het beter is, makkelijker, als er iets in mijn maag zit, hopelijk een beetje energie. Dus een voor een stop ik de wormen in mijn mond, kauw ze fijn en slik ze door.

De pijn wordt minder, maar hij is nog niet weg, en ik voel me nog steeds misselijk en zwak. Maar uiteindelijk lopen we samen, grootvader en ik, over het pad naar ons werk. Het is stil, op het geluid van honderden, misschien wel duizenden voetstappen van gevangenen na. Maar er komt geen woord over hun lippen: geen roddels, geen geklets, geen nieuws, niets. En ook wij lopen zwijgend voort.

Deze ochtend zal ik nooit vergeten. Ik ben gegrepen door een enorme angst, die alles overheerst, een wetenschap waaraan ik geen moment twijfel. De woorden gaan constant door mijn hoofd: *morgen loop ik hier niet meer*. En hoe ik ook probeer mezelf van het tegendeel te overtuigen, ik kan het niet van me afzetten. Ik voel me zo ontzettend ziek. Ik ga dood, dat weet ik zeker.

Bij de akkers slaat grootvader af, en ik loop verder, bij hem vandaan, terwijl de tranen achter mijn ogen prikken. Als ik bij de bocht in het pad kom, draai ik me nog één keer naar hem om. Daar staat hij, doodstil, en kijkt naar me. We houden elkaars blik even vast. De lucht tussen ons in staat stil en in die ruimte wordt iets uitgewisseld: een zeker weten, of iets van herkenning, of het antwoord op een nooit gestelde vraag.

'Ik houd van je, grootvader,' fluister ik, en ik hoop dat de wind mijn woorden naar hem toe brengt. Ik zou willen dat ik naar hem toe kon gaan. Dat ik tegen een bewaker kon zeggen dat ik ziek ben, dat ik even moet gaan liggen, de rest van de dag moet liggen. Maar ziektedagen bestaan hier niet. Hier bestaan alleen levende dagen of dode dagen.

Over de lege velden heen kijken we elkaar aan. Dan zie ik een bewaker op hem af lopen. Maar grootvader hoort hem niet, hoort de vraag niet die ik zelfs hiervandaan kan verstaan – waarom hij staat te niksen – hoort het bevel niet om weer aan het werk te gaan. En ik hoop dat hij ook niet merkt dat de pijn in mijn buik weer begint en de steken in mijn rug; dat ik over mijn hele lichaam beef; dat ik moeite moet doen om overeind te blijven en niet op de grond te vallen of het uit te schreeuwen. Want ik wil niet dat grootvader ziet wat er met me gebeurt of hoeveel pijn ik heb.

De bewaker schreeuwt opnieuw tegen hem. Dan zie ik hoe hij

zijn stok heft en laat neerkomen op grootvaders rug. Maar ik verroer me niet en ik geef geen kik. Ik wacht alleen tot grootvader weer opstaat, dan draai ik me om en loop weg.

Ik zal wel moeten.

De fabriek doemt voor me op. Als ik de deuren binnenloop, word ik kotsmisselijk van de geur van rubber, de hitte die in mijn gezicht slaat en me de adem beneemt. Mijn hoofd tolt en ik zie zwarte vlekken voor mijn ogen met spikkels licht erin; mijn hoofd is duizelig en mijn keel opgezwollen. De persmachines, de mensen, de vaten vloeibaar rubber, de transportbanden, de enorme messen, de lichten aan het plafond, alles wordt vaag en dan weer scherp, alles beweegt heen en weer voor mijn ogen.

De hitte is smorend, beklemmend, verstikkend.

Iemand, een vrouw, komt vlak bij me staan. Ze knijpt haar ogen tot spleetjes en tuurt mijn gezicht af, fronst, schudt haar hoofd naar me. Wat nou, denk ik – of misschien zeg ik het wel hardop.

Ik voel dat ik weer moet overgeven en ik ren naar buiten, laat me kokhalzend voorover vallen, totdat de wormen naar boven komen: mijn ontbijt.

'Jij vuile hond!' buldert een bewaker, en ik voel een schoen tegen mijn been. 'Sta op, aan het werk, je moet je quotum halen. Of wil je onze Geliefde Leider teleurstellen?'

Ik voel dat ik met mijn hoofd schud en hoor mezelf verontschuldigingen mompelen. En om de een of andere reden zie ik zijn laarzen bij me vandaan bewegen. Dan voel ik een paar vriendelijke handen die me overeind helpen en het haar uit mijn gezicht strijken. Een paar ogen vol mededogen kijken me aan.

'Je grootvader houdt ontzettend veel van je,' fluistert ze.

De mist voor mijn ogen trekt op en dan zie ik haar: een oud gezicht, de vrouw die vlak bij ons woont en die ons lang geleden geholpen heeft toen we hier aankwamen. Ik zie dat ze veel verdriet heeft, maar ik zie ook haar drang om te overleven. Haar huid is broos, alsof hij zal barsten als ze glimlacht. Haar lichaam is zo uitgemergeld dat ik niet begrijp hoe zij míj overeind kan houden.

'Hij heeft me gevraagd je in de gaten te houden. Te zorgen dat je vanavond weer naar huis komt. Heeft me eten beloofd, je grootvader. Goed eten: kakkerlakken en varkensvoer.'

Nu weet ik het weer, nu herinner ik me dat haar dochter niet zo lang geleden gestorven is. Zij was een van degenen die klei gegeten hadden.

'Ik ben uw naam vergeten,' zeg ik.

Ze schudt haar hoofd. 'Die heb je nooit geweten.' En voordat we terug de fabriek inlopen, voordat we omringd worden door honderden ogen die ons in de gaten houden, die hun oordeel al klaar hebben, kijkt ze me doordringend aan en legt haar handen op mijn buik. 'Veel pijn?'

'Iets minder nu,' antwoord ik.

Ze loopt met me mee naar de persmachine, de vellen rubber die over de band rollen, de vormen die uitgesneden worden. 'Dat zal er wel bij horen,' mompel ik meer tegen mezelf dan tegen haar. 'Bij voedselvergiftiging. Dat de pijn steeds verdwijnt en dan weer terugkomt.'

Ze kijkt me vanuit haar ooghoeken verbaasd aan. Dan knikt ze – een langzame, stille beweging – en ze waakt de rest van de dag over me.

Hoofdstuk 39

Deze dag lijkt honderd uur te duren. De misselijkheid en pijn rijgen zich aaneen; de krampen mengen zich met het zweet, de duizeligheid en de ronddraaiende ruimte. Ik doe opzettelijk mijn best om langzaam te bewegen en me op elke handeling te concentreren, handelingen die zowel fysiek als mentaal veel van me vergen. Als ik twaalf uur verder ben, begrijp ik niet hoe ik de dag ben doorgekomen, hoe ik ooit mijn quotum heb gehaald, de bewakers heb ontlopen en het er levend vanaf heb gebracht.

Ik denk niet dat ik het gered had zonder de hulp van de oude vrouw. Haar stem is vandaag een baken van rust geweest in mijn chaotische hoofd en ze heeft me stap voor stap door de dag heen geleid.

Nu kan ik naar huis, denk ik opgelucht, naar de hut die mijn thuis is geworden. Ik kan in bed gaan liggen met grootvader naast me, die mijn hand vasthoudt. Ik kan mijn ogen sluiten en voor altijd gaan slapen. Een betere manier om te sterven dan onder de handen van die bewaker.

Ik wankel naar huis met ondraaglijke en onvoorstelbare pijnen. De vrouw loopt naast me, houdt me overeind en moedigt me aan. 'Rechtop lopen, voor je kijken en je normaal gedragen. Laat ze niet zien dat er iets mis is, want dan hebben ze een aanleiding om ons tegen te houden. Loop door, blijf doorlopen.'

Ik zie niets meer; leun met mijn schouder tegen die van haar; zet het ene trillende been voor het andere. Ik probeer niet aan de afstand te denken, hoe ver het nog lopen is. Ik denk alleen aan die ene stap, dan de volgende, en nog een. Nog een. Nog een.

En eindelijk voel ik de houten drempel onder mijn voeten. Ik ruik mijn huis, muf van het stof en vocht, en ik hoor de zachte stem van mijn grootvader.

'Dank je,' zegt hij tegen de oude vrouw. 'Dank je.' Ik hoor een snik omhoogkomen in zijn keel en ik weet dat er tranen in zijn ogen staan. 'Blijf alsjeblieft, help me, ik smeek het je.'

Armen dragen me naar binnen, leggen me op mijn bed. Ik voel een ruwe hand op mijn voorhoofd, dan op mijn buik. Er wordt aan mijn kleren getrokken. Ik hoor een zucht.

'Hoeveel maanden?' vraagt de oude vrouw.

'Ik weet het niet precies. Het was lente. Acht maanden misschien.' Hij haalt zijn schouders op. 'Het was de bewaker. Die bewaker die…'

'Ik weet precies welke bewaker.' Ze zucht opnieuw. 'Ik blijf om te helpen, maar – wat er ook gebeurt – als het voorbij is, ben ik weg. Vertel me niet wat je van plan bent, dat wil ik niet weten. Maar je moet me wel betalen.'

Ik doe mijn ogen open, en ik kijk door mijn tranen en het zweet en de duisternis naar de silhouetten om me heen. Ik ben in de war en ik ben bang. En daar komt de pijn weer; hij snijdt door me heen. Mijn rug knakt dubbel, mijn hoofd vliegt achterover. Ik wil het uitschreeuwen, ik wil gillen. Ik wil dood.

'Wat is er met me aan de hand?' huil ik. 'Alsjeblieft. Alsjeblieft.'

Koude doeken op mijn hoofd en mijn gezicht; spichtige vingers die mijn wang strelen; een vriendelijke stem in mijn oor.

'Je krijgt een baby,' fluistert ze.

Het dringt eerst niet tot me door. Het kan niet waar zijn. Hoe kan dit? Dat zou ik toch wel hebben gemerkt? Maar hier gaat niets op de normale manier. Niets gaat zoals het hoort. Dus ik hoef me nergens over te verbazen.

Dan dringt het plotseling tot me door. Het lijkt wel of ik met een stroomstoot word gewekt. Ineens ben ik klaarwakker en ik zie alles is scherp. 'Wat?!'

'Wist je dat niet?' Ze vraagt het rustig en vriendelijk.

'Maar…' Ik weet zo weinig van het leven, heb daar op school nooit iets over geleerd, mijn ouders hebben niets verteld. Ik moet alle puzzelstukjes zelf bij elkaar zoeken. Ik denk na en er schieten me allerlei herinneringen te binnen. En dan valt alles op zijn plek.

De bewaker. Hij heeft me zwanger gemaakt.

De weeën komen snel en duren lang. Bij elke wee legt grootvader zijn hand over mijn mond, bang dat ik ga schreeuwen en ons zal verraden.

Buiten slaat de wind tegen de ramen; sneeuw wervelt om onze hut en er waait zelfs wat stuifsneeuw onder de deur door. Er ligt een dik pak sneeuw op ons dak, die smelt en door de gaten heen druipt, en plasjes vormt op de grond. Voor de eerste keer ben ik blij dat we geen elektriciteit hebben, zodat ik dit afgrijselijke tafereel, waarvan ik niet had gedacht ooit deel uit te maken, alleen bij kaarslicht hoef te zien.

Ik kan niet meer logisch nadenken. In mijn verwarde toestand stel ik me voor dat Kim Jong-il deze sneeuw heeft gestuurd, omdat hij boos op me is. Ik stel me voor dat zijn woede en teleurstelling zich manifesteren in deze storm.

Er trekken beelden aan me voorbij, levensechte beelden. Vader is er, hij heeft zijn warme blik op mij gevestigd en hij mompelt verontschuldigingen, al weet ik niet waarvoor; mijn moeder, haar lippen op mijn voorhoofd, haar hand die de mijne streelt; zelfs mijn grootmoeder, die niet langer boos op me is. Ze lopen allemaal om me heen, blijven naast me staan, wachtend...

Ik heb geen idee hoeveel tijd er verstrijkt. De lucht is benauwd en warm door de hitte van lichamen en pijn. De duisternis verzwelgt ons en het kaarslicht flikkert over onze gezichten. Dan wordt hij heel stil geboren.

Ze geeft hem aan mij met een verdrietige uitdrukking op haar gezicht. Ik neem hem in mijn armen en kijk naar dit kleine wezentje, met zijn dunne lichaampje; zijn huid heeft een lichtblauwe tint, zijn mondje is gerimpeld. Ik heb nog nooit iets gezien wat zo droevig is en tegelijk zo wonderlijk.

Ik streel met mijn hand langs zijn gezicht en over zijn lijfje; hij is prachtig. Ik blaas zachtjes op zijn gezicht en dan zie ik zijn hoofd een klein beetje bewegen. Ik buig mijn gezicht nog dichter naar het zijne en blaas nog een keer – heel voorzichtig – en ik zie zijn oogjes knipperen en zijn mondje bewegen: hij haalt adem.

Hij leeft. Zo klein en dun als hij is, kwetsbaar en teer. Teentjes kleiner dan mijn vingernagel. Zijn oogjes gezwollen, maar als hij de wereld inkijkt, zijn ze zo zwart als stukjes kool. En vol leven.

Ik leg mijn handen beschermend om hem heen en ik huil tranen van opluchting, van blijdschap, van ongeloof en verbazing, dat dit kan gebeuren, dit kleine ding, dit kleine wonder, dit leven in een plaats waar de dood heerst. En ik leg hem aan mijn borst en voed hem, zoals ik andere moeders vroeger in ons dorp heb zien doen.

De vrouw schenkt me een verdrietige glimlach. 'Succes,' zegt ze, maar ze schudt haar hoofd. Ik kijk haar aan terwijl ik mijn kind in mijn handen wieg.

'Ik heb alleen gezegd dat ik jóu zou helpen overleven,' zegt ze. 'Niet de baby. Dat heeft geen zin.' Ze draait zich om naar grootvader. 'Je weet wat er met hem zal gebeuren. Wat ze zullen doen. Het was beter geweest als hij dood geboren was.'

Ik kijk naar het kleine leventje dat ademhaalt, en dan weer naar haar, een verbaasde frons op mijn gezicht. Ik voel me boos worden. Waarom zegt ze zulke dingen?

Ze komt bij me staan. Ze kijkt niet naar de baby, maar kijkt alleen mij recht aan.

'Oordeel maar niet, want ik weet waar ik het over heb,' zegt ze met zachte stem. Ik was buiten het kamp een verpleegster. Toen ik hier kwam, lieten ze me van alles doen: van het verzorgen van de wonden en schrammen van de bewakers, tot het amputeren van de ledematen van gevangenen of het trekken van rotte kiezen. En helpen bij bevallingen. Maar niet vaak.' Ze schudt haar hoofd. 'Sommige gevangenen waren al zwanger toen ze hier kwamen en dan kreeg ik het bevel om de baby's weg te doen. Soms door een injectie. Soms moesten we ze laten doodgaan na hun geboorte. In een doos naast het bed van hun moeder, om ze te herinneren aan de zonde die ze hadden begaan. Ze mochten hun kind niet voeden, niet eens vasthouden. Ze moesten luisteren naar het huilen van hun baby totdat hij dood was. Moet je je voorstellen wat een marteling dat is: luisteren en kijken, maar niets mogen doen.

Wat ze met de andere baby's deden, kan ik niet eens vertellen; ik heb er nog steeds nachtmerries van en dan zie ik hun gezichtjes voor me.' Ze zwijgt even, doet haar ogen dicht alsof ze haar best doet de beelden te verdrijven die ze niet langer wil zien. 'Dus waag het niet om over me te oordelen, want ik weet wat ze doen als ze een baby vinden, als ze jouw baby vinden. Dan doen ze iets vreselijks en afschuwelijks met hem en jij wordt gedwongen om toe te kijken. Is dat die paar uurtjes waard die je hebt voordat ze hem vinden? Want ze zúllen hem vinden, dat weet je.'

Ze draait zich om en ik weet niet of ik haar moet bedanken of weg moet sturen, of ik blij ben dat ze me geholpen heeft of haar haat om wat ze me zojuist heeft verteld.

Dus ik zeg niets. Ik kijk alleen naar haar rug als ze de deur uit loopt.

En buiten woedt de storm voort.

Hoofdstuk 40

'Nu móeten we weg, grootvader.' Ik meen wat ik zeg, meer dan ooit tevoren. 'We moeten vluchten. Vannacht.'

Ik zoek zijn blik en verwacht dat hij zijn hoofd zal schudden of 'nog niet' zal zeggen, of zal proberen ertegen in te gaan. Ik zet me vast schrap. Maar hij kijkt me alleen maar aan.

'Als we niet weggaan, gaat hij dood.'

Hij buigt zijn hoofd voorover en ik hoor de lucht piepend uit zijn oude longen ontsnappen.

'Grootvader, we moeten het proberen. We kunnen het niet zomaar opgeven; hij verdient een kans.'

Hij knikt haast onmerkbaar. 'Ja, ja,' fluistert hij.

Hij begint door de kamer te lopen en spullen te pakken, die onder de kastjes zijn verstopt of in donkere hoeken.

'Eet dit op,' zegt hij, en geeft me een pakje met een doek eromheen. 'Alles, maar langzaam. Je hebt extra energie nodig.' Ik knoop de doek open en ik zie een verzameling dode insecten, gedroogd eten, stukjes rattenvlees, bladeren en schors, een soort graan en wat zacht leer.

Ik kijk hem verbaasd aan.

'Ik heb het een tijdje opgespaard.'

'Wist je dat dit zou gebeuren? Van de baby?'

Hij haalt zijn schouders op. 'Een vermoeden,' fluistert hij. 'Ik had alleen een vermoeden.' Hij buigt zich naar me toe en aait de baby over zijn hoofdje.

'Ik weet niet wat ik moet doen,' zeg ik. 'Ik weet alleen dat ik niet mag opgeven. Ik wil niet dat ze hem vermoorden. Ik moet het proberen.' Ik kijk naar zijn gezichtje. 'Voor hem. Ik moet het proberen voor hem.'

Grootvader knikt.

De sneeuw wervelt om ons heen als we bij onze hut vandaan lopen, de heuvel op sjouwen, naar de bergen. We hebben plastic zakken om onze voeten gebonden om ze droog te houden. De sneeuw kraakt onder onze voeten en we laten voetstappen achter in de sneeuw, maar ik hoop dat het hard genoeg stormt om onze sporen uit te wissen.

Ik voel me alweer misselijk, maar dit keer van de zenuwen. Het lijkt een belachelijke, onmogelijke, hopeloze onderneming. Maar dat is het ook als we blijven. Als we mijn kind in leven willen houden, en als we willen dat er na morgen weer een dag is, is er maar één optie: ontsnappen. Of in ieder geval proberen te ontsnappen. Ik slaak een diepe zucht en ik vat moed; ik neem me voor alles te doen wat in mijn vermogen ligt.

'De greppel is er nog steeds, net als toen we de tijger zagen,' zegt grootvader. 'En de metalen punten ook.'

'Weet ik,' antwoord ik, en ik stel me voor dat ik eroverheen spring en de overkant haal – want ik zal wel moeten. 'Maar we hebben nog uren de tijd voordat het appèl begint.' Dan denk ik aan de bewaker. Heel even laat ik mijn verbeeldingskracht de vrije loop en stel me voor wat hij met me zal doen, met grootvader, met de baby. Dan loop ik vastberaden verder.

De baby zit onder mijn kleren. Ik heb hem tegen mijn lichaam gebonden met lappen stof van grootmoeders jurk en ik heb hem ingepakt in oude lompen om hem warm te houden. Hij is stil, huilt niet, beweegt haast niet.

Bij elke stap die we zetten, heb ik het gevoel dat ik word gadegeslagen, dat iemand me toestaat verder te lopen, dichter bij het hek te komen, zodat het vleugje hoop vanbinnen groeit en ik durf te geloven dat we misschien... heel misschien... Mijn zakken zitten propvol met allerlei dingen die grootvader heeft opgespaard, en onder het lopen peuzel ik ze een voor een op.

Ik ben moe, zo ontzettend moe. En ik ben bang, niet alleen voor mezelf. Ik heb nu een klein wezentje dat afhankelijk van me is, maar het lijkt nog steeds allemaal onmogelijk. Het liefst zou ik stoppen, omkeren, terug naar de hut gaan, gaan zitten, mijn baby vasthouden en naar hem kijken. En slapen.

En morgenochtend wakker worden en ontdekken dat alles dan in orde is.

Maar dat kan alleen in mijn dromen. Dit is de werkelijkheid: mijn kindje tegen me aan. Mijn baby die op de een of andere manier, tegen alles in, binnen in me gegroeid is, tijdens de bevalling niet is gestorven en nu springlevend is. Waar hij het gevolg van is, maakt niet uit. Dat is niet belangrijk.

We naderen de boomgrens en we lopen hand in hand, mijn grootvader en ik, zijn kracht helpt me verder, dwingt me verder, leidt me.

'Weet je nog wat ik over je moeder verteld heb, waar ze woont? In de stad Chongyong, bij de grens? Daar moet je naartoe. Onthoud dat goed, die stad, want daar moet je regelrecht naartoe gaan. Snap je dat?'

Ik knik. 'Maar jij bent er ook nog,' zeg ik.

Hij negeert me. 'Ga niet terug naar ons dorp. Denk erom dat je dat niet doet.'

Opeens moet ik aan Sook denken, voor het eerst sinds lange tijd. Ik wil hem opzoeken. Tegen hem schreeuwen en gillen. Hij moet me vertellen waarom hij mij en mijn familie dit heeft aangedaan. Waarom hij me haat. Waarom hij me heeft verraden.

Wat voel ik voor hem? Waarom zie ik zijn gezicht nog steeds voor me? Houd ik nog steeds van hem? Haat ik hem om wat hij gedaan heeft? Doet dat er nog toe, na al die tijd? Kan ik weggaan zonder ooit het antwoord te weten? Kan ik het achter me laten, vergeten?

Nee, ik moet hem zien te vinden. Ik wil hem doodmaken.

'Heb je me gehoord, Yoora? Vergeet het dorp. Ga rechtstreeks naar je moeder en daarvandaan kun je het land uit en naar China vluchten.'

Er staan steeds minder bomen; we komen nu in de buurt van het hek. 'Maar…'

Grootvader houdt halt en kijkt me aan. 'Ik weet niet wat je al die tijd van plan bent geweest, hoe je je wilt wreken, maar je moet het uit je hoofd zetten. Het heeft geen zin. Je brengt jezelf alleen maar in gevaar. Ze zullen je vinden.'

Ik kijk naar de baby, dan weer naar grootvader en ik knik. Dit kleintje is nu belangrijker.

We lopen een paar stappen naar voren en staan stil bij het hek.

'Je moet hiervandaan naar het westen lopen. Waar de zon ondergaat,' zegt grootvader. 'De stad ligt aan een spoorlijn. Als je de rails kunt vinden, kun je die volgen.'

Ik staar hem aan, de sneeuw smelt op zijn gezicht en druipt naar beneden. 'Dat weet jíj toch, grootvader,' zeg ik. 'Jij bent er toch bij?'

'Nee, Yoora, je moet het zelf onthouden.'

'Hoezo?'

Hij kijkt me een poosje aan en in de duisternis kan ik maar net zien dat zijn hoofd van links naar rechts beweegt. 'Ik ga niet mee,' fluistert hij.

Ik veeg de sneeuw van mijn gezicht en uit mijn ogen, en in het donker speur ik zijn gezicht af, probeer zijn uitdrukking te ontcijferen. Ik begrijp er niets van.

'Ik zou je alleen maar ophouden. Samen redden we het niet.'

'Nee, dat is niet waar… Ik kan je niet achterlaten.'

'Ik ben te oud en te zwak.'

'Ik ben ook zwak; we kunnen…'

'Nee.' Zijn stem klinkt resoluut. 'Ik denk niet dat ik door het gat heen pas. En ik weet zeker dat ik de greppel niet overkom, maar zelfs als dat me wel zou lukken, heb ik nog de kracht niet voor zo'n reis.'

Ik voel paniek in me opkomen. Ik krijg het benauwd, mijn hoofd wordt draaierig, tranen wellen op in mijn ogen. 'Maar… maar… waarom probeer je het niet?'

'Als we allebei weggaan, zullen ze morgenochtend bij het appèl merken dat we er niet zijn. Dan gaat er iemand naar de hut en zien ze dat we op de vlucht zijn geslagen. Dan komen ze ons achterna. Zeven uur is niet veel als je zo moe bent als jij. Je zult af en toe moeten rusten. Als ik hier blijf, kan ik proberen ze om de tuin te leiden, zeggen dat een andere bewaker je ergens naartoe heeft gestuurd, proberen tijd te winnen en misschien, héél misschien werkt het. Zelfs al heb je maar een uur extra, dat is tenminste iets.'

'Maar… maar…' De tranen stromen nu over mijn wangen. Ik kijk naar het gezicht van deze man, van wie ik zoveel houd, die altijd naast me heeft gestaan, door alles heen, die me nooit heeft veroordeeld voor de fouten die ik heb gemaakt, voor de executie van zijn zoon, voor het feit dat we in het kamp zitten, voor wat er met zijn vrouw is gebeurd. 'Ik wil niet dat je blijft. Ik wil dat je met me meekomt.'

'Op deze manier kan ik je beter helpen.'

Ik kijk hem nog steeds aan. Zijn gezicht is nat en ik weet niet of het tranen zijn of gesmolten sneeuw. Ik strek mijn hand uit en pak de zijne. Ik tril over mijn hele lichaam; ik wil niets liever dan me tegen hem aan laten vallen en zijn arm om me heen voelen en mijn hoofd tegen zijn borst leggen.

'Ik wil niet alleen zijn,' sis ik tussen mijn op elkaar geklemde kaken door.

'Dat ben je niet,' fluistert hij. 'Je hebt je kind. Zorg voor hem. Breng hem in veiligheid. Geef hem de toekomst die ik jou nooit heb kunnen geven. Alsjeblieft. Doe het voor mij.'

'Wat zullen ze met je doen?' vraag ik fluisterend.

Hij haalt zijn schouders op, maar we weten allebei het antwoord. Ik had de vraag niet moeten stellen. We staren elkaar zwijgend aan en ik voel dat ik zijn besluit moet accepteren. De tranen rollen over zijn wangen naar beneden, maar ik zie nog steeds hoop in zijn blik. De hoop die hij mij gegeven heeft. Hoop om te overleven. Hoop en uitzicht op een toekomst.

Ik houd van hem. Ik houd heel veel van hem.

Nu ben ik de tijger, met mijn jong in mijn armen, mijn blik helder en scherp, en ik durf te geloven dat ik vrij kan zijn. Ik kan overleven als een dier.

Grootvader draait zijn gezicht van me af en kijkt naar het wachttorenlicht dat langs het hek zwaait. We moeten uit de lichtstraal blijven. Hij wacht het juiste moment af. Dan pakt hij me beet en trekt me haastig mee langs het hek. We zoeken naar het gat. Als hij het gevonden heeft, staat hij stil. Het kost me moeite om door het hek heen te kijken, waarachter de greppel moet liggen. Het is zo donker. Dan kijk ik hem weer aan.

In mijn hoofd schreeuwt een stem: ik haal het nooit, zo ver kan ik niet springen. Ik val in de greppel, word op het metaal gespietst en dan ga ik dood.

Ik kijk naar beneden en zie mijn baby. Nee, zeg ik tegen mezelf. Dan gaan wíj dood.

Hoofdstuk 41

Ik sta tussen twee vuren. Aan de ene kant een 'misschien': de diepe geul met die scherpe punten, en als dat goed afloopt de lange reis naar een veilige plek, die op zijn best onzeker is te noemen. Aan de andere kant een gewisse dood voor het jongetje dat tegen me aan ligt, dat kleine wezentje dat me deze berg op heeft gejaagd en me voor deze verschrikkelijke keus stelt, die eigenlijk helemaal geen keus is.

'Dit kan mijn dood worden,' fluister ik. En ook van deze baby, denk ik erachteraan. Een langzame, afschuwelijke, pijnlijke dood.

Grootvader knikt.

'Maar dat had gisteravond ook kunnen gebeuren. Of eergisteren. Of vorige week. Toch? Of toen de bewaker... of... of toen ik in zijn gezicht heb gespuugd, of op mijn eerste dag hier, of toen vader werd geëxecuteerd, of toen ik die pil kreeg... of...'

Ik sla mijn armen om mezelf en mijn zoon heen. Ik neem een diepe hap lucht en maan mezelf tot rust, dwing mezelf tot kalmte.

Hij knikt opnieuw. 'Maar daarbuiten, als iemand je daar pijn wil doen of je bedreigt, moet je terugvechten.'

'Dat weet ik.' Ik knik en trek het mes uit mijn riem. Ik heb het al die tijd onder mijn bed bewaard.

Hij zucht en ik weet wat hij denkt: wat is er van ons geworden? Maar ik zal nu terugvechten. Ik zal alles doen wat nodig is om te overleven.

Hij gluurt door het hek en dan kijkt hij weer naar mij. 'Denk niet na over hoe ver het is naar de grens,' zegt hij. 'Je moet alleen maar aan die ene stap denken. Altijd één stap.'

'Ja, dat weet ik.' Ik probeer naar hem te glimlachen en zuig zijn woorden in me op, zodat ze me bemoedigen, me vertrouwen geven. 'Eén stap tegelijk.'

'En als je eenmaal in de stad bent,' gaat hij verder, 'kun je naar China vluchten.'

Hij buigt zich naar de grond en schept de sneeuw weg die in de kuil onder het hek is gevallen. Dan houdt hij het kapotte hek omhoog.

'Als je in China bent, moet je verder reizen, want als ze je daar vinden, sturen ze je terug. Ga richting het zuiden, naar Laos en daarna verder naar Thailand. Daar kun je de ambassade opzoeken en asiel aanvragen. Dan sturen ze je naar Zuid-Korea en dan…' Hij zwijgt en komt weer overeind, haalt iets uit zijn zak en geeft het aan mij. 'Dan kun je onze familie opzoeken.'

Ik kijk naar wat hij in mijn hand heeft gestopt: de ansichtkaart. 'Die was ik helemaal vergeten,' zeg ik. Ik stop hem in mijn zak en hurk neer. Dan slaak ik een diepe zucht en knik naar mijn grootvader, die over me heen staat gebogen.

Het gat is klein, en de grond is nat en glibberig. Ik rol voorzichtig op mijn zij om mijn kindje te beschermen, probeer met mijn vingers houvast te vinden in de sneeuw en trek mijn lichaam onder het hek door. Mijn voeten glijden weg. Ik kijk naar het hek boven me, de metalen randen die naar beneden uitsteken en langs mijn gezicht schrapen, aan mijn kleding blijven hangen, als tentakels, als vingers die naar me graaien, me willen tegenhouden, me willen vasthouden totdat het daglicht komt en ik word gevonden, of totdat het zoeklicht ons beschijnt en ons verraadt.

Maar ik ga door, ik duw en trek mezelf onder het hek door, totdat ik aan de andere kant ben. Ik kijk op en zie dat het licht langzaam maar zeker mijn kant op komt. Ik buig me naar de grond en maak me zo klein mogelijk. Dan rol ik op mijn zij naar de rand van de greppel.

Nu heb ik goede camouflage, denk ik bij mezelf, nu ik bedekt ben met al die sneeuw.

Het licht zwaait over me heen. Als het weer donker wordt, til ik mijn hoofd op en gluur over de rand: de greppel met de glimmende metalen punten kijkt dreigend naar me op. Op een van de punten zit een beest gespietst, zijn ogen leeg en dood, zijn vacht bedekt met opgedroogd bloed. Mijn adem stokt in mijn keel en ik kijk weg. Ik sta op en haast me terug naar het hek, naar grootvader.

'Beloof me één ding,' zeg ik terwijl ik mijn blik gevestigd houd op de glinstering van zijn ogen. 'Als ik de overkant niet haal, kruip dan door het hek heen en maak me dood. Laat me daar niet liggen en langzaam doodgaan.' Het slaat nergens op, besef ik terwijl ik het zeg. Hij kan onmogelijk naar beneden klimmen, want hij zou er nooit meer uitkomen.

Maar toch knikt hij. 'Beloofd,' zegt hij. 'Maar Yoora, nu moet je opschieten. Spring eroverheen en kijk niet achterom, ga door. Onthoud wat ik heb gezegd: niet nadenken over hoe ver het is, gewoon de ene voet voor de andere, één stap, dan de volgende, en dan kom je er wel. Dan vind je je moeder en kun je het land uit. Beloof je dat aan me?'

'Beloofd,' zeg ik zachtjes.

Ik draai me om. Ik kijk voor me en kan de rand van de geul zien, maar niet de overkant. Ik kan de dood horen roepen vanuit de diepte. Ik neem even de tijd om de baby op mijn rug vast te binden, de sneeuw weg te schuiven met mijn voeten, zodat ik meer grip heb, mijn ademhaling tot rust te laten komen en mijn hoofd leeg te maken.

Ik ben er klaar voor.

Met alles wat ik heb, zal ik op de greppel afrennen, en ik zal alleen denken aan overleven. Dan red ik het wel. Dan zal ik in leven blijven. Dan zal ik de andere kant halen en vrij zijn. En grootvader zal me in gedachten aanmoedigen, aansporen, zijn adem inhouden als ik spring, en wachten tot ik naar hem roep dat ik het gehaald heb. Want ik ga het halen.

Dat moet.

Ik begin te rennen. Veel te snel ben ik bij de rand, en ik spring. Gooi mezelf naar voren met een kreet van inspanning en vastberadenheid op mijn lippen.

De grond verdwijnt onder mijn voeten. De lucht ontvangt me, houdt me vast, begeleidt me. Mijn ogen wijd open, vol verwachting.

Dan land ik. Keihard. Ik kan de grond onder mijn romp voelen, de sneeuw onder mijn handen. Mijn vingers graaien op zoek naar houvast. Mijn benen bungelen over de rand, en ik trap en klauter, ik kreun van inspanning, want ik weet dat beneden die punten op me wachten. Dan raakt mijn voet iets, ik kan niet zien wat het is en ik voel mijn broekspijp scheuren.

Ik trek me aan mijn armen omhoog en eindelijk, eindelijk weet ik over de rand heen te klimmen. Ik sta meteen op en draai mijn kleine jongen naar voren, tegen mijn huid aan. Ik streel met mijn natte vingers over zijn donsachtige haar en ik hoor hem zachtjes in- en uitademen. Ik slaak een zucht van opluchting.

Ik kijk op en tuur door de duisternis, naar de plek waar ik weet dat grootvaders ogen ook naar mij op zoek zijn.

'Ik houd van je,' zeg ik zo hard als ik durf.

Even later klinkt zijn spookachtige antwoord vanaf de overkant: 'Ik houd van jullie allebei.'

Ik weet dat ik hem nooit meer zal zien en dat doet pijn, heel veel pijn. Maar ik kan niet blijven, ik moet verder.

Met de hulp van iemand van wie ik houd, heb ik iets gedaan wat voor zover ik weet nog nooit eerder iemand heeft gedaan: ik ben ontsnapt. En ja, ik ben alleen, wíj zijn alleen, maar we zijn wel vrij.

Hoofdstuk 42

Ik loop.

Ik ga zitten en rust uit.

Ik eet wat van het eten dat grootvader me heeft gegeven.

Ik voed de baby, die nog geen naam heeft.

Ik loop weer verder.

En onder het lopen voeren mijn gedachten me terug naar het kamp.

Ik vraag me af of grootvader in zijn bed ligt te slapen of naar de dingen kijkt die hij lang geleden voor mij heeft meegenomen van het land. Ik vraag me af hoe de hut nu voelt met alleen hem erin, en of hij zich net zo eenzaam en verloren voelt als ik.

En ik denk terug aan die keer dat mijn vriendin en ik samen moesten lachen om de bewaker die uitgleed in de modder. En aan onze gesmoorde giechels toen we onze mond vol bessen hadden gestopt. Aan die keer dat ze in het luchtledige greep toen ze probeerde een kikker te vangen. Of de verwondering op haar gezicht toen we een lijster hoorden zingen.

Ik denk terug aan de bloem die ik in het voorjaar vond, aan de geur van dennenbomen om me heen, de naalden en takken die vaak bedekt waren met rijp, aan de lage ochtendnevel over de akkers.

En aan de vrouw die me hielp te bevallen.

En ondanks al de pijn en het verdriet en het leed die het kamp me heeft berokkend, voel ik me vreemd genoeg verdrietig nu ik het moet achterlaten.

De sneeuw en de wind houden op en zolang de zon nog niet op is, sjok ik verder de heuvels en bergen in die lange tijd mijn uitzicht hebben bepaald. Ik doe mijn best doorgangen te zoeken en kloven of spleten te vermijden, om te lopen in plaats van naar boven te klimmen; ik doe mijn best de reis makkelijker of korter te maken, maar toch is het ontzettend zwaar. Ik klim hoger en hoger, over ijsachtige grond die ik haast niet kan zien, waarop mijn voeten uitglijden; ik grijp me vast aan doorntakken, dring door struikgewas dat vanuit de duisternis naar me loert en naar me uithaalt, aan mijn haar en kleding trekt, en me doet huiveren van de pijn. Ik klauter op handen en voeten over rotsen, haal mijn handen open en ze beginnen te bloeden, waardoor ik een spoor rode vingerafdrukken achterlaat. En dat allemaal met mijn baby'tje tegen me aan in mijn zelfgemaakte draagdoek.

Toch huilt hij niet en maakt geen enkel geluid. Talloze keren trek ik de laagjes kleding weg om naar zijn tere en kwetsbare gezichtje te kijken. Dan leg ik mijn vingers voorzichtig tegen zijn borst om me ervan te vergewissen dat zijn hartje nog steeds klopt.

Ik klim verder en verder. Mijn lichaam doet overal pijn, mijn hoofd tolt en na elke paar stappen wil ik even pauzeren. De woorden van die vrouw spelen door mijn hoofd: *Heb je die bergen gezien? Ga je die beklimmen?*

Lukt me dat, vraag ik me nu af. Kom ik ooit aan de andere kant van die bergen?

Ik wil heel graag even gaan zitten, gaan liggen, mijn ogen sluiten, slapen. Ik zou niets liever willen. Maar stel dat ik dat doe? Word ik dan wel weer wakker? Kan ik dan nog opstaan? Soms, meestal, kost elke stap me enorm veel moeite, maar op andere momenten merk ik opeens dat er een paar minuten verstreken zijn en vraag ik me af hoe het kan dat ik nog wakker ben en nog steeds loop.

Er gaan uren voorbij. Langzaam maar zeker raakt mijn energie op en maakt de kou zich van me meester. Ik trek een van mijn kleding-stukken uit, een blouse van grootmoeder, en bind die rond mijn hoofd en gezicht. Ik bal mijn stijve handen tot vuisten en trek ze in mijn mouwen om ze op te warmen.

En ik klim verder en verder. Hoger en hoger.

Wat ben ik moe, ontzettend moe.

Ik houd even halt; mijn hoofd is weer draaierig, mijn handen trillen als ik tegen een rots geleund sta om uit te puffen. De hemel begint lichter te worden. Ik draai me om en kijk naar de rode nevel die in de verte omhoog kruipt.

Kijk jij ook naar diezelfde hemel, grootvader, zeg ik in gedachten tegen hem. Denk jij aan mij en pieker je over mij, zoals ik over jou? Hoop je dat het goed met me gaat? Dat ik nog in leven ben?

Een windvlaag waait over de berghelling en tilt mijn haar op dat onder de doek vandaan komt. Ik word een beetje wakker door de kou in mijn gezicht. Ik sluit mijn ogen en zuig de frisse lucht op, zo diep als ik kan. Dan richt ik me weer naar het westen en zet een stap. En nog een. En nog een.

Maar ik ben zo vreselijk moe en alles, elke beweging van mijn voet of arm, elke in- en uitademing, elke seconde dat ik mijn ogen nog langer open moet houden, doet pijn.

Even een paar minuutjes uitrusten, denk ik bij mezelf, en ik ga zitten. Een paar minuutjes maar. Ik doe even mijn ogen dicht en dan ga ik weer verder.

Ik leun achterover en sluit mijn ogen, en ik voel de slaap aan me trekken en me roepen. Ik weet niet of de grond koud is of bedekt met sneeuw, of ik op een helling lig of een horizontaal stuk, of de ondergrond zacht of hard is, want zodra ik mijn ogen dichtdoe, ben ik weg.

Ik val in slaap. Ik laat me meevoeren naar een plek in mijn geest. Waar eten is. En warmte. En licht. En ik zie mijn vader op me af-komen. Hij strekt zijn hand naar me uit en lacht me toe. Ik lach terug en pak zijn hand. En hij neemt me mee.

We lopen samen, en volgens mij praten we, maar ik hoor niks, en ik denk dat we hand in hand lopen, maar ik voel niks. Maar hij is bij me, hij lacht naar me, hij overlaadt me met liefde en mededogen terwijl hij naar me kijkt.

Ik blijf bij je, vader, voor altijd.

Maar zijn de glimlach verdwijnt en het licht verflauwt, en de kou begint weer in mijn botten te trekken. Er prikt iets in mijn buik en dan in mijn arm, en daarna in mijn gezicht. Ik schrik wakker en slaag erin mijn ogen een fractie te openen in een poging te be-grijpen waar ik ben en wat er aan de hand is. Ik zie alleen een waas van kleuren en een mengeling van donker en licht. Maar ik ben er zeker van dat ik niet alleen ben. Er staat iemand over me heen gebogen.

Hoofdstuk 43

Geen bewaker, denk ik, alsjeblieft geen bewaker, of een soldaat. Alsjeblieft niet.

Onder mijn kleding klinkt de zachte kreet van mijn baby, en ik leg mijn arm om hem heen.

Ik adem zo rustig mogelijk in en uit en probeer mijn ogen verder open te doen zodat ik meer zie, ik probeer te knipperen. Ik moet wakker blijven en opstaan; ik moet wegrennen en vluchten.

Maar dan voel ik handen op mijn buik en op mijn borst. Ze raken mijn gezicht aan. Handen op mijn mond, water op mijn lippen, dat heerlijk smaakt. Vriendelijke handen, die het haar uit mijn gezicht strijken en mijn pijnlijke huid schoonvegen, en mijn hoofd optillen zodat ik nog wat kan drinken.

Ze zit naast me als ik langzaam bijkom: een oude vrouw met een afgetobd gezicht, kort, warrig haar en donkere ogen die niets verraden. Ze houdt me nauwlettend in de gaten, maar ze zegt niets. Als ik om me heen kijk en haar vraag of dit de plek is waar ze me gevonden heeft, halverwege de helling aan de andere kant van de berg, legt ze alleen haar vinger tegen haar lippen om me het zwijgen op te leggen en staat op.

Ik probeer me te herinneren wat er is gebeurd. Ik weet niet eens meer dat ik de top van de berg bereikt heb, maar toch ben ik nu hier, op weg naar beneden.

Ze kan me niet dat hele eind gedragen hebben, bedenk ik terwijl ik naar haar kijk. Dat zou ik me wel herinneren. Dus dan moet ik… zelf zo ver zijn gekomen.

Ze wenkt me met haar hoofd en langzaam sta ik op. Met een hand ondersteun ik mijn baby. Voorzichtig zet ik mijn ene voet voor de andere en loop achter haar aan.

Het komt niet in me op haar niet te vertrouwen. Ze had me daar kunnen achterlaten, me kunnen negeren en vergeten, een bundel vodden verscholen tegen een rots. Dan was ik – waren wij – gestorven, en niemand zou het hebben gemerkt.

Ik volg haar langs een akker, voorbij een groepje bomen en over een bevroren paadje, naar een kleine houten hut waarvan het hek kapot is en het dak een paar pannen mist. Ik voel de warmte al zodra ik de deur aanraak. Ze laat me binnen en wijst een stoel bij het haardvuur aan.

'Dank u wel,' mompel ik, maar ze schudt haar hoofd en legt opnieuw een vinger tegen haar lippen.

Ik voel de tranen achter mijn ogen branden, knipper ze weg. Ik pel mijn lagen kleding weg om de baby te voeden. De vrouw kijkt naar ons en het lijkt wel of ik verdriet op haar gezicht zie, neerslachtigheid zelfs. Ik vraag me af wat haar verhaal is en waarom ze zo goed voor me is.

We brengen de dag zwijgend door, maar in meer comfort dan ik lange tijd meegemaakt heb. Af en toe krijg ik wat te eten en iets warms te drinken, en langzaam maar zeker voel ik mijn krachten terugkomen. Als de zon weer ondergaat, geeft ze me wat warm water om mezelf en het kind te wassen. Terwijl ik daarmee bezig ben, maakt ze een bed voor me op naast het vuur. Die nacht slaap ik als een prinses.

Ik word twee keer wakker om mijn zoon te voeden en beide keren zie ik de donkere ogen van de vrouw glimmen, doordat het laatste licht van de vlammen erin weerkaatst wordt. Maar als ik weer wakker word en de eerste zonnestralen door de ramen naar binnen schijnen, is ze verdwenen. Op de vloer naast me staat een fles water en een kom grauwe rijst. Daarnaast ligt een dikke jas.

Ik trek de dekens om mezelf en de baby heen, sta op en loop op mijn tenen naar het raam. Terwijl ik mijn kleine jongen voed, zie ik het donkere silhouet van de vrouw in de verte verdwijnen. De zonsopgang achter haar kleurt de hemel steeds lichter blauw; tinten oranje reiken omhoog en verdwijnen.

Het landschap straalt nu zo'n rust uit, met de sneeuw die de berg bedekt en alles verstilt, de rijp die de bomen in een betoverende glinstering zet als de winterzon over de takken danst. Het is prachtig. Als je niet wist wat zich daar afspeelde, op die plek aan de andere kant van de bergen, zou je het nooit geloven.

Want de werkelijkheid is vreemder, verontrustender en schokkender dan het ergste wat je kunt bedenken.

Maar hier ben ik. Het is me gelukt de bergen over te komen en ik ben onderweg.

'Dank u wel,' fluister ik. 'Dank u wel.'

De zon staat achter me, dus ik loop de goede kant op. Ik heb een warme jas aan en wat eten in mijn maag. De baby is schoon en ik ook, en mijn haren wapperen in de koele bries. Ik ben hoopvol gestemd.

Kilometerslang loop ik alsmaar verder en verder, en langzaam verdwijnt de sneeuw en verandert het landschap van witte sneeuw naar glimmende vorst en bevroren modder. Het lopen gaat makkelijker en is minder vermoeiend. Ik luister naar de wind die tussen de takken van de bomen fluistert en troostende woorden prevelt. Maar als de uren en kilometers verstrijken, en de vermoeidheid en honger weer terugkomen, klinken die woorden niet zo troostvol meer, eerder dreigend. Misschien een soldaat die verscholen zit tussen de bomen en zijn collega iets toefluistert, me in de gaten houdt, wacht op een kans om mij te kunnen pakken.

Ik heb geen idee hoe ver ik van het kamp ben. Ben ik al als vermist opgegeven? Leeft grootvader nog? Tenzij ik gevangen word genomen, zal ik het antwoord op die vragen nooit te weten komen.

En stel dat de bewakers het huis van de vrouw vinden? Wat als ze haar opzoeken, haar ondervragen, bedreigen? Stel dat ze vertelt dat ze me gevonden heeft? Wat dan?

Dan zullen ze me achterna komen. Dan zitten ze nu vlak achter me.

Maar er is niets wat ik kan doen, behalve doorlopen. Gewoon doorgaan. Gewoon blijven proberen. Dus ik haal een keer diep adem en schud de gedachten en zorgen van me af. Ik weet dat ik moet eten, sterk moet blijven, daarom buig ik me voorover naar de grond en draai een grote steen om, waaronder zich een aantal pissebedden schuilhoudt. Ik pak ze een voor een op voordat ze wakker genoeg zijn om zich te verstoppen en ik eet ze allemaal op.

De grond is hier veel vruchtbaarder. Hij is niet jarenlang door hongerige vingers geplunderd. Daardoor kan ik onderweg steeds iets plukken om te eten en mijn maag te vullen.

Ik pluk en eet de bladeren van groenblijvende struiken terwijl ik erlangs loop. Onder een boom die verder helemaal kaal is, vind ik een halve appel. Hij is geconserveerd door de kou en smaakt heerlijk; het vruchtvlees is zacht, sappig en zoet. Het smelt op mijn tong en glijdt naar binnen. Verrukkelijk.

Ik loop steeds verder en ik luister de hele tijd of ik wat hoor. Ook kijk ik iedere keer over mijn schouder en tuur het landschap om me heen af.

De zon bereikt zijn hoogtepunt en begint langzaam aan zijn weg naar beneden. Ik moet een poosje gaan zitten om mijn zere voeten rust te geven en de baby te voeden. En voordat ik weer verderga, speur ik de grond af op zoek naar nog meer insecten. Ik vind er genoeg en stop er ook zo veel mogelijk in een lege sok.

Ik ben moe. Uitgeput. Ik wil slapen. Mijn voetzolen doen pijn, mijn tenen schuren langs de zijkant van mijn schoenen en ik heb blaren op mijn hielen. Mijn rug doet zeer, mijn hele lichaam is pijnlijk en mijn geest is een verwarde mengelmoes, niet alleen van de afgelopen dagen, maar van alles wat me tot hier heeft gebracht. Alles wat me duidelijk is geworden sinds die ene droom en die ene persoon.

Sook.

Waarom denk ik nog steeds aan hem? Waarom krijg ik een knoop in mijn maag als ik aan hem denk? Ik haat hem toch? Ik zou willen dat ik hem kon vergeten, dat ik de band die ik met hem voel, tenminste begrijp. En als ik weer opsta, de ene voet sjokkend voor de andere zet, en op weg ga – naar ik hoop naar het westen, naar de stad waar moeder woont, vraag ik me af waar mijn oude dorp ligt, of ik het zou kunnen vinden, wat Sook daar aan het doen is, precies op dit moment.

Ik zou er best naartoe willen. Ik zou hem weer willen zien. Dat gezicht. Die grijns. Maar dan zucht ik, lang en diep en denk aan zijn glimlach, als hij me aankeek. De warmte die ik toen voelde.

Voor me strekt het pad zich eindeloos ver uit. De schemering begint en het zal niet lang meer duren voor het nacht is. Dan zal de duisternis komen en me opslokken. Ik ben zo moe. Ik wil het liefst stoppen met lopen, op de grond gaan liggen, me oprollen als een dier en in slaap vallen.

Hoe ben ik zo ver gekomen? Door hoop? Of liefde? Of stom geluk? Hoeveel verder kan ik daarmee nog komen?

Het afnemende licht haalt grappen met me uit: grootvaders gezicht doemt steeds voor me op in het donker, komt dichterbij en verdwijnt dan weer in de verte, alsof hij me wenkt en lonkt om door te gaan. Door naar hem te kijken en door de hoop dat ik misschien, alleen maar misschien, mijn moeder zal vinden, lukt het me om de ene voet voor de andere te zetten, steeds opnieuw.

Aan de horizon verschijnen de vage contouren van een dorp, een eindje naar rechts. Ik besluit daarnaartoe te lopen. Ik steek eerst een akker over en kom dan op een onverhard pad, dat overgaat in een weg met gebroken en gescheurd plaveisel. Er zijn geen auto's, alleen een paar fietsen met mensen die uit hun werk naar huis gaan. Ik voel dat ze naar me kijken. Ik voel me een vreemdeling. Ik voel me weerloos en ik ben bang om op te vallen.

Ik moet stoppen voor de nacht, uitrusten. En morgenochtend moet ik iemand opzoeken aan wie ik de weg kan vragen naar moeders stad. Of ik moet een spoorlijn zien te vinden en die volgen. Ik probeer er niet aan te denken dat ze er niet is, maar waar ik me wel constant zorgen over maak, is dat ik tegen de tijd dat het ochtend is, misschien al ontdekt ben, gevangengenomen ben. Dan word ik teruggebracht naar het kamp en word ik morgenochtend wakker in die hut. Of in de isoleer. Of ik word helemaal niet meer wakker.

Als ik niet illegaal was, zou ik een identiteitsbewijs hebben, denk ik bij mezelf, een vergunning om in een stad te zijn waar ik niet woon, een visum. Maar ik heb niets. Stel dat de baby gaat huilen en ze doorhebben dat ik een vreemdeling ben, een vluchteling?

Ik ben niet vrij. En dat zal ik nooit zijn als ik in dit land blijf.

Het zijn allemaal bewakers, alleen verschillende soorten. Gevangen-bewaarders, politieagenten, overheidspersoneel en alle Min-Jees die anderen in de gaten houden en misdaden aangeven, verdachte acti-viteiten, vreemde mensen en vaak – veel te vaak – verhalen verzin-nen om hun eigen hachje te redden.

Zulke mensen zijn overal om ons heen. Het hele land is één grote gevangenis, waarvan de tralies worden gevormd door de grenzen en waarvan onze Geliefde Leider de gevangenisdirecteur is, almachtig en alwetend, die met strakke hand over ons regeert, ons in zijn macht heeft. Een zelfbenoemde god.

'Nu zie ik het ook, vader,' zeg ik zachtjes voor me uit, 'en je had gelijk.'

Ik ken het tegenargument – niet eens een argument maar een ge-loof, een manier van leven. Dat Hij zo'n goede leider is, dat Hij voor ons zorgt, ons leidt met Zijn wijsheid, Zijn vaardigheden, Zijn kennis.

Ik weet echt niet wat ik moet vinden van mensen – al die men-sen – die in Hem geloven. Is het eerbaar? Is het goed? Ik weet alleen hoe ík er nu over denk, wat ík geloof na wat ík gezien en aan den lijve ondervonden heb: dat ík niet langer in hem geloof.

Ik wil de vrijheid hebben om er anders over te denken, zelf na te denken en mijn gezonde verstand te gebruiken. Kunnen kiezen en dat mijn keuze gerespecteerd wordt. En bovenal wil ik dat voor dit baby'tje, dat zich aan me vastklampt en dat op me vertrouwt.

En dat ik niet kan houden als ik het land niet ontvlucht.

Ik strompel verder door de straten, hopend op een plekje om uit te rusten. Ik mijd de nieuwsgierige blikken van mensen die op weg naar huis zijn, allemaal mensen die een doel en richting hebben. Er zijn geen borden om me te laten weten in welke plaats ik ben of hoe ver het is naar het volgende dorp, of waar de grens is, zelfs geen straatnaambordje.

In de schemering doemt er een flatgebouw voor me op, van een verdieping of drie, grijs en oud, met gebroken ruiten op de begane grond en gordijnen waar heel flauw licht doorheen lekt. Ik kijk snel over mijn schouder en loop ernaartoe. Ik gluur zo goed en zo kwaad als het gaat door het vuile vensterglas de schemerige kamer in: hij lijkt leeg. Aan de ene kant van het gebouw zit een grote deur en ik loop erheen, duw hem open en stap naar binnen.

Een lange gang strekt zich uit in het halfduister, alles beton en grauw. De muren zijn kaal, op twee deuren en de verplichte schilderijen van onze Geliefde Leider en Zijn vader, de Grote Leider, na. Een flard van kleur, van rood.

Hun ogen volgen me vanachter het gepoetste glas, waarop geen stofje of vingerafdruk te vinden is. Ze bekijken me met hun bolle gezicht en zelfvoldane grijns; ze veroordelen me, lachen me heimelijk uit om wat ze me hebben aangedaan. En ze geloven – daar ben ik van overtuigd – dat ze het helemaal, absoluut, volledig bij het rechte eind hebben en dat ik alles wat me overkomen is, aan mezelf te danken heb. Dat ik heropgevoed moet worden en moet leren hoe ik hen weer kan liefhebben, eren en respecteren.

Ik kijk naar hun gezichten. Ik heb veel slechte mensen gezien, maar ook goede.

Ik draai me om en duw de deur ertegenover open, die van de flat op de begane grond waar ik naar binnen heb gekeken. Ik kijk eerst voorzichtig om het hoekje van de deur en schuif dan voetje voor voetje naar binnen. Het laatste daglicht schemert door de vuile ramen. Als mijn ogen aan het donker gewend zijn, zie ik een lege, stoffige kamer. Vlokken stof die door mijn voeten worden weggeschopt, dwarrelen rond in het afnemende licht, en de koude tocht die door het gebroken raam heen komt, laat ze nog sneller door de kamer cirkelen.

Ik loop de andere kamers in, drie in totaal. In een ervan staat een kast waarvan de deur uit zijn scharnieren hangt. In de andere ligt een kledingkast op zijn kant en ten slotte is er een keuken zonder fornuis of koelkast, of zelfs maar een tafel, alleen krassen in de vloer waar ze ooit gestaan hebben. En een paar leidingen, die kreunen en bonken als ik aan de kraan draai.

Ik vind alleen een trui met een gat in de schouder en een losse draad die aan de manchet bundelt, maar ik zeg tegen mezelf dat ik in elk geval beschutting heb gevonden voor de nacht en een trui waarin ik mijn zoon warm kan houden.

Ik schuif de kast voor de deur, ga op de vieze vloer zitten en haal de sok met bladeren en beestjes die ik onderweg verzameld heb, tevoorschijn. Ik heb ook nog wat voedsel van grootvader over. De ansichtkaart haal ik uit mijn zak, en ik leg die voor me neer, terwijl ik mijn zere voeten en benen masseer.

Ik voel een zweempje opwinding, alsof ik jarenlang geslapen heb en eindelijk wakker ben geworden. Voor me, hoop ik, geloof ik, ligt mijn vrijheid. En ergens daarachter ligt de stad van licht.

Hoofdstuk 44

De stilte en duisternis omsluiten me. Ik ontspan me en rust een tijdje, durf me veilig te voelen, onzichtbaar en verborgen. Ik weet dat de deur geblokkeerd is, dat de voetstappen boven mijn hoofd alleen maar de buren zijn, en dat het gekrabbel buiten van dieren komt.

Mijn baby snuift zachtjes en ik maak me zorgen om hem: zo klein en hulpeloos; zijn kleine handje omklemt mijn vinger; zijn kreetjes klinken als een gefluisterde verontschuldiging.

Hij lijkt onmogelijk. Een baby zonder naam. Ik durf hem geen naam te geven, want dat betekent dat ik verwacht dat hij zal over-leven. Ik hóóp dat hij zal overleven, maar elke keer dat ik zijn hartje voel kloppen, elke keer dat ik zijn borstje op en neer zie gaan als hij ademhaalt, ben ik verbaasd. Ben ik verwonderd. Ben ik bang. Ik ben een moeder. Zíjn moeder. Ik ben verantwoordelijk voor hem, voor zijn veiligheid en zijn leven. Maar ik kan mezelf ternauwernood in leven houden.

Zodra hij een geluidje maakt, voed ik hem, in de hoop dat hij voldoende binnenkrijgt om nog een minuut in leven te blijven, of nog een uur. De vragen stapelen zich op in mijn hoofd: waar vind ik eten voor mezelf? Hoe moet ik overleven? Wat zal er met hem ge-beuren als ik doodga? Hoe kan ik de autoriteiten ontlopen? Zal ik mijn moeder echt kunnen vinden? Het land ontvluchten? En dat allemaal met een baby?

Door het raam zie ik dat de nacht valt. In geen enkel huis brandt licht; ook twinkelen er nergens straatlantaarns. De duisternis is zo compleet dat ze de stad, het landschap en de bergen in de verte in een doodskleed omhult. Elk gevoel van vrede of veiligheid laat me in de steek. Ik val in een zwart gat: leeg, dreigend en beangstigend. Mijn ogen houden me voor de gek; ik zie beelden in de schaduwen om me heen: grootvader bij het hek, de bewaker die boven me opdoemt, mijn vriendin uit het kamp, gezichten van gevangenen die ik heb achtergelaten, broodmager en smekend.

Mijn oren laten me geloven dat er mensen de flat binnensluipen, op me afkomen, hun geweer in de aanslag, een bijl geheven, met handboeien en een strop, klaar om te gebruiken.

Ze hebben me expres laten ontsnappen, maak ik mezelf wijs. Het was te makkelijk. Ze hebben me achtervolgd, als een schaduw, verborgen achter de bomen, achter de struiken zodra ik achteromkeek. Ze hebben om me gelachen. En nu sluiten ze me in.

Mijn hart bonkt en mijn lichaam veert bij elk geluid overeind. Ik schuif achteruit totdat ik de muur voel en dan beweeg ik me langzaam naar de hoek van de kamer, waar ik wegkruip. Ik slaap onrustig en schrik wakker bij het minste geluid; dan weet ik even niet waar ik ben, totdat de herinneringen van de afgelopen dagen terugkomen en ik weer weet hoe ik hier terecht ben gekomen.

Slapen is moeilijk, uitrusten onmogelijk. Maar de morgen breekt weer aan zonder dat er vijanden op de stoep stonden en zonder dat de dood is gekomen. De kamer komt om me heen tevoorschijn als het zonlicht door de ramen naar binnen schijnt. De wolken stof dansen opnieuw in de zonnestralen – zonder zich ergens om te bekommeren. Ik loop voorzichtig op blote voeten door de kamer. Mijn voetstappen worden gedempt door het stof en ik laat een spoor van voetafdrukken achter. De baby maakt kirrende geluidjes als ik hem in mijn armen wieg.

Kon ik hier maar blijven, een thuis voor ons maken. Maar hoelang zal het duren voordat de buren zich afvragen wie ik ben? Voordat iemand naar mijn papieren vraagt? Voordat ik weer gearresteerd word? Een dag? Twee of drie misschien?

Het is geen optie. Ik heb geen keus.

Mijn kleren zijn gisteren zo nat geworden dat ze nog steeds vochtig en koud aanvoelen. Daarom trek ik alles uit en weer aan, maar nu draag ik de droge kleren tegen mijn huid en rond de baby, en de natte kleren aan de buitenkant. Ik hoop dat er geen sneeuw meer komt.

Voordat ik naar buiten stap, kijk ik goed naar links en naar rechts.

Ik loop met mijn hoofd naar beneden het dorp in, kijk niemand aan en stap stevig door, hopend dat ik eruitzie als iemand die weet waar hij naartoe gaat.

Ik moet erachter zien te komen waar ik ben, waar de spoorlijn is, welke kant ik op moet, hoe ver de stad van moeder is, hoelang ik erover doe om daar te komen. En ik wil, nee ik móet de politie zien te mijden, de autoriteiten, iedereen die me zou kunnen aangeven of iets zou kunnen vragen. Maar ik heb geen idee waar ik moet beginnen of wat ik moet doen.

Ik loop. Denk na. Maak me zorgen. Ben doodsbenauwd dat mijn kind geluid zal maken omdat hij honger krijgt. Ik weet niet wat ik dan moet doen, waar ik hem moet voeden zonder te worden gezien.

Mijn hoofd slaat op hol, maar mijn voeten lopen verder, het dorp in. Het is veel groter dan ik ooit gezien heb, meer een stad. Ik zie brede, lege wegen, hoge gebouwen, kaal en zonder ramen. Er schettert muziek uit blikkerige luidsprekers, van kinderen die met schelle stem ons land bezingen. Ik zie mensen met uitdrukkingsloze gezichten, af en toe een glimlach.

Er zijn geen restaurantjes of kraampjes met de geur van eten. Er is geen muziek met pompende ritmes en drums. Geen felgekleurde kleren. Geen flitsende neonreclames. Geen auto's met loeiende claxons en brullende motoren.

Plotseling zie ik in de verte de spoorrails liggen. Daar ga ik op af, en ik volg ze. Ze brengen me naar het station. En vanaf het dak van het grijze, betonnen stationsgebouw staren twee bekende gezichten op me neer: een explosie van kleur, blozende wangen en glimmend zwart haar, een rode achtergrond en gele zonnestralen. Een waarschuwing aan mijn adres; een herinnering aan het gevaar.

Ik loop het station in, in de hoop dat ik daar even kan zitten, kan uitrusten zonder op te vallen, in de buurt van mensen die op de trein wachten. Maar er zijn geen bankjes of stoelen, dus ik loop verder naar het perron, waar het drukker is. Daar kan ik me verschuilen tussen de menigte. Ik ga tegen de muur op de grond zitten, met mijn armen om mijn baby heen.

Het is heel lang geleden dat ik andere mensen heb gezien dan gevangenen of bewakers. Ik kijk naar degenen die langslopen: wat zijn ze allemaal mager. Ik zie kinderen, heel veel kinderen, die op de grond van het stationsgebouw liggen of tussen de wachtende mensen door lopen, hun blik op scherp. Ze stuiven op elk geluid af en letten op of er iets op de grond valt, of er iets ritselt in de zakken van de reizigers. Hun gezicht is vuil, hun kleren zijn niet meer dan vodden, hun lichaam een verzameling botten.

Zonder het te willen staar ik naar ze. Ik leun voorover en vang de blik van een van hen. Ik wenk hem met mijn hand. Ik zie de sombere, wezenloze blik in zijn ogen als hij naar me toe loopt.

'Heb je eten?' vraagt hij.

Ik schud mijn hoofd en hij draait zich al om, wil weglopen. 'Wacht… alsjeblieft.'

Hij draait zijn hoofd naar me om, laat met een zucht zijn schouders hangen, buigt zijn benen onder zich en valt in kleermakerszit voor me neer. Ik ben gewoon bang dat zijn botten zullen breken.

'Hoe heet deze plaats?' fluister ik. Hij staart me aan alsof ik heb gevraagd of gras groen is.

Ik steek een hand in mijn zak, in de oude sok, haal er een gedroogde worm uit en breek die doormidden. Ik omklem hem met mijn hand, strek die naar hem uit en laat het ding in zijn hand vallen. Hij aarzelt geen moment; hij stopt de worm in zijn mond en slikt hem door.

'Musong.'

Dat zegt me niets. 'Waar ligt Chongyong?' vraag ik. 'Hoe ver is dat?' Hij staart me weer aan, niet gulzig maar wanhopig, en hij houdt zijn hand op, wachtend.

Ik laat de andere helft van de worm in zijn hand vallen en die verdwijnt net zo snel als het eerste hapje.

Hij haalt zijn schouders op. 'Een paar stations verderop met de trein, denk ik. Vijf uur misschien? De treinen rijden niet zo snel.'

Mijn adem stokt; ik voel een knoop in mijn maag. Ik probeer hem niet aan te staren. Ik voel me opgelucht en opgewonden, nerveus en ongerust tegelijk. Zal het me lukken? Zal het me echt gaan lukken?

Nee, natuurlijk niet, spreek ik mezelf toe, en ik voel me dom. Ik heb geen kaartje. Kan geen kaartje kopen. Heb geen geld. Geen visum. Geen vergunning.

Ik voel dat hij naar me kijkt, wachtend op de volgende vraag en de volgende kans om weer wat eten te verdienen. Maar meer hoef ik niet te weten; het heeft geen zin om te vragen wanneer de volgende trein vertrekt of hoeveel het kost. Ik moet gewoon de rails volgen en hopen dat ik het red om het hele eind te lopen zonder gezien te worden. Vijf uur met een langzame trein, hoe ver zou dat zijn? Hoelang doe ik erover om dat te lopen?

Ik voel mijn kindje in de draagdoek onder mijn kleren kronkelen en ik hoor zijn zachte gejammer. Ik kijk omlaag en knoop mijn kleding open, maar ik zorg dat niemand mijn baby kan zien.

'Wat heb je daar?' fluistert de jongen, en hij buigt zich naar me toe.

Mijn ogen schieten naar hem en dan weer terug naar de baby. Ik trek de draagdoek opzij om mijn zoontje te kunnen voeden. Zijn geluidjes klinken heel zacht. Ik geef de jongen geen antwoord.

'Wat is dat?' vraagt hij opnieuw.

Ik kan hem onmogelijk vertrouwen: hij kan me verraden om een kruimeltje eten of om zichzelf veilig te stellen. Dat zouden we allemaal doen.

'Ga maar bij iemand anders bedelen. Ik heb niets meer,' zeg ik hoofdschuddend.

'Ik bedel niet,' zegt hij. 'En zelfs als ik wél zou bedelen, geven mensen me toch niets, want ze hebben niets.' Hij aarzelt even. 'Behalve jij. Dus je moet wel heel wanhopig zijn. Of gewoon heel dom.'

'Waarom ben je hier dan als je niet bedelt?'

Hij kijkt me verbaasd aan. 'Waar zou ik anders naartoe moeten? We wonen hier allemaal.' Hij gebaart naar de kinderen om ons heen.

Ik staar hem aan en hij staart terug, neemt me op, bekijkt me nauwkeurig. 'Jij komt hier niet vandaan, hè?'

Ik zeg niets.

Hij zucht. 'Ze noemen ons *kodjebi*.'

'Jonge zwaluwen?' vraag ik. Djebi is de naam voor de kleine, snelle vogels die 's zomers mugjes vangen in de lucht.

'Ja, omdat we klein zijn en in zwermen rondtrekken – zwaluwen trekken ook. We hebben geen van allen ouders of familie. We kunnen nergens wonen en we kunnen nergens naartoe. Dus we blijven hier omdat het droog is, en omdat er mensen langskomen die soms iets laten vallen. Soms is dat iets wat je kunt eten. Sommige kinderen gaan gewoon liggen en geven het op. Dan gaan ze dood. De meesten gaan uiteindelijk dood. Er is geen oplossing, begrijp je? We hebben alleen dit.'

Ik volg de verdrietige blik waarmee hij om zich heen kijkt, naar het stationsgebouw, naar het perron met de wachtende mensen, de rondschuifelende kinderen en de kinderen die op de grond liggen of in een hoekje zitten.

'Daar.' Zijn benige vinger wijst naar een hoopje dat op de grond ligt. 'Dat kind daar, zie je dat? Bij die muur? Naast die paal?'

Ik knik.

'Hij is gisteren doodgegaan.'

Ik staar naar het bundeltje vodden en nu ik beter kijk, zie ik een paar tenen uitsteken en de contouren van een hand, lijkt het. Ik huiver. Het lijkt het kamp wel. Maar dan zonder werk. Niemand geeft om deze kinderen. Niemand haalt hun levenloze lichamen weg. Niemand neemt de moeite om te kijken of ze dood zijn of nog leven.

'Waarom is er niemand die jullie te eten geeft? Of jullie helpt?'

'Hoe kan dat nou? Wie zou dat moeten doen?'

Ik kijk naar elk van hun gezichten. Zijn vraag echoot in mijn hoofd. Hoe zou je hun allemaal te eten moeten geven? Ze zijn met zovelen. Je kunt niet de één helpen en de ander niet. En hoe kun je ze blijven helpen? Elke dag?

'Hoelang is dit al zo?'

Hij haalt zijn schouders op. 'Weet ik niet. Zolang ik me kan herinneren. Maar nu is het erger, sinds ik alleen ben.'

Ik knik. 'En hoelang is dat?'

Hij zwijgt even en woelt met zijn vingers door zijn klitterige haar, friemelt met zijn hand aan zijn haveloze kleren; zijn gezicht is vol pijn en zijn blik vol herinneringen.

'Twee jaar denk ik. Drie? Ik weet het niet precies. Toen ik net dertien was.' Hij zucht.

Ik kan mijn ogen niet van hem afhouden. Kan niet geloven dat hij ouder is dan tien. Hij is zo klein, zo mager. Ik kijk weer om me heen naar de andere kinderen, de kodjebi, zoals hij ze noemt. Hoe oud zullen ze zijn? Sommigen lijken kleiner. Een of twee wat groter, maar allemaal zien ze er uitgemergeld uit. De honger is van hun gezichten af te lezen, de honger die hen in deze wandelende geesten heeft veranderd.

Ik denk terug aan het kamp, aan de dag dat we aankwamen en de gezichten die ons aanstaarden – van wandelende skeletten. Drie maanden heeft het geduurd, toen waren we net zo broodmager als zij.

En dan denk ik aan het leven in ons dorp, thuis, jaren geleden, in een ander leven. We hadden nooit veel eten, maar we hadden genoeg om te overleven, net aan. We konden dingen verbouwen, ons eigen eten, niet veel, maar we hadden een stukje grond achter het huis met genoeg ruimte voor een paar rijen aardappels en wat wortels. Genoeg om overdag de knagende honger te stillen en 's nachts te slapen zonder wakker te worden van een rammelende maag.

In deze stad is nauwelijks grond om iets te verbouwen; mensen leven in flatgebouwen of kleine huisjes en ze zijn afhankelijk van het rantsoen dat de overheid hun geeft, een rantsoen dat ze nodig hebben om te overleven en dat afhankelijk is van het werk dat ze doen en hun leeftijd.

'Hoe zit het met je rantsoen?' vraag ik.

Hij kijkt me spottend aan. 'Ik krijg geen rantsoen,' zegt hij. 'Want ik woon nergens. En zelfs degenen die wel een adres hebben, krijgen maar een handjevol rijst per dag.' Hij zwijgt en wrijft met zijn vingers over zijn gezicht, vingers als dorre twijgjes die op breken staan. 'Het is overal hetzelfde,' gaat hij verder. 'Maakt niet uit of je stiekem op de trein springt naar de volgende stad. Er is geen eten. Of je nou hier doodgaat of daar…'

Plotseling zie ik mezelf voor me terwijl ik dood op de grond lig, met mijn baby die huilt totdat hij zijn laatste adem uitblaast. Welk recht heb ik eigenlijk om nóg een hongerige mond op de wereld te zetten? Hoelang zullen we het uithouden?

Nee, zeg ik tegen mezelf, nee, nee, nee. Ik laat dit niet met me gebeuren. Ik laat dit niet met mijn kind gebeuren. Ik ga verder. Ik volg het spoor en ga op zoek naar de stad van moeder. Al doe ik er dagen of weken of maanden over. Ik wil niet een van hen worden.

Ik probeer op te staan. Mijn spieren zijn stijf en onwillig. Ik kijk naar beneden, naar het kleine bundeltje tussen mijn kleren, zijn perfecte gezichtje dat kalmte en vertrouwen uitstraalt.

Als hij eens wist hoe kostbaar, hoe belangrijk, hoe zeldzaam hij is. Hoe kwetsbaar. Dat elke ademtocht lijnrecht ingaat tegen hoe het hier hoort te gaan.

Ik negeer de pijn in mijn lichaam en sta op. 'Ik moet gaan,' zeg ik.

Hij wendt zijn blik af, peinzend, en knikt. 'De trein komt eraan,' zegt hij.

Ik zucht. Dan zal ik moeten wachten tot hij weg is, hem in de verte zien verdwijnen, veel sneller en makkelijker dan ik erachteraan kan lopen. Ik spits mijn oren, volgens mij hoor ik iets, geen sterk geluid. Ik hoor de trein puffend, ploffend en piepend het station binnen rijden, zuchtend, sjokkend en vermoeid.

Ik draai me om en zie hem. Ik heb nog nooit in mijn leven een trein gezien. Hij is niet indrukwekkend of ontzagwekkend, of glimmend en modern zoals ik had verwacht. En er komen geen hordes passagiers naar buiten stromen; er is geen drukte en rumoer; er zijn geen fluitende conducteurs, geen mededelingen via de intercom. Hij komt bijna verontschuldigend aanrijden. Maar tot mijn verbazing zie ik mensen op het dak zitten.

'Je moet opschieten,' mompelt de jongen. 'Je weet nooit hoelang hij blijft staan. Kan een paar uur duren, maar ook een paar minuten.'

'Maar…' Ik kijk van hem naar de trein en weer terug. 'Die mensen… bovenop…'

Hij knikt.

'Ik heb geen visum. Of reisvergunning.'

'Zij ook niet,' zegt hij.

Ik staar hem aan, met een knoop in mijn maag en een brandend gevoel vanbinnen. 'Maar… wat nou als…?'

'Twee stations.'

Ik kijk weer naar de trein. Er klauteren kinderen langs de zijkant omhoog en veel ruimte is al bezet.

'Dank je wel,' fluister ik. En dan begin ik te rennen. Naar de trein, groen en roestig, met gezichten die naar buiten kijken, verduisterd en verwrongen door het glas. Ik houd een arm voor me om mijn kind te beschermen. Als ik bij de trein ben, houd ik halt en kijk langs het metalen gevaarte omhoog. Ik zie de gezichtjes van de kodjebi over de rand kijken. Ze proberen te ontsnappen. Niemand steekt een hand uit om me te helpen, om me omhoog te trekken, en ik kijk om me heen op zoek naar een manier om boven te komen. De motor maakt een briesend geluid en ik raak in paniek. Ik ren naar de ruimte tussen twee wagons en laat me voorzichtig op de rails zakken. Dan hijs ik één voet op het metaal dat ze bij elkaar houdt. Ik klem beide handen om een raamkozijn, leg een voet op de deur-kruk en graai met mijn vingers totdat ik de metalen rand boven aan de trein voel. Ik draai mijn lichaam zo scheef mogelijk om mijn baby niet in de verdrukking te brengen.

Ik voel iets bewegen. Ik gluur naar beneden en zie het grind tussen de rails verdwijnen. Ik kijk opzij. We rijden. Langzaam, maar we rijden.

Met het laatste beetje kracht dat ik nog overheb, trek ik mezelf omhoog. Mijn armen schreeuwen het uit van de pijn. Ik druk mijn tenen tegen de trein om te voorkomen dat mijn lichaam tegen de zijkant slaat, en probeer zo de baby te ontzien. Mijn voeten vinden steun op het raamkozijn en met mijn ellebogen klim ik op het dak van de trein. Ik duw en strek mijn benen net zolang tot ik boven ben. Daar lig ik dan, op mijn rug, en staar naar de blauwe lucht die centimeter voor centimeter voorbijtrekt.

Ik rol op mijn zij en kijk uit over het station, op zoek naar de jongen. Ik zie hem zitten, met zijn rug naar me toe, zijn hoofd een beetje opgetild; hij kijkt naar de mensen die voorbijlopen, wachtend tot ze iets laten vallen. Ik kijk naar al die anderen, die nergens naartoe kunnen en niemand hebben die voor hen zorgt. Hun gezichten zijn jong en onschuldig. Ze kijken op naar de passerende lichamen, hun mond geopend en hun blik vol verlangen.

Als jonge vogels. Als jonge zwaluwen. Kodjebi.

Hoofdstuk 45

De stad glijdt bij me vandaan. De huizen, de straten, de flatgebouwen en de mensen. Ik zit met mijn rug naar de rijrichting; zo bescherm ik mijn kindje tegen de koude wind die door mijn kleren heen blaast en in mijn huid prikt, mijn haar optilt en in mijn gezicht snijdt.

Ik besef dat ik geluk heb gehad. Ik heb geen politie, geen soldaten, geen bewakers of wat dan ook gezien. Zijn ze naar me op zoek? Ja toch zeker? Hoelang is het geleden dat ik ontsnapt ben? Twee dagen? Drie? Ik kijk naar de bergen. Ze worden steeds kleiner en raken steeds verder weg, en ik denk aan de verschrikking die daarachter verscholen ligt. Aan grootvader, die nu vast en zeker dood is.

Ik had dacht dat treinen sneller gingen, dat ik me stevig vast zou moeten houden om er niet vanaf geblazen te worden, maar deze zwoegt en ploetert gestaag verder, en gaat ongeveer zo hard als een fiets. De ene keer gaat hij wat sneller, de andere keer wat trager.

Ik zou willen dat hij over de rails raasde en het landschap als een waas aan me voorbijtrok; dat hij sneller bij het kamp vandaan zou rijden en weg van de voetstappen waarvan ik bang ben dat ze me achtervolgen. En dat ik eerder bij mijn moeder zou zijn.

Ik probeer positief te blijven en zeg tegen mezelf dat alles nu goed komt, dat ik – dat we – haar zullen vinden. Niemand komt ons achterna, maak ik mezelf wijs, want het kan niemand iets schelen. Maar ik geloof het zelf niet en ik speur het landschap af, elk nieuw stukje dat ik te zien krijg; ik bekijk elk huis, elk veld en elke boom. Ik kijk, ik check, ik tuur. Of ik een auto, een tank, een politieagent zie, iemand die mij ziet, weet wie ik ben, waar ik vandaan kom, wat ik onder mijn kleding verstopt heb.

Ik ben bang dat het op mijn voorhoofd geschreven staat: *Ik ben een ontsnapte gevangene. Gezocht. Geef me aan. Neem me mee. Je zult er-*

voor beloond worden. Ze zullen blij met je zijn. Ze zullen mij doden. En de baby.

Achter en voor me strekken de wagons zich uit, donkergroene lichamen met verroeste metalen daken, die mijn handpalmen en de knieën en ellebogen van mijn kleding oranje kleuren. Om mij heen zitten kinderen, of ze liggen of hangen onderuitgezakt; ook volwassenen, maar niet veel. Allemaal met een wezenloze uitdrukking op hun gezicht en een lege blik in hun ogen. Niemand spreekt een woord, niemand maakt oogcontact. Iedereen is in zijn eigen gedachten verzonken.

Ik maak me klein, trek mijn hoofd tussen mijn schouders en duik zo diep mogelijk in mijn kleren om mijn gezicht verbergen. Ik zwaai mijn benen opzij, draai me om en ga met mijn rug naar de anderen zitten. Dan knoop ik mijn kleding van voren los om de baby te voeden. Ik hoop dat hij geen geluid maakt. Ik wil per se voorkomen dat al die starende ogen hem zien. Ik wil hem geheimhouden.

Ik streel zijn wang. Zijn huid is zo zacht. Ik kan nauwelijks geloven dat hij nog steeds leeft, dat hij van mij is. Toch is het zo. Alleen van mij. Hij heeft niets met die bewaker te maken. Ik zie zijn gezicht niet als ik naar dat van deze baby kijk. Ik denk niet meer aan wat er die dag is gebeurd. Ik voel de pijn niet meer of de vernedering. Dit kindje herinnert me niet aan die martelplek; dit kindje is mijn hoop in een onmogelijke situatie. Hij is mijn toekomst.

De kilometers duren eindeloos. We passeren een oude man die naast een kar loopt met een os ervoor. Hij bekijkt ons, maar lijkt niet te begrijpen wat hij ziet; er spreekt geen interesse uit zijn blik. We rijden langs een vrouw op een fiets, even later een vrouw met een groot pak op haar hoofd.

De rails zijn oud en versleten, maar ze brengen ons verder, totdat we uiteindelijk bij een dorp komen. Te dicht bij een dorp. Het verschijnt als een storm aan de horizon, dreigend, onheilspellend en verontrustend. Het lijkt precies op mijn oude dorp: rijen harmonicahuizen met witte muren en daken van golfplaat, kinderen voorovergebogen op bevroren akkers, een geparkeerde bestelbus met een luidspreker die liederen uitstoot, blikachtig en vervormd, over de grootsheid van onze Geliefde Leider. Liederen die ik uit mijn hoofd ken. En zonder dat ik me daarvan bewust ben, mompel ik de woorden mee. Vrouwen lopen te sjouwen met emmers water; mannen zwoegen met spades, harken en schoffels.

En soldaten. Hun groene uniform met rode kraag, hun veel te grote petten met glimmende insignes en hun bruine riem om de taille gekneld. Zwarte schoenen die marcheren. Ogen die kijken, speuren, wachten. Geweren over schouders geslingerd. Vingers te dicht bij de trekker.

Ik duik omlaag, maar ik ben de enige. Terwijl we hen op nog geen tweehonderd meter passeren, ga ik op mijn zij liggen; met mijn ene hand ondersteun ik mijn wang, met de andere mijn kind.

Ik kan ze allemaal zien: de vrouwen, de mannen, de kinderen en de soldaten.

Een paar jaar geleden was ik een van hen, voordat mijn leven uit elkaar viel. Wat was het leven toen eenvoudig. Zou ik alles anders hebben gewild? Zou ik liever hebben dat alles niet was gebeurd?

Even zou ik dat wel willen.

Ik voel dat de baby zich uitrekt, voel dat hij zijn mondje naar me toe draait en ik hoor hem zachtjes murmelen.

Sorry, kleintje, zeg ik in gedachten tegen hem, maar als ik mocht kiezen, zou ik liever mijn familie terug hebben. En ik zou wensen dat ik nooit had verteld wat ik verteld heb, dat ik die droom niet had gehad, die jongen niet ontmoet.

Maar er is geen weg terug. Er valt niets te wensen. En ik kan nooit meer iets veranderen, ongedaan maken, kan niemand weer tot leven wekken. Mijn schuldgevoel maakt me misselijk en mijn boosheid op Sook maakt mijn hoofd aan het bonken.

Dit is niet mijn dorp, zeg ik tegen mezelf. Hij is hier niet.

Mijn ogen vullen zich met tranen en ik begin te huilen. Ik huil om alles wat ik heb verloren; om de mensen om me heen die zich door het leven heen worstelen; om wat me te wachten staat, al weet ik niet wat dat zal zijn; omdat ik bang ben dat de soldaat zich zal omdraaien, de trein tot staan brengt, mij eraf trekt en doodschiet.

Ik kijk naar één soldaat; ik zie het olijfgroen en knalrood en glimmend zwart door mijn waas van tranen, achter hem de bomen met hun kale takken en de lege velden. En ik zie dat hij zich omdraait, naar de trein kijkt, zijn blik langs alle wagons laat gaan, van de voorste tot de achterste en weer terug. Kijkt hij naar ons hier boven op het dak? Zonder visum, zonder vergunning, zonder kaartje.

Ik hoor gemompel om me heen; mensen wijzen en knikken waarschuwend zijn kant op. Sommigen gaan liggen of kijken weg, anderen staren hem recht aan. Ik durf me niet te bewegen, mijn adem is langzaam en oppervlakkig; mijn handen trillen. Ik wacht af.

De muziek klinkt luider en ik hoor de woorden in mijn hoofd:

De glorie van een wijs volk,
opgevoed in een schitterende cultuur.
Laten we ons lichaam en onze geest wijden,
aan het voor altijd aanmoedigen van dit Korea.

Ik voel steken in mijn lichaam; mijn geest is verward en mijn gedachten zijn onsamenhangend, ze tollen en draaien. De trein lijkt te vertragen en ik kan wel schreeuwen dat hij sneller moet gaan, zo snel als hij kan, dat hij door dit veld heen moet racen, bij die soldaat vandaan.

Ik zie dat hij naar zijn geweer grijpt en het naar zijn schouder brengt. Dat hij zijn hoofd naar één kant buigt en met een oog langs de loop tuurt.

'Nee, alsjeblieft,' fluister ik. 'Alsjeblieft. Alsjeblieft. Niet mij. Niet mijn zoon.'

Het geluid snijdt door de lucht. Snerpend en scheurend. Een reeks schoten. Iemand gilt. Ik houd mijn adem in en mijn hele lichaam staat strak van spanning. Ik wacht tot ik word geraakt. Ik zie hoe hij zijn geweer heen en weer zwaait en omhoog richt om de wagons niet te raken.

Hij probeert ons niet te raken, realiseer ik me, hij probeert ons bang te maken. Te laten zien dat hij macht over ons heeft.

Het lawaai houdt net zo abrupt op als het begonnen is. Op de trein beweegt niemand; niemand roept iets, niemand fluistert zelfs. Ik kijk weer naar de bewaker en nu richt hij zijn geweer op een zwerm vogels. Opnieuw klinkt een serie schoten.

Nee, denk ik bij mezelf, hoeveel ik ook van mijn familie houd, dat wil ik niet terug. Niet even, niet voor een dag, niet voor een week of een maand of een jaar. Nooit.

De trein rijdt verder en versnelt zijn tempo. Het dorp verdwijnt in de verte totdat het alleen nog een herinnering is.

Ik ontspan me en vul mijn longen met lucht, fris en schoon. Ik maak mijn riem los en bind mezelf ermee vast aan de stang op het dak. En terwijl de zwakke winterzon mijn gezicht verwarmt en de trein me zachtjes wiegt, leg ik een arm rond mijn baby en doe mijn ogen dicht.

Hoofdstuk 46

De rest van de reis verloopt langzaam en rustig. Ik val af en toe in slaap en dan heb ik levensechte, beangstigende dromen, waarin zowel herinneringen uit het verleden als bedreigingen van mijn toekomst voorbijkomen.

Dan schrik ik wakker, bang, opgelucht, verward of hongerig.

Ik eet mijn laatste restjes voedsel op: insecten, torretjes en bladeren die ik heb verzameld, maar ik houd ze verborgen voor de begerige blikken om me heen. En zelfs als de baby een zwak kreetje slaakt, merken slechts een paar mensen dat. Ze kijken even op, maar niemand is geïnteresseerd. Ze maken zich nergens druk om, behalve hoe ze zelf moeten overleven.

Uren gaan voorbij. Het eerste station komt en gaat, en tergend langzaam kruipen we in de richting van mijn station, van de stad waarin ik mijn moeder hoop te vinden. Ik zie in de verte de huizen, flatgebouwen en een betonnen station opdoemen en steeds groter en intimiderender worden.

Net als de zenuwen in mijn binnenste.

Dit is het, denk ik bij mezelf. Nu is het alles of niets. Ik doe wat je me hebt opgedragen, grootvader, zeg ik in gedachten tegen hem. Maar wat als ik haar niet kan vinden? Wat als ze hier niet is? Wat moet ik dan doen?

En voor het eerst dringt het tot me door dat dat ook tot de mogelijkheden behoort. Wat doe ik dan? In mijn eentje ontsnappen? Een paar kilometer verderop de grens over en naar China? En wat dan? Naar Thailand, heeft grootvader gezegd. En vandaar naar mijn familie in Seoul. Helemaal alleen?

Met stijve ledematen en vingers die zo koud zijn dat ik ze nauwelijks kan bewegen, klim ik langs de zijkant van de trein naar beneden. Ik wacht zo lang mogelijk voordat ik me op de rails laat vallen; ik kijk eerst hoe anderen het doen. Ik durf het risico niet te nemen dat ik nog op de trein zit als hij het station binnenrijdt; nu ik al zo ver ben gekomen, wil ik niet de kans lopen gevangen te worden genomen door soldaten of bewakers of politieagenten. En ik denk voortdurend hoe dwaas dit is. Hoe heb ik ooit kunnen denken of zelfs maar hopen dat ik haar zou vinden, dat ik zou kunnen ontsnappen, of dat alles goed zou komen voor mij en mijn kind? Maar ik kan kiezen: doorgaan, op zoek gaan en het proberen, óf opgeven.

Ik vlucht over de spoorrails en volg de anderen, die als ratten wegvluchten. Ik loop half rennend, half struikelend, terwijl het gevoel in mijn benen langzaam terugkomt, totdat we ver genoeg bij het station vandaan zijn, we uit elkaar gaan en alle kanten op schieten.

Ik voel me verloren. Ik voel me alleen.

Denk na, zeg ik tegen mezelf.

Dit is heel anders dan de vorige stad, waar ik aan de buitenrand kon blijven en alleen de spoorlijn hoefde te zoeken. Deze stad is vele malen groter. En nu moet ik het centrum in en alle straten doorkruisen totdat ik haar vind. En ik mag er niet verdacht uitzien. Ik moet doen alsof ik hier thuishoor en een doel heb, terwijl ik in werkelijkheid geen idee heb waar ik naartoe moet. Waar ik ook kijk, zie ik onbekende wegen en gebouwen, huizen vol vreemden. Het voelt hopeloos en absurd.

De ene weg gaat over in de andere, breed en glad, en overal waar ik loop, word ik geflankeerd door grijs beton, met hier een daar een rode flard die vanaf een poster op me neerkijkt, of een glimmend beeld dat zich zo hoog in de lucht verheft dat ik pijn in mijn nek krijg als ik zijn gezicht wil zien, en mijn ogen tegen het zonlicht moet beschermen dat van zijn hoofd reflecteert.

Ik zwerf. Ik dwaal. Kijk naar elk gezicht, op zoek naar die ogen die ik voor het laatst heb gezien toen ze vol angst stonden. Niet voor haarzelf, maar voor mij. Die me smeekten te vluchten, weg te rennen, me te verstoppen en me niet te laten vinden. Hier ben ik dan, na al die tijd. Weet ze dat ik gevangen ben genomen? Weet ze dat vader geëxecuteerd is? Weet ze dat we naar het gevangenkamp zijn gestuurd?

Misschien heeft ze zich al die jaren afgevraagd wat er met me gebeurd is, waar ik was en waarom ik haar niet heb opgezocht, en heeft ze al die tijd gewacht totdat ik bij haar aan zou kloppen.

Ik bevind me aan de rand van een markt en ik probeer me onder de andere mensen te mengen. Ik zie boodschappentassen in handen; vaalgroene of verbleekt zwarte jassen; broeken in doffe kleuren; sombere gezichten, nauwelijks zichtbaar onder petten en mutsen.

Iedereen heeft een rode vlek op zijn borst, op zijn hart: een badge met het portret van onze Geliefde Leider. Zijn gezicht is rond, zijn glimlach breed, omdat hij zo blij is met zijn leiderschap. Ik heb nog nooit een grotere glimlach en een gelukkiger gezicht gezien.

Ik loop langs de rijen met stalletjes en onder mijn voeten knarsen de bevroren plasjes modder. De kraampjes worden allemaal bemand door vrouwen van middelbare leeftijd, die op een omgekeerde emmer zitten en hun waren hebben uitgestald in metalen schalen of op een plastic kleed dat voor hen ligt.

Kinderen van onbestemde leeftijd slenteren langs, terwijl ze met hun ogen de grond afspeuren. Eén van hen stopt en buigt zich naar voren; zijn hoofd is zo groot dat ik bang ben dat hij voorover valt. Met zijn spichtige en vieze vingers peutert hij iets uit de ijskoude modder vlakbij een van de kraampjes. Hij ziet iets wat voor mij te klein is om te kunnen zien: een korrel rijst misschien, of maïs. Het ding is nog steeds bedekt met modder als hij het in zijn mond stopt.

Daar schrik ik niet van, ik heb zelf net zulke dingen gegeten. Maar het verbaast me wel om dat hier te zien, buiten de muren van de gevangenis, waar je een paar jaar terug nog eten kreeg in ruil voor werk, waar markten niet nodig of toegestaan waren. Ik kijk om me heen naar de holle gezichten, de magere beentjes van de kinderen en het verdriet op de gezichten van de moeders. Honger is hier nu blijkbaar net zo gewoon als in het kamp.

Ik stap in een plas dunne modder, die opspat over paar aardappels, en begeef me naar een rij gammele tafels. Er ligt eten; een beetje, niet veel. Ik kijk naar de zakken rijst en graan, een paar bossen wortels, een paar lente-uitjes, en dan lees ik wat er op de stukken karton ernaast staat. De prijzen kijken me dreigend aan: zestig won voor tweehonderd gram rijst. Een maandsalaris! Tien won voor een appel, vijf voor een ei. Hoe kunnen mensen dat betalen? Hoe kunnen ze hun gezinnen en kinderen te eten geven?

Ik kijk naar de gezichten en lichamen om me heen. Dat kunnen ze niet, besef ik.

Ik gluur naar een zak rijst die geopend op de grond staat. Er ligt een kopje in om de hoeveelheid af te meten. Op de zijkant van de zak is een vlag geprint. Ik ken die vlag, die wit met rode strepen. Die sterren op een blauwe ondergrond. De vlag van onze onderdrukkers, onze vijand, althans dat is me verteld. Op zakken rijst die op onze markt staan! *Food Aid*, staat er met rode letters onder. Voedselhulp, maar die wordt verkocht. Dit is geen voedsel om te verkopen, dit is bedoeld om aan de mensen uit te delen. Gratis.

Ik kan het niet geloven en wil er niet over nadenken. Als niemand kijkt, strek ik mijn hand uit en pak een wortel. Ik stop hem mijn zak. En bij een ander kraampje, dat rijst verkoopt, pak ik twee lenteuitjes. En bij de volgende kraam graai ik een kleine aardappel weg en verberg die in mijn mouw.

Ik heb al veel rollen vervuld sinds ik in dit land ben opgegroeid: die van informant, moordenaar, grafdelver, slaaf, een moeder in moeilijke omstandigheden en een vluchteling voor het regime. En nu ben ik ook nog een dief.

Ik kuier langzaam de markt weer af, naar een van de bredere wegen, zonder me druk te maken over wat ik heb gedaan, alleen maar blij omdat ik iets te eten heb en hopelijk in staat zal zijn mijn baby te voeden.

Bij de hoofdweg houd ik halt. Ik zie een knap meisje midden op het kruispunt staan. Ze draagt een uniform met een blauwe rok en een witte blouse; haar rode sjaal wappert in haar nek. Ze strekt haar armen hoog in de lucht en dirigeert met zwart-witte stokken het verkeer. Ze wijst de ene kant op, en dan weer de andere.

Een vreemde aanblik. Het is fascinerend om te zien hoe ze met haar hielen klikt, negentig graden de ene kant op draait en dan weer negentig graden de andere, een rondje draait, alsof ze een dansje maakt, een figuur die ze met nauwkeurige precisie uitvoert. Maar wanneer ik de straten inkijk die op de kruising uitkomen, realiseer ik me dat er helemaal geen verkeer is. Geen bussen, geen auto's, zelfs geen karren. Niets.

Ik wil net verder lopen, als ik in de verte een rommelend geluid hoor, een laag en onduidelijk gegrom dat steeds dichterbij komt en aanzwelt. Een motor. Opeens ben ik weer terug in mijn dorp, twee jaar geleden, en staar ik door het raam naar de wolken stof die worden opgeworpen door een auto die op weg is naar mij, mijn ouders en grootouders. Ik voel alle verschrikking en angst over me heen spoelen die ik toen en daarna heb ervaren. Dat geluid, dat gebrom, brengt alle herinneringen terug.

Ik begin over mijn hele lichaam te beven. Mijn handen trillen. Mijn mond is droog. Mijn voeten, mijn benen staan als aan de grond genageld.

Het geluid van de motor wordt dieper en grauwer, vol dreiging en macht. Ik draai me voorzichtig in de richting van het geluid: een auto komt over de lege weg mijn kant op rijden, glad en glimmend. Ik heb nog nooit zo'n auto gezien, nog nooit het geruis van banden op asfalt gehoord, of iets gezien dat zich zo snel voortbeweegt.

Nu is het afgelopen. Ze hebben me laten ontsnappen. Ze wisten waar ik naartoe zou gaan: naar mijn moeder. Natuurlijk wisten ze dat. Ze hebben gewoon gewacht tot ik hier aankwam.

Hij komt dichterbij. Het geluid zwelt verder aan. Ik sta doodstil en ben doodsbang.

Nu is het afgelopen. Dit is het einde.

Ik ruik de uitlaatgassen, voel ze achter in mijn keel. Ik dwing mijn benen te gaan lopen, de ene voet voor de andere, voor de andere. Alles om me heen vervaagt. De straat en de gebouwen en...

Nu is het afgelopen. Ze gaan me vermoorden.

De mensen en...

Ik ga dood.

Het lawaai is oorverdovend. De wolken gas verstikken me. De auto mindert snelheid en komt naast me rijden.

Hoofdstuk 47

Ik draai mijn hoofd bij de auto vandaan en laat mijn haar voor mijn gezicht vallen. Laat mijn haar voor mijn baby vallen.

Ik loop verder, zet de ene voet voor de andere en verwacht elk moment dat iemand uitstapt, me beetpakt, me slaat, me neerschiet of in de auto trekt en me meeneemt. Ik sta mezelf niet toe naar de auto te kijken of me om te draaien. Ze mogen mijn gezicht niet zien; ze mogen niet weten dat ik het ben.

Er verschijnt een zijstraatje aan mijn rechterkant en ik houd mijn pas in. Ik laat degene die achter me loopt passeren en mijn voeten slaan rechtsaf, terwijl de auto rechtdoor rijdt, achter de andere voetganger aan.

Misschien is het toeval. Misschien zijn ze niet naar mij op zoek. Misschien beteken ik niets voor hen.

Ik adem uit en voel dat mijn lichaam zich een beetje ontspant, dat mijn schouders wat lager zakken. Ik durf mijn hoofd weer op te heffen en voor me uit te kijken. In de verte komt een man aanlopen, zijn ogen zijn leeg en hol, mat en vermoeid. Een seconde lang kijkt hij naar me, maar hij ziet me niet, kijkt dwars door me heen. Maar in die ene seconde zie ik wie hij is.

Mijn adem stokt. Mijn maag draait zich om en mijn hoofd begint te tollen. Ik ga langzamer lopen en zie hem de straat oversteken. Ik kan mijn ogen niet van hem afhouden en ik staar naar zijn gezicht, zijn ogen, zijn haar, terwijl hij daar loopt.

Hij is het helemaal. Maar hoe kan dat?

Ik steek de straat ook over, terwijl ik ondertussen mijn blik op hem gevestigd houd. Hij is langer en dunner, maar hij is het nog steeds, onmiskenbaar.

Ik volg hem, loop steeds dichter achter hem. We worden gescheiden door een huizenblok. Een paar meter. Een paar stappen. Ik kan haast niet geloven dat hij het echt is. Ik hoor hem ademhalen. Ik zie zijn handen en vingers, zijn zwarte haar dat de kraag van zijn jas raakt. Ik zie de lijn van zijn kaak.

Hij.

De jongen van wie ik heb gehouden, die nu een man is.

Sook.

Hoofdstuk 48

Sook loopt voor me op straat. Ik kan het gewoon niet geloven. Ik denk terug aan de opwinding die ik altijd voelde als we een afspraakje hadden en ik naar hem toe ging, aan zijn contouren in het donker. Ik denk aan hoe hij altijd naar me lachte, aan de laatste nacht dat we samen waren, toen mijn hand in de zijne lag. Aan de warmte die hij uitstraalde. Aan hoe gelukkig ik me toen voelde.

Ik hield van hem.

Maar ik moet ook weer denken aan dat afschuwelijke gevoel dat door mijn lichaam stroomde toen ik de auto aan zag komen rijden, aan de paniek op de gezichten van mijn ouders en grootouders, aan de schoten waarmee mijn vader werd geëxecuteerd, hoe ze weerkaatst werden door het landschap. Aan mijn grootmoeders lichaam dat we op de berg begroeven. Aan het verdriet in mijn grootvaders ogen toen ik afscheid van hem nam.

De tranen stromen over mijn gezicht en het kost me moeite adem te halen, want ik voel de woede en haat vanbinnen groeien. Ik kan het niet uitstaan dat hij nog steeds rondloopt, ademhaalt, leeft.

Ik haat hem. Met elke vezel in mijn lichaam, met elke cel en elke zenuw en alles wat ik in me heb, haat ik hem. Om zijn verraad, zijn bedrog, zijn leugens, dat hij me voor de gek heeft gehouden, dat hij mijn familie zo veel pijn heeft gedaan. Nu is het tijd om hém pijn te doen.

Dus ik loop hem achterna. Door straten, over wegen, in steegjes. Hij loopt en ik volg. Op veilige afstand, zodat ik niet gezien word. Mijn woede drijft me verder, steeds verder, totdat ik zover ben dat ik hem wil vermoorden, de rekening wil vereffenen. Ik wil dat hij weet wat pijn is en hoe het voelt om het slachtoffer te zijn. Dan staan we quitte en kan ik dit land verlaten. Dan is mijn pijn enigszins verlicht, mijn schuld enigszins voldaan. Ik kan het. Ik weet dat ik het kan. Ik heb een goede reden. En het mes uit het kamp zit nog steeds onder mijn kleren. Ik loop achter hem aan naar een flatgebouw, waar hij zijn pas vertraagt, maar de voordeur voorbijloopt en de hoek om glipt.

Ik neem een lange, diepe hap lucht, sla mijn armen om mijn kindje heen, stap naar voren en gluur om het hoekje. Daar zie ik hem de deur van een schuurtje opendoen en naar binnen gaan.

Ik weet niet hoelang ik hier al sta te wachten tot ik een besluit genomen heb of tot de deur weer opengaat. Heb ik me vergist? Was het iemand anders? Nee, het was Sook. Ik zou willen dat ik me vergist had, maar ik weet dat dat niet zo is.

Toen ik het kamp verliet, naar deze stad reisde en niet naar mijn dorp, heb ik besloten om mijn verleden met Sook en alles wat er gebeurd is, achter me te laten. Maar... er is altijd een maar.

Dat is hij.

Alles, alle pijn, alle verdriet, de dood en het verlies van mijn familieleden kunnen worden teruggevoerd naar die ene nacht: mijn naïviteit en zijn verraad. Ik voel de woede binnen in me branden, in mijn aderen kloppen en zich van mijn lichaam meester maken. Ben ik het niet aan mijn familie verplicht om de dingen recht te zetten?

Ik strijk met mijn hand over de vormen van mijn baby en vandaar naar het mes dat ik onder mijn jas voel. Ik heb zolang met dit idee in mijn hoofd gelopen. Het heeft daar kunnen gisten, etteren. Vaak genoeg ben ik van gedachten veranderd, dan wilde ik alles vergeten en aan belangrijkere zaken denken. Maar het stak altijd weer de kop op. Steeds opnieuw. En nu is het zover. Ik kan mijn plan uitvoeren en daarna naar de rivier op zoek gaan, die oversteken en het land uit zijn voordat iemand zijn lichaam vindt.

Maar dan kan ik niet blijven om naar mijn moeder te zoeken. *Ach, het is toch maar de vraag of ik haar zal vinden.* Mijn gedachten draaien in kringetjes rond, steeds sneller, en ik kan niet meer redelijk denken en verzin alleen maar antwoorden die ik graag wil horen.

Denk aan de toekomst, maar zet eerst het verleden recht.

Ik zet een stap naar voren. Mijn hart klopt in mijn keel. Mijn baby maakt kleine geluidjes. Ik ben nu zo dichtbij; als ik mijn hand uitstrek, kan ik het hout van de schuur aanraken. Er steken splinters als naalden naar buiten, alsof ze me willen waarschuwen.

Ik gluur door de naden in het hout en zie hem staan. Er sijpelt wat daglicht naar binnen en het beschijnt zijn gezicht. Hij is het. Ik weet het zeker. Ik loop verder naar de deur. Daar blijf ik even staan en haal het mes tevoorschijn. Ik voel een golf van misselijkheid opkomen. Mijn handen trillen. Mijn hoofd bonkt van razernij. Door de naden zie ik hem door het schuurtje bewegen.

Ik wacht. En als hij met zijn rug naar me toe staat, doe ik langzaam de deur open en stap naar binnen.

Er valt de streep licht door de deur naar binnen en hij draait zich abrupt om. Heel even zie ik zijn gezicht in het licht: de verbazing, de schrik en verwarring. Dan valt de deur achter me dicht en zijn we overgeleverd aan de schemering.

Hij is niet de Sook van wie ik gehouden heb; hij is de Sook die mij en mijn familie verraden heeft, en daarvoor zal hij boeten. Ik storm op hem af en duw hem tegen de muur. Er valt precies een streep daglicht op zijn gezicht. Het mijne is verborgen in donkere schaduwen.

'W-w... wie ben je?' stamelt hij. 'Wat moet je van me?'

Mijn borst zwelt op. Voor het eerst in mijn leven voel ik me sterk en machtig. Ik hef mijn rechterhand met het mes en breng het langzaam, terwijl het weinige licht erop gereflecteerd wordt, naar zijn keel. Ik zie angst en afschuw op zijn gezicht verschijnen en vanbinnen moet ik lachen.

'Wie denk je dat ik ben? Wie wil jou dood hebben?'

'Ik weet... ik weet het niet. Alsjeblieft... doe het niet.'

'Ik had kunnen smeken of ze mijn vader niet dood wilden maken. Ik had op mijn knieën kunnen vallen en ze kunnen vragen mijn grootouders vrij te laten uit het kamp. Ik had om eten kunnen smeken, de bewaker kunnen smeken of hij me met rust wilde laten. Maar het zou allemaal niets geholpen hebben. En het helpt ook niet als jij nu ergens om smeekt. Je had ze net zo goed zelf kunnen doden.' Ik raak met het lemmet zijn keel aan.

Hij schudt zijn hoofd. 'Nee,' zegt hij met iele stem.

'Ik vertrouwde je.' Ik wil sterk zijn en het mes in zijn keel zetten, in zijn buik steken, en dan zijn pijn zien, maar mijn handen trillen en mijn stem breekt. Mijn ogen vullen zich met tranen, waardoor mijn blik wazig wordt. Ik zucht diep, probeer mezelf tot bedaren te brengen.

'Ik hield van je,' fluister ik.

'Yoora?' Zijn stem klinkt schor.

Ik kijk hem aan, kijk in het halfduister in zijn ogen, en het is net alsof ik weer daar ben, in mijn dorp, door de velden loop en over lege wegen, onder een boom zit met het maanlicht dat door de bladeren op zijn gezicht schijnt. Ik zie die ogen weer waarmee hij mij aankeek, waaruit op zijn minst vriendschap sprak en misschien wel – dat hoopte ik – liefde.

Wat was ik dwaas.

Ik verstevig mijn greep om het mes, adem in, voel de woede en frustratie vanbinnen toenemen en ik kijk weer in die ogen die me verraden hebben en mijn familie de dood in hebben gejaagd. Maar dan aarzel ik. En ik hoor achter me iets bewegen; er kreunt iemand.

Ik buig me voorover naar Sook en breng mijn gezicht naar de bundel licht, zodat hij me kan zien, kan zien wat er van me geworden is.

Ik knik langzaam en weloverwogen.

'Yoora,' zegt hij. 'Ik heb niet... Ik heb niet... Echt, dat zou ik nooit doen. Niet bij jou, dat zweer ik.'

'Ik heb je gezicht gezien toen mijn vader werd geëxecuteerd. Die grijns. Je keek heel blij, je was heel tevreden met jezelf. En je moeder ook.'

'Nee. Zo was het niet. Ik heb niet gelachen. Ik deed... Ik moest moeite doen om niet te gaan huilen.'

Waar wacht ik nog op? Waarom sta ik zijn smoesjes aan te horen? Waarom doe ik het niet, dat mes in zijn keel steken? Zijn gezicht vertrekt en ik zie tranen over zijn wangen naar beneden rollen.

Luister niet naar hem, zeg ik tegen mezelf. Heb geen medelijden met hem.

'Alsjeblieft, Yoora, laat het me alsjeblieft uitleggen...'

'Nee!' schreeuw ik.

Achter me hoor ik opnieuw geritsel. Van dekens misschien. Iemand schraapt zijn keel, iemand die zwak is en wie het veel moeite kost. Het klinkt als mijn grootmoeders laatste woorden.

'Yoora?' zegt een krakende stem.

Het is alsof ik een klap in mijn gezicht krijg, een plens koud water over me heen, alsof ik uit een diepe slaap word wakker geschud.

Ik laat mijn mes zakken. Draai mijn hoofd onwillekeurig naar het geluid dat verborgen is in de duisternis. Een vorm op de vloer, die zich beweegt, die een arm uitstrekt.

Nee, denk ik.

'Yoora?' klinkt de stem opnieuw. Ik laat het mes vallen.

Hoe kan dit?

Ik voel dat Sook mijn andere hand pakt en zichzelf uit mijn greep verlost.

Dit kan niet waar zijn.

Ik loop bij hem vandaan, naar de andere kant van de ruimte. De houten vloer kraakt en kreunt onder mijn voetstappen. Mijn hoofd tolt en bonkt van ongeloof en verwarring. En hoop.

Ik zie een matras op de vloer en daarbovenop een hoopje lompen. Terwijl ik ernaar kijk, komt het hoopje tot leven. Twee ogen gaan open. Ogen die ik heel goed ken. Ze kijken me aan.

De ogen van mijn moeder.

Hoofdstuk 49

Ik sla mijn handen voor mijn mond en begin zachtjes te huilen. Het is allemaal te veel; te veel om te horen, te zien of te geloven. Het kan niet waar zijn. Onmogelijk. Ik ben dood en ben in de hemel of de hel terechtgekomen. Ik droom en straks word ik wakker in het kamp. Of erger nog: op de ochtend dat alles begon, zonder dat ik iets aan de loop van de dingen kan veranderen.

Het is absurd. Het is een list. Ze willen weten hoe ik reageer. Daarna pakken ze me op. Maken me dood. Mijn geest is wreed en mijn verbeelding roept beelden op die onmogelijk echt kunnen zijn.

Achter me hoor ik dat Sook een lucifer aansteekt en daarna brengt hij een kaars op een oud tinnen bord naar me toe. Het licht flikkert en danst in het donker over mijn moeders gezicht, dat mager en hol is. Haar huid staat strak over haar jukbeenderen gespannen en in haar hals lopen blauwe aderen als opgezwollen rivieren. Haar ogen liggen diep verzonken. Haar haren klitten en plakken aan elkaar.

Het kost haar moeite in te ademen en elke uitademing lijkt haar op te luchten. Mijn moeder, die ik meer dan twee jaar niet gezien heb, die het volste recht heeft me overal de schuld van te geven. Wat zal ze tegen me zeggen? Wat kan ik tegen haar zeggen behalve 'sorry'?

Haar gezicht staat vol verdriet en ze maakt een erg zwakke indruk. Ik sta nog steeds met mijn hand voor mijn mond terwijl de tranen over mijn gezicht stromen en mijn lichaam schokt bij elke snik die ik probeer te onderdrukken.

Ik vergeet de jongen achter me en de wereld om me heen.

Alles staat stil. Ik hoor alleen haar raspende ademhaling, mijn nerveuze, schuddende uithalen en de snuivende geluidjes van mijn kind. Ik kijk haar aan: haar ogen kijken onderzoekend in de mijne en de uitdrukking op haar gezicht verandert, wordt zachter. Ze glimlacht en ik buig me voorover, waardoor mijn haar over haar heen valt, en geef haar een kus op de wang.

Ze doet haar lippen van elkaar en ik ben bang dat ze zullen scheuren of breken. 'Yoora?' fluistert ze. Haast onmerkbaar schudt ze haar hoofd. 'Nee, dat kan niet. Jij kunt het niet zijn.'

Ik pak haar hand, die veel dunner en magerder is dan ik me herinner, en ik knik haar toe. 'Ik ben het,' zeg ik lachend.

Misschien is het mijn lach, want nu lijkt ze me te herkennen en ik realiseer me dat ik er voor haar net zo anders uit moet zien als zij voor mij. Ik leg haar hand voorzichtig terug op het bed en knoop langzaam mijn kleding los. Ik haal de baby uit de draagdoek, nog steeds gewikkeld in alle kleren die als dekens dienen, en draai hem zo dat ze hem kan zien.

'Je kleinzoon,' fluister ik.

Zo ver heb ik nooit vooruitgedacht; dit heb ik nooit durven dromen. Ik hóópte dat ik haar weer zou zien, maar ik heb er nooit echt in geloofd. Ik heb er niet over nagedacht hoe ik het haar zou vertellen van de baby, of wat ze zou denken.

'Wat is hij klein.' Ze legt haar bevende hand op zijn lijfje. 'Maar…' Ze kijkt naar me op met de ogen die me zestien jaar lang berispt hebben, voor me gezorgd hebben, me bestraffend of liefdevol hebben aangekeken. Ben ik nog steeds háár kind?

Ik wend mijn blik af. 'Er was een bewaker.' Ik krijg de woorden haast niet over mijn lippen. 'In het kamp. Hij… hij… Ik kon niet…'

Ze pakt mijn hand alsof ik weer tien jaar jonger ben en ze me moet troosten na een nare droom. Meer hoef ik niet te zeggen.

'Hij is prachtig,' fluistert ze.

En ik weet dat het niet erg is. Ik zie haar blik over zijn gezicht gegaan; ze streelt zijn handjes, die klein en teer zijn, en ik zie een glimlach over haar gezicht trekken. Ze kijkt me weer aan, stralend nu. 'Hij lijkt op jou, toen jij een baby was.'

We zitten zwijgend bij elkaar. De seconden worden minuten en de minuten lijken uren te duren. Er is zo veel te vertellen, te vragen, uit te leggen, maar niets doet er nog toe in deze ruimte, dit moment, behalve dat we samen zijn. Maar als de stilte, die gedurende deze ogenblikken zo compleet is, plaats begint te maken voor aarzeling en twijfel, is het mijn schuldgevoel dat ervoor zorgt dat ik als eerste spreek.

'Het spijt me,' zeg ik. 'Van alles.'

Ze schudt haar hoofd. 'Het was jouw schuld niet. Niets wat er gebeurd is.'

'Toch wel. Ik heb aan Sook verteld wat vader had gezegd over weggaan...' Plotseling denk ik aan het mes, aan wat ik van plan was.

Ze schudt zo goed en zo kwaad als het gaat haar hoofd. 'Nee, je...'

'Hij moet het aan zijn moeder hebben doorverteld,' val ik haar in de rede. 'Grootmoeder had nog zo gezegd dat ik niet met hem moest omgaan, dat er niets goeds van zou komen, maar ik heb haar waarschuwing in de wind geslagen. Ik ben zo dom en dwaas geweest, en dat spijt me vreselijk. Alles: van vader en...'

'Yoora, heb je dat al die tijd gedacht?' Haar stem is nu heel zacht, geforceerd en moeizaam, en ze ziet er zo moe en broos uit, haar blik mat, haar ademhaling schrapend, haar huid als oud papier dat verkruimelt zodra je het aanraakt. 'Het was zijn moeder, Min-Jee. Zij heeft jullie die nacht samen gezien, maar ze heeft niet gehoord wat jullie bespraken en hij heeft het haar ook niet verteld.'

'Dat weet je niet,' zeg ik.

Ze zucht. 'Dat weet ik wel.' Ze zwijgt even en sluit haar ogen, zwaar en vermoeid. 'Min-Jee wist dat jullie met elkaar afspraken, dat wist ze al heel lang, en ze wilde er koste wat kost een eind aan maken. Die nacht dat ze jullie samen zag, was waarschijnlijk de druppel die de emmer deed overlopen. De beste manier om het te stoppen, was om ons allemaal uit de weg te ruimen. Zij heeft ons op goed geluk aangegeven, hopend dat ze wel iets zouden vinden om ons van te beschuldigen.' Moeder doet haar ogen weer open en kijkt me aan. 'En dat is hun gelukt.'

'Maar...' Het enige wat ik kan bedenken, is dat ze het niet snapt, dat het nog steeds door mij is gekomen. Ik had de eerste keer niet met hem moeten praten; ik had daarna niet met hem moeten afspreken; ik had naar mijn grootmoeder moeten luisteren; ik had mijn mond moeten houden en hem niets moeten vertellen over mijn droom of wat vader met mij had besproken.

'Je kunt jezelf de schuld geven of Sook, vanwege jullie vriendschap, of mij en je vader en je grootouders, omdat we brieven naar het buitenland stuurden of omdat we een beter leven voor ons allemaal wilden. Je kunt Min-Jee de schuld geven omdat ze ons heeft aangegeven, omdat ze zich zorgen maakte om haar zoon. Je kunt iedereen de schuld geven. Iedereen heeft zijn aandeel gehad.' Ze haalt haar schouders nauwelijks waarneembaar op. 'Of niemand. Het is gewoon gebeurd. Voorbij. Laat het gaan.'

Het kaarslicht beschijnt haar huid en ze doet haar ogen weer dicht. 'Hij heeft goed voor me gezorgd,' zegt ze.

Ik draai me om en kijk naar Sook. Hij staat achter me, onopvallend, zijn handen gevouwen, alsof hij onze hereniging niet wil verstoren. Kan het waar zijn? Kan het zijn dat hij geen monster is?

Ik draai me weer terug naar mijn moeder. Ik zie haar ademhaling regelmatiger en dieper worden. 'Grootvader heeft me helpen ontsnappen,' fluister ik, en volgens mij zie ik haar mondhoeken een stukje omhooggaan. 'We hebben grootmoeder begraven nadat ze is gestorven,' zeg ik zachtjes en haar hoofd knikt heel licht.

Ik ga op de vloer naast haar liggen met het kind tussen ons in. Ze opent haar ogen en ik haal de ansichtkaart uit mijn zak om hem aan moeder te laten zien.

'Heb je die nog steeds? Na al die tijd?' Ze glimlacht. 'Je kunt het, Yoora, je kunt daar komen.' Haar glimlach verflauwt weer. 'Ik heb de brieven niet meer. Het spijt me. Die hebben ze van me afgepakt.'

'Dat geeft niet,' antwoord ik. Hoe zou ik nou teleurgesteld kunnen zijn of haar iets kwalijk kunnen nemen?

Achter me schraapt Sook zachtjes zijn keel. 'Je kunt beter blijven,' zegt hij.

Ik staar hem aan en denk terug aan wat ik hem wilde aandoen, hoe ik over hem dacht, en ik schaam me. Ik knik. Er is zo veel wat ik zou willen zeggen, zou willen vragen. Maar ik voel dat mijn moeder niet veel tijd meer heeft en dat lijkt hij ook te willen zeggen.

'Kijk eens.' Hij loopt naar me toe en geeft me een deken.

'Dank je wel.' Ik drapeer de deken over mezelf en moeder, strek mijn arm uit en leg mijn hand op die van haar. Ik sluit mijn ogen en stel me voor dat ik weer thuis ben, dat naast mijn moeder mijn vader ligt, en dat in de kamer hiernaast mijn grootouders rustig liggen te slapen.

En ik dommel langzaam weg in een gelukzalige slaap.

Hoofdstuk 50

Bij het eerste ochtendgloren sterft ze.

Is het geluk geweest dat ik haar net op tijd gevonden heb? Sook zegt van niet. Hij zegt dat het was alsof ze zich aan het leven vastklampte omdat ze ergens op wachtte, en dat ze het nu in alle vrede heeft kunnen loslaten.

Er is nog zo veel dat ik haar had willen vragen, had willen vertellen, met haar had willen delen. Sook houdt mijn hand vast, veegt mijn tranen af, slaat een arm om me heen in de stilte die ons omgeeft. Hij wiegt de baby in zijn armen, streelt zijn hoofdje en lacht naar hem, en ik zou willen dat hij de vader was.

De dag verstrijkt in een vreemde, maar niet ongemakkelijke stilte. We koken de restjes eten die we nog hebben en de groenten die ik op de markt heb gestolen, en maken er soep van, die we eten alsof het onze allerlaatste maaltijd is.

Het is halverwege de middag voordat hij eindelijk een zin van meer dan twee woorden tegen me spreekt. 'Hoe heet hij?' vraagt hij terwijl hij het bundeltje in zijn armen heen en weer schommelt.

'Hij heeft nog geen naam,' fluister ik. 'Ik durfde niet. Want dat maakt hem echter. En als hij echter is, gaat hij eerder dood.'

Hij kijkt me verbaasd aan. 'Ik dacht dat je meer spirit had. Het klinkt alsof je het al bij voorbaat hebt opgegeven.'

Ik geef geen antwoord.

'En als hij inderdaad doodgaat, hoe kun je dan rouwen om iemand die niet eens een naam heeft?'

Ik negeer zijn vraag. 'Waarom heb je het gedaan?' vraag ik hem.
'Wat?'

'Waarom heb je het dorp verlaten en heb je voor haar gezorgd? En hoe?'

Hij haalt zijn schouders op. 'Dat was ik aan jou verschuldigd. En aan je familie. Ik ben gevlucht; het kon me niet schelen wat er zou gebeuren als ze me zouden vinden. Het kon me niet schelen wat ze met me zouden doen. Wat hadden ze me nog meer kunnen aandoen? Ze hadden jou al van me afgepakt.'

Hij komt voorzichtig dichterbij. 'Ik hield van je. Altijd al.'

Ik kijk naar dat gezicht en in die ogen, die me achtervolgd hebben van het dorp naar het kamp, over de bergen en helemaal tot hier. Terwijl ik nooit wist of ze me verraden hadden, maar altijd heb aangenomen dat dat zo was. Terwijl ik nooit in staat was het laatste vleugje hoop te laten varen dat hij inderdaad om me gaf en daarom mezelf durfde toe te staan iets voor hem te voelen. Het geluk is eindelijk een keer met me geweest toen ik zijn stad binnenliep. Het heeft me de juiste straat gewezen, die me naar hem toe bracht.

Maar toch… tóch kan ik me nog niet helemaal aan hem overgeven.

'Het is hier niet veilig, Yoora. We kunnen niet blijven. Er is overal politie,' zegt hij. 'We zitten te dicht bij de grens. Ze zijn op zoek naar smokkelaars, mensen die de grens met China zijn overgestoken en spullen hierheen brengen om te verkopen. Of mensen zoals ik, die op de vlucht zijn zonder visum of vergunning of papieren. Mensen zonder een badge op hun borst of mensen met Chinese kleding of die Chinees voedsel eten.'

'Zijn we zo dicht bij de grens?'

'Het is een uur lopen naar de rivier.'

Ik kijk naar mijn moeders lichaam.

'Zij zou willen dat je gaat,' zegt hij.

'Dat weet ik.' Ik zucht. 'Maar… maar…'

Hij kruipt naar me toe, slaat zijn arm om me heen en trekt me tegen zich aan, mijn hoofd onder zijn kin. 'Bang?' vraagt hij. Ik knik.

'Maar je bent het dapperste meisje dat ik ken. Als ik bedenk wat je allemaal al gedaan hebt: twee jaar gevangenkamp overleefd, eruit ontsnapt, dat hele eind daarvandaan hierheen gelopen, jezelf in leven gehouden, en ook dit kindje. Je bent heel sterk en moedig. Je moet nu niet opgeven.'

Maar ik voel me helemaal niet sterk of moedig. En ik wil niet meer vechten. Ik heb het gevoel dat ik geen energie meer overheb. Zelfs niet om te huilen. Het enige wat ik wil, is gaan liggen en slapen.

'Ik kan het niet,' fluister ik. 'Ik ben op.'

'Maar je bent er bijna.' Ik voel zijn adem op mijn gezicht, zijn hand op mijn haar. 'We gaan samen.'

Ik voel mijn hoofd heen en weer bewegen op zijn ademhaling en ik zie de oogjes van mijn baby flikkeren terwijl hij droomt. Waar zou hij over dromen, vraag ik me af. Ik luister of er buiten geluiden zijn te horen: het geklets van mensen die langslopen, of een bal die tegen de muur aan stuitert, zingende meisjes die touwtjespringen of kinderen die gillen als ze elkaar achternazitten tussen de huizen. Maar niets van dat alles.

'Is de rivier koud?' vraag ik.

'IJskoud,' antwoordt hij.

'Zijn er bewakers?'

'Ik denk het wel,' fluistert hij.

'Zullen ze op me schieten als ze me zien?'

'Als ze je niet doodschieten, nemen ze je zeker gevangen en sturen je terug naar het kamp.'

'En... en als we aan de overkant zijn, als we de overkant tenminste halen, zijn we dan veilig?'

Hij zucht lang en diep. 'Nee. Als de Chinese autoriteiten ons vinden, sturen ze ons terug.'

Ik ken alle antwoorden al voordat ik de vragen stel, maar ik wil het hem horen zeggen, wil horen of hij de waarheid spreekt.

'Maar ze vinden ons niet, want we blijven daar niet,' gaat hij verder. 'We reizen verder, naar een ander land. Ergens waar we asiel kunnen aanvragen. Wij drieën.'

Ik sluit mijn ogen en knik. Ik denk aan grootvader en ik weet dat ik – dat we – moeten vertrekken. Ik weet dat dat het beste is. Hier in dit land is het niet de vraag óf ik gepakt word, alleen wannéér. Het is niet de vraag óf mijn kind in leven blijft, alleen wannéér hij zal sterven. Ik moet Sook vertrouwen.

En ik ben het aan mijn familie verplicht, aan mijn zoon en aan mezelf, om het te blijven proberen en door te gaan.

'Laat me eerst even uitrusten,' zeg ik. 'Dat heb ik nodig. Ik ben zo ontzettend moe. Een paar dagen maar.'

'Oké. Twee dagen dan. We moeten ook afscheid nemen van je moeder en haar begraven. Misschien wat extra eten verzamelen, en kleren.'

Ik knik.

Het besluit is genomen. Op die dag – de dag dat we gaan – zullen we vertrekken zodra de zon onder is, met de duisternis als bondgenoot, want die beschermt ons tegen nieuwsgierige blikken, en de wolken ook, hopen we, omdat ze het maanlicht tegenhouden. En dan steken we snel de bevroren rivier over, naar de veiligheid die ergens aan de andere kant op ons wacht.

Hopen we.

Hoofdstuk 51

De lucht wordt kouder. De zon gaat onder. Er kruipen schaduwen het schuurtje binnen en over het lichaam van mijn moeder. Sook probeert een plek te bedenken waar we haar kunnen begraven, terwijl ik met een bezwaard gemoed tussen haar spaarzame spulletjes naar warme kleding zoek die ik kan dragen.

Dan hoor ik de eerste schreeuw. En ik word overspoeld door angst. Als ik me naar Sook omdraai, zie ik de verschrikking in zijn ogen. Dan nog een schreeuw. En een snik. In de appartementen boven ons gaan de deuren open en ze worden weer dichtgegooid, voeten in het trappenhuis, huilende stemmen, gegil en gejammer.

'Wat gebeurt er?' fluister ik, maar hij schudt zijn hoofd en brengt een vinger naar zijn lippen om duidelijk te maken dat ik muisstil moet zijn. Hij loopt door de kamer en gluurt door de kier tussen de planken.

Ik doe mijn ogen dicht en luister, maar iedereen gilt en huilt door elkaar heen en ik kan er geen touw aan vastknopen.

'Sook?' fluister ik zo zachtjes mogelijk. 'Sook, ik ben bang.'

Een ogenblik lang staren we elkaar aan.

'Ik ook,' zegt hij, en hij wendt zich af. 'Ik ben zo terug,' mompelt hij. Meteen daarna is hij verdwenen, naar buiten voordat ik kan bedenken wat ik ervan vind of ertegenin kan gaan.

Ik ga maar op de koude grond zitten, naast mijn overleden moeder en met mijn kleine baby. Ik wacht en luister naar de wereld daarbuiten. Ik wacht tot de deur weer opengaat, hoop dat het Sook is die binnenkomt. Geen bewaker of soldaat of zelfs maar een buurman.

Ik zal me nooit veilig voelen als ik blijf, denk ik bij mezelf. Ik zal altijd op mijn hoede zijn.

Ik sluit opnieuw mijn ogen en wacht af. *Hij komt niet terug. Hij*

heeft ons in de steek gelaten. Hij is ons aan het aangeven. Hij haat me. Hij
heeft me in de val laten lopen. Alweer. En ik ben er weer ingetuind. Wat heb
ik gedaan? Hoe heb ik zo stom kunnen zijn om hem weer in vertrouwen
te nemen? Ze zullen ons komen halen, ons meenemen. En dan?

Mijn gedachten gaan met me op de loop. Er flitsen herinneringen en beelden door mijn hoofd. De vrouw die me helpt bij de bevalling. De verhalen die ze vertelt. De jongen die voor mijn ogen wordt doodgeschoten. De bewaker die me overvalt. De honger. De ellende. De wanhoop.

Wat zullen ze met ons doen, vraag ik me af.

Plotseling staat het antwoord me helder voor de geest. Ik laat ze niet winnen. Ik laat het niet zover komen dat ze mij of mijn kind iets aandoen. Ik maak mezelf van kant voordat zij dat kunnen doen. En eerst breng ik met eigen handen mijn kind om, zo snel en pijnloos als ik kan. Zodat hij niet onder hun handen sterft. Dat zal niet gebeuren. Dat laat ik niet gebeuren. Die voldoening gun ik ze niet.

Ik barst in huilen uit. Ik kijk naar het kleine gezichtje dat mij onderzoekend aankijkt. 'Het spijt me,' fluister ik. 'Het spijt me ontzettend.' Ik kruip over de vloer en tast met mijn handen rond, op zoek naar het mes dat ik gisteren heb laten vallen. En tegen mijn borst voel ik zijn hakkelende ademhaling en ik hoor zijn zachte kreetjes. 'Het spijt me heel, héél erg,' fluister ik.

Mijn hand raakt het lemmet en ik verstijf. Dan grijp ik het heft en til het mes op. Ik slaak een diepe, wanhopige zucht. Mijn hoofd tolt en het koude zweet loopt in straaltjes langs mijn lichaam. Achter me kraakt de deur en ik aarzel, draai me om en zie in de deuropening Sook staan. Er staat niemand naast hem.

'Wat... wat ben je aan het doen?' fluistert hij. Hij doet de deur achter zich dicht en laat zich op de grond naast me vallen.

Ik staar verward naar hem op, doodsbang en vertwijfeld, en ineens besef ik wat een stumperd ik ben. Wat een enorme uitwerking alles op me heeft gehad. De achterdocht die er in de loop der jaren bij me ingestampt is.

'Ik dacht...' snik ik. 'Ik dacht... Ik dacht...' Maar ik krijg de woorden niet over mijn lippen.

Ik voel dat hij zijn hand op de mijne legt. Hij bevrijdt het mes uit mijn greep en ik hoor het aan de andere kant van de kamer op de grond kletteren.

'Yoora toch,' zegt hij. Hij trekt me tegen zich aan en ik laat het toe. Laat toe dat hij zijn armen om me heen slaat en me stevig vasthoudt. Ik geef me over als hij mijn lichaam heen en weer wiegt. 'Ik zou je nóóit verraden en ik zal zorgen dat ze je nooit meer kwaad doen. Samen,' gaat hij verder, 'we doen dit samen. Wij drieën.'

Ik knik met mijn hoofd tegen zijn borst.

'Maar Yoora, luister, we moeten weg. We moeten nú vertrekken. Kim Jong-il is dood.'

Hoofdstuk 52

Ik had van alles verwacht, maar dit niet. Dit had ik zelf niet kunnen bedenken, nooit durven hopen, dromen of verlangen. Het is onmogelijk. Ik staar hem verbijsterd aan.

'Luister maar,' zegt hij. 'Hoor je wat ze buiten zeggen? Het is echt waar, Yoora. Ik heb het bij de buren op de televisie gezien. Anders had ik het zelf ook niet geloofd. Hij is dood. Hij is echt dood.'

Ik staar verdwaasd voor me uit, laat het nieuws tot me doordringen en probeer de volle omvang ervan te begrijpen. 'Hoe is het gebeurd?' vraag ik.

'Hartaanval.'

'Maar…'

'Ja, ik weet het,' zegt hij met een opgewonden uitdrukking op zijn gezicht. 'Hij is niet onwankelbaar,' voegt hij er op fluistertoon aan toe. Hij staat op en begint gehaast door de kamer te lopen en spullen te pakken. 'We moeten vertrekken, Yoora. Nu. We kunnen het niet langer uitstellen. We hebben geen tijd om…' Hij kijkt naar het lichaam van mijn moeder.

'Maar waarom? Dit betekent toch zeker dat alles voorbij is? Dat alles beter wordt? Nu kan er iets veranderen.'

Hij schudt zijn hoofd. 'Waarom zou er iets veranderen?'

'Omdat… omdat hij er niet meer is. We krijgen een nieuwe leider.'

'Ja, en raad eens wie dat wordt? Zijn zoon!' spuugt hij. 'Kim Jong-un. Op straat praten ze al over hem. Hij wordt onze *Grote Opvolger*. Alles blijft bij het oude. Net zoals toen Kim-Il-sung stierf en zijn zoon het stokje overnam. Weet je nog? Toen is er ook niets veranderd. Ze zijn allemaal hetzelfde, de ene zoon na de andere. Ze denken allemaal hetzelfde. Ze doen alles hetzelfde.'

Ik kijk hem aan en knik, nog steeds verbaasd, gechoqueerd.

'De staat van beleg is afgekondigd,' zegt hij, 'in de hele provincie.'

Hij staat op, zet een paar stappen naar de andere kant van de kamer en trekt een kastje open. 'Iedereen moet zich bij het stadskantoor melden en naar toespraken over Kim Jong-il luisteren.'

'Wat?' Ik sta op en loop naar hem toe. 'Maar…'

'En ze blokkeren alle uitvalswegen en zetten er politieposten neer om te zorgen dat mensen de stad niet in of uit kunnen.'

'Hoe weet je dat?'

'Iedereen heeft het erover.'

'Maar… is het dan niet beter om te wachten, ons hier schuil te houden?'

'Wat als ze ons zien? Of ons vinden? Of de baby horen huilen? Wat dan? Nee. We moeten nu gaan, nu we nog een kans hebben.'

Buiten onze vier muren hoor ik nog steeds tumult en geschreeuw en gehuil. 'Ze treuren om hem,' zeg ik. 'Allemaal. Huilen om hem.'

Hij knikt.

'Ik had verwacht dat ze blij zouden zijn.' Ik schud mijn hoofd. 'Ik begrijp er niets van.'

Ik kijk toe als Sook een paar kledingstukken in een tas stopt en de laatste restjes eten pakt die hij nog kan vinden. Ik kijk naar mijn moeder, en denk aan mijn vader, mijn grootmoeder en mijn grootvader. Er lijkt geen eind te komen aan mijn verdriet. 'Ik kan haar niet zomaar achterlaten,' zeg ik. 'We kunnen haar toch nog wel begraven voordat we vertrekken? Dat is wel het minste wat ik voor haar kan doen: haar een rustplaats geven. Alsjeblieft, Sook. Laat me dat doen voordat we gaan.'

Hij stopt met wat hij aan het doen is en kijkt me aan. Hij loopt naar me toe en legt zijn handen voorzichtig om mijn gezicht. 'Ik zou willen dat het kon, maar we hebben geen tijd. Ze gaan de grenzen sluiten,' zegt hij. 'Een avondklok instellen, meer bewakers stationeren. Als we nú niet gaan, Yoora, dan worden we gepakt.'

Ik wil me er niet bij neerleggen, wil niet akkoord gaan, wil mijn moeder hier niet laten liggen, laten wegrotten. Laten worden tot iets wat ze niet is.

'Dit is je moeder niet,' fluistert hij. 'Ze is er niet meer. Het enige wat je ziet, is het lichaam waarin ze woonde.'

'Ik stel haar teleur.'

'Nee.' Hij schudt zijn hoofd. 'Ze zal trots op je zijn. Ze wás trots op je. Dat heeft ze vaak gezegd.'

Het eerste stuk lopen we in stilte, door lege straten. We blijven zo dicht mogelijk bij de gebouwen, gluren om elke hoek of er geen bewakers lopen, of soldaten of politie of wie dan ook. Want als we iemand tegenkomen, zal diegene verwachten dat we huilen, rouwen, diepbedroefd zijn, overmand door verdriet: onze leider is immers dood.

En mocht iemand tegen ons beginnen te praten, dan zal die ons uitleggen dat we de verkeerde kant op lopen. We horen ons te melden bij een van de overheidskantoren; we horen te luisteren naar speeches en verhalen over zijn grootheid. We horen te rouwen.

Dat doe ik. Dat doen we allebei. Maar we rouwen niet om hem.

Misschien is het toeval, misschien waakt er iemand over ons of misschien hebben we voor deze ene keer geluk, want welk gebouw we ook passeren, welke straat we ook uitlopen, welk kruispunt we ook oversteken, we komen niemand tegen. En zo lopen we voorzichtig en langzaam de stad uit. We laten de flatgebouwen en huizen achter ons, waar zo veel tranen worden vergoten, en we lopen de kale velden in, het weidse landschap dat zich voor ons uitstrekt.

Het is een mooi land. Het landschap is sereen en kalm. Dat zal ik missen. Maar ik wil kunnen eten als ik honger heb, ik wil veilig en vrij zijn. Ik wil tijd kunnen doorbrengen met wie ik wil, kunnen denken wat ik wil en alleen beoordeeld worden om wie ik ben.

Net als jaren terug loop ik samen met Sook door de donkere nacht, maar nu in de hoop dat voorbij de rivier de vrijheid op ons wacht.

Terwijl we naar de rivier lopen – zo veel mogelijk tussen de bomen en struiken, en via de donkerste plekjes en paadjes – legt hij uit hoe hij geprobeerd heeft te voorkomen dat Min-Jee ons aangaf. Hij heeft haar uitgelegd dat het een slecht idee was om onze afspraakjes te willen tegenhouden. Hij heeft haar gewaarschuwd dat hij weg zou gaan als ze dat deed, dat hij niets meer met haar te maken wilde hebben. Maar het enige wat ze deed was hem uitgelachen en tegen hem zeggen dat hij een dwaas was, en alles zou verliezen als hij dat deed.

En hij vertelt hoe machteloos hij zich voelde; dat hij, toen hij moest toekijken hoe mijn vader werd geëxecuteerd, zijn tranen nauwelijks kon binnenhouden en het wilde uitschreeuwen; en dat hij mij toen overeind zag komen en wilde roepen dat ik moest vluchten, dat hij me achterna zou komen, dat het hem speet; en dat zijn moeder, toen hij achter me aan wilde gaan, hem bewusteloos heeft geslagen.

Hij legt uit hoe hij erachter is gekomen waar mijn moeder naartoe was gestuurd; dat hij diezelfde nacht is vertrokken, zonder afscheid te nemen van Min-Jee of een briefje te schrijven. Dat hij mijn moeder na een zoektocht van twee weken heeft gevonden en hoe ze voor elkaar gezorgd hebben, elkaar getroost hebben, en samen hebben gewacht en gehoopt dat een van ons terug zou keren. Ooit.

Hij vertelt me wanneer de voedselrantsoenen zijn gestopt en de hongersnood is begonnen. Dat ze moesten bedelen en stelen, alles hebben verkocht om te kunnen overleven, al was het maar een extra week, een dag, een uur. Dat ze steeds zwakker werd. En zieker. En ik geloof dat hij me de waarheid vertelt.

In de duisternis houden we elkaars hand vast en ik vraag me af of ik ooit echt mijn liefde voor hem ben kwijtgeraakt.

Hoofdstuk 53

Ik hoor de rivier al voordat ik hem zie: de slag van de ene golf tegen de andere, de dreun van water dat op de oever terechtkomt, geluiden waarmee iemand als ik niet vertrouwd is, omdat hij nooit iets breders heeft gezien dan een beekje dat door het landschap stroomt.

Daarna ruik ik hem: een frisse geur als die van de lenteregen op modder, vochtige aarde en nat gras.

We klauteren de steile helling van de heuvel op en pauzeren op de top, gehurkt, zodat eventuele bewakers ons niet kunnen zien in het maanlicht. We kijken langs de helling naar beneden.

Daar zien we de rivier: hij komt vanuit de verte aanstromen, strekt zich breed en zwaar voor ons uit en glijdt voorbij, waarna hij zwalkend, golvend en spetterend naar een verre plek verdwijnt. Wijd en majestueus, sterk en angstaanjagend.

Dit is hem: de rivier de Tumen.

Hij lijkt op een kronkelend beest of een slapende vijand, die je in de verleiding brengt dichterbij te komen en hem aan te raken, wacht tot je vlakbij bent en dan toeslaat en je opslokt. In de verte, er voorbij, eroverheen, erdoorheen ligt China.

We blijven even zitten, en kijken en luisteren vol ontzag en verwondering. De maan is een smalle sikkel, en het licht weerkaatst en glinstert op het wateroppervlak, dobberend en dansend, springend en huppelend. We vullen onze longen met de vochtige lucht. Onze gezichten worden zelfs nat.

Wat een water. En wat is de overkant ver weg.

Ik sla instinctief mijn armen en handen om mijn baby heen, en ik kijk omlaag naar zijn fijne gezichtje en knipperende oogjes.

Doen we hier goed aan, zou ik hem willen vragen. Het water ziet er zo diep uit, zo koud, zo gevaarlijk.

Sook tikt me op mijn arm en wijst naar een groepje bomen bij de oever. Ik knik en we lopen langzaam en voorzichtig de helling af.

'Ik dacht dat hij bevroren zou zijn,' fluistert hij als we onderaan gekomen zijn. 'Ik dacht dat we over het ijs zouden kunnen lopen.'

'Ik kan niet zwemmen,' flap ik eruit.

'Ik ook niet,' antwoordt hij, en zijn profiel draait mijn kant op. Ik hoor zijn tanden klapperen, maar ik weet niet of het van de kou of de zenuwen is. 'Ik denk niet dat het water diep is. Ik denk dat we naar de overkant kunnen lopen.'

'Dat wordt wel een koude wandeling, hè?'

We kijken allebei om ons heen. Van de kleuren in het landschap is niets meer over dan tinten grijs, zwarte randen en lichte vlekken. Boven ons is de hemel bezaaid met diamanten van twinkelende sterren, maar er zijn geen wolken die de vorst op afstand hadden kunnen houden. De rivier mag dan niet bevroren zijn, de grond onder ons is dat wel: keihard, pikzwart en bedekt met een dun laagje ijs dat kraakt onder onze voeten. En achter ons steken kale bomen de lucht in als beenderen uit dode aarde, broos en verbleekt.

En voor ons? Voor ons strekt zich een zwarte massa uit, duisternis, leegte, zonder details of vormen of oplichtende plekken. Een niets, het onbekende, een vacuüm dat onze route en ons lot voor ons verborgen houdt.

'Steenkoud,' antwoordt hij. 'Maar aan de overkant,' gaat hij verder terwijl hij in de verte wijst, 'krijgen we het weer warm. Denk daar maar aan.'

We hebben maar een paar bezittingen bij ons: wat extra ondergoed, een bord en beker, een mes en vork, wat reservekleding en doeken voor de baby. Alles zit in een tas gepropt die Sook draagt. Maar nu maakt hij die open en trekt er een paar plastic tassen uit. Hij geeft er een aan mij.

'Trek je kleren uit, Yoora, behalve je ondergoed, en stop ze in de tas. Dan binden we die dicht zodat ze droog blijven. Als we dan aan de overkant zijn, kun je ze weer aantrekken en ben je eerder warm.'

Ik kijk hem een seconde lang aan en aarzel. Ik schaam me, hoewel er in het nachtelijk duister niets te zien is. Langzaam begin ik mijn jas uit te trekken, dan mijn trui daaronder, steeds meer laagjes, totdat ik bij mijn baby ben die met zijn hoofdje tegen me aan ligt. Voorzichtig laat ik mijn broek zakken, waaronder mijn dunne benen zichtbaar worden. Ik trek mijn schoenen en sokken uit en stop alles in de tas.

Ik kijk niet naar Sook. Ik ben best benieuwd, maar ik geneer me voor dit uitkleden en voor onze bijna naakte lichamen. Ik probeer niet naar zijn lijf te kijken, dat vroeger sterker, fitter en gezonder was. Ik kijk alleen naar zijn gezicht en naar zijn hoofd of in zijn ogen.

Het kind ligt nog steeds in de zelfgefabriceerde draagdoek tegen me aan. Hij knijpt zijn ogen stevig dicht en trekt allerlei gezichten, verstoord en boos, zijn mondje gaat open om een kreet te slaken en zijn klacht te uiten.

Ik breng zijn gezicht naar het mijne en probeer met mijn adem zijn huid te verwarmen. Ik geef hem een kus op zijn wang.

'Ik neem hem wel,' fluistert Sook, en hij strekt zijn armen naar me uit; er bungelt een plastic tas aan zijn vingers.

'Waarom?' Hier had ik niet op gerekend.

'Ik ben langer dan jij. Ik kan hem droog houden.'

Ik kijk omlaag naar dit kleine wezentje, voor wiens leven ik verantwoordelijk ben, die zich helemaal aan mij – alleen aan mij – heeft toevertrouwd.

'En die tas dan?'

Hij zucht hoofdschuddend. 'Die wikkel ik om hem heen, over de dekens en doeken, voor het geval het water opspettert. Of voor als ik uitglijd.'

Hem vertrouwen kost me nog steeds de grootste moeite, en nu moet ik iemand volledig en zonder meer vertrouwen. Dit gaat om het leven van mijn kind. Ik aarzel. Denk na. Wacht. Waarop? Ik weet het niet.

'Yoora…'

'Ja, ik weet het.' Ik adem diep in en overhandig hem mijn zoon. Meteen voel ik me schuldig, en verdriet en woede liggen op de loer. Ik kijk toe als Sook het kind uit de draagdoek haalt, de dekens en doeken zo schikt dat ze zijn hoofdje ondersteunen, en hem dan in de plastic zak hult. Dan legt hij hem weer in de draagdoek en help ik hem die om te doen. Ik hijs de baby zo hoog mogelijk, tot net onder zijn kin.

En dan stappen we samen uit de beschutting van de bomen. Met alles wat we bezitten aan ons lijf gebonden, lopen we de paar meters die ons van het water scheiden.

Hoofdstuk 54

Mijn huid prikt niet zomaar van de kou, nee, hij schreeuwt het uit. Al mijn spieren verstrakken en al mijn zenuwen steken van de pijn. Ik bibber over al mijn ledematen en mijn adem brandt in mijn longen. Ik loop achter Sook aan over de bevroren grond, die in mijn voetzolen snijdt en bij elke stap de warmte uit mijn lichaam zuigt.

Bij de rand van het water gaat de modder over in stenen, die nog veel dieper in mijn huid drukken en snijden. Ik zet elke stap zo voorzichtig mogelijk, loop op mijn tenen, mijn lijf gespannen en mijn armen aan weerskanten uitgestrekt om in evenwicht te blijven. Mijn ogen schieten heen en weer langs de oever, zoekend en speurend, bang, doodsbang voor bewakers die ons staan op te wachten, hun geweer geheven, hun oog voor het vizier en hun vinger op de trekker.

En een glimlach op hun gezicht.

De duisternis, het sprankje maanlicht en de schaduwen houden me voor de gek: ik zie allerlei verborgen vormen die zich bewegen, onze kant op komen, ons insluiten. Het geluid van het water komt dichterbij, wordt duidelijker, luider. Het klotsen en slaan van water tegen de stenen gebeurt nu vlak voor mijn voeten. Ik hoor Sook ademhalen, eerst regelmatig en langzaam, maar dan steeds zwaarder en sneller, en soms stokt zijn adem ineens.

Ik til mijn ene voet op, zet hem voor me neer. Van schrik houd ik mijn adem in en sla mijn hand voor mijn mond om te voorkomen dat ik een gil slaak. Het water is zó koud, zó ongelooflijk koud.

Het voelt als duizend naalden in mijn huid, als honderd messen in mijn tenen, een pijn alsof er scherpe, puntige scherven ijs in mijn voeten dringen.

Dan zet ik mijn andere voet in het water. Ja, het doet pijn. Ja, het is koud, erger dan koud. Maar nee, ik ben niet van plan op te geven.

Ik zie de rug en schouders van Sook verstijven, zijn wervels drukken tegen zijn huid. Hij draait zijn gezicht mijn kant op met een vragende blik in zijn ogen. Ik knik en hij loopt verder.

Bij elke stap stijgt het water hoger langs mijn lichaam: het bereikt mijn enkels, kuiten, knieën, dijen. Als het water mijn buik raakt, stokt mijn adem van schrik en pijn. Ik blaas de lucht weer uit, snel, en adem vlug weer in. Ik haal snel en kort adem, anders doet het te veel pijn. Mijn hoofd begint te tollen en ik voel paniek opkomen. Er flitsen gedachten en beelden door me heen van Sook die valt, mijn kind dat verdrinkt, een geweerschot dat me raakt, en mijn lichaam dat stroomafwaarts drijft.

Houd op, zeg ik tegen mezelf. Houd daarmee op.

Ik denk aan mijn grootvader en stel me voor dat hij naast me loopt. Ik boots zijn regelmatige ademhaling en zijn kalmte na, ik zuig de ene ademhaling na de andere naar binnen en roep zijn woorden in herinnering: één stap tegelijk, één voet voor de andere.

Het water kruipt omhoog tot aan mijn borst, maar ik denk alleen maar aan ademhalen en aan één voet optillen en neerzetten, en dan de volgende voet. Bij elke uitademing zie ik een wolkje witte lucht voor me, dat verdwijnt op de koude bries.

Is het nog veel verder? Wordt het nog veel dieper? Nee, niet aan denken. Wat als mijn kindje nat wordt? Nee, genoeg nu.

De kou is bitter, wreed en schrijnend. Mijn lichaam is zwaar en mijn benen zijn verdoofd. De rivierbedding gaat van stenen over in modder en ik voel mijn voeten wegglijden en wegzakken. Elke stap vergt een enorme inspanning. Nog steeds wordt het water dieper. Het bloed klopt in mijn oren. Er drijft iets voorbij dat mijn benen raakt, een plant of een tak. Ik kijk omhoog naar de hemel, die pikkedonker is, maar vol helder stralende sterren staat. En ik kijk voor me, naar de overkant: een zwarte leegte.

Bijna, zeg ik tegen mezelf, we moeten er nu bijna zijn.

Sook draait zich weer om, zijn gezicht ziet er gepijnigd en vertrokken uit, zijn huid is spookachtig wit en ik kan ook de vormen van mijn kindje zien. Hij kijkt weer voor zich en terwijl hij dat doet, schuift de maansikkel achter een wolk en verdwijnt alles.

Wordt het nog dieper?

Ik zet nog een stap, een klots, een spetter, de stroom die aan me trekt. Nog een stap. In donkerte. In leegte. Het water tot aan mijn hals, mijn kin omhoog getild.

Wordt het nog dieper?

Nog steeds donker.

Ze kunnen ons niet zien. Zelfs als ze er zijn, kunnen ze ons in deze duisternis niet zien.

Ik haal diep en rustig adem. Ik hoor een zacht geluidje van de baby, en daarna een liefdevol, sussend geluid van Sook. Het water reikt nog steeds tot aan mijn hals.

Nog een stap. Nog een stap, zeg ik tegen mezelf. Ik tel. Tot vijf, en dan is het water bij mijn schouders. Tot tien, en ik geloof dat het weer een stukje lager is. Tot twintig en het is bij mijn borst. En nauwelijks merkbaar veranderen de geluiden: van mijn armen die door het water glijden, van de klappen van de golven tegen de oever.

Ik zucht. Hoor Sook een eindje voor me, zijn benen plonzen in het water. Het klinkt alsof het ondiep is en hij grote stappen kan zetten. Ik voel een glimlach over mijn gezicht trekken. Ik voel opluchting.

Nog een stap. Maar de grond onder mijn voeten glijdt weg en verdwijnt. Voor me daalt plotseling de bedding en mijn voet vindt geen steun. Het water is ineens diep en lokt me in de val. Ik glijd onderuit en grijp met mijn armen in het rond, in het niets. Mijn lichaam en mijn hoofd verdwijnen onder water. De kou perst mijn longen dicht en beneemt me de adem.

Ik zie niets. Voel alleen de kou, ijzig, als scherpe dolken die overal in mijn lichaam dringen. Geluiden zijn gedempt en chaotisch. Angst en paniek maken zich meester van me en trekken me naar beneden. Ik voel mijn hoofd weer boven water komen en ik zuig lucht in mijn longen, probeer te schreeuwen, maar ik ben al weer onder water. Ik schop met mijn benen; mijn armen zwiepen om me heen. Weer komt mijn hoofd boven. 'Sook!' roep ik, en ik ben weer onder.

Ik heb geen kracht. Kan niet vechten. Kan niet ademhalen. Kan de grond onder me niet vinden, de lucht boven me niet. Mijn hoofd bonkt en mijn longen branden en schreeuwen. Dan daalt de kalmte over me neer.... Er dansen lichtjes voor mijn ogen. Mijn benen houden op met trappen, mijn armen hangen langs mijn lijf en de stroom voert me mee.

Nu is het afgelopen. Verder dan hier kom ik niet.

Hoofdstuk 55

In de seconden die volgen, geloof ik echt dat het afgelopen is.

Ik heb veel bereikt, ik ben ver gekomen, ik heb hard gevochten, maar nu is het voorbij. Dit is het einde.

Het spijt me, grootvader, zeg ik in gedachten terwijl het water om me heen bruist en borrelt, maar ik kan geen stap meer zetten.

Het spijt me, grootmoeder, dat ik je boos heb gemaakt.

Het spijt me, vader, dat ik je niet geloofde.

Het spijt me, moeder, dat ik je niet eerder heb bereikt.

En het spijt me, kleine jongen van me, dat je me nooit zult kennen.

En ik was zó dicht bij de vrijheid.

Maar dan voel ik een paar handen die me beetpakken en word ik wakker van de koude lucht op mijn gezicht. Ik zie zijn gezicht voor me, dat naar lucht hapt en me indringend aankijkt. Zijn lichaam beeft en het water druipt uit zijn haar, over zijn gezicht, waar het zich mengt met tranen, terwijl hij me overeind houdt met meer kracht dan ik voor mogelijk had gehouden.

Sook.

Ik zuig lucht in mijn longen, zo diep als ik kan; mijn hoofd en alles om me heen tolt en draait en schommelt. Mijn benen zijn te slap om me te dragen en mijn lijf schokt en bibbert zo erg dat ik niet stil kan staan. Hij slaat zijn arm om me heen en leidt me de oever op. Het is maar tien stappen lopen, dan ben ik er. Hij legt me voorzichtig op de grond, naast mijn kindje.

Ik leef.

Ik kijk naar hen beiden.

Wij leven.

Met onze droge kleren aan staan we samen op het strand en kijken over het uitgestrekte water naar ons oude land, dat een paar honderd meter verderop in de duisternis ligt verscholen. Al die geheimen, al die mensen, al die leugens, allemaal voor waar gehouden. Zal er iets veranderen nu ze een nieuwe leider hebben? Zullen we dat ooit te weten komen?

Ik vul mijn longen met schone, frisse lucht. De lucht van vrijheid. De lucht van mijn toekomst. En ik lach naar de jongen, nee, de man die naast me staat, die het begin is geweest van deze reis, lang geleden en ver terug in ons geheugen, ver weg in dat dorp.

Ik heb geluk gehad. Veel geluk. En dat zal ik nooit vergeten.

In mijn armen begint de baby zachtjes te huilen. We verlaten de rivieroever en klimmen een eindje de helling op, waar we ons verschuilen tussen de struiken. Daar geef ik hem te drinken, nog steeds bang dat we gezien zullen worden, gevonden worden. Misschien waren er de afgelopen nacht bij dat gedeelte van de rivier geen soldaten of bewakers, of misschien hebben ze ons gewoon niet gezien, misschien waren ze zó verdrietig om het verlies van hun Geliefde Leider, dat ze door hun tranen niets konden zien. Het doet er niet meer toe.

Ik luister naar de zachte geluiden om me heen: kabbelend water, ruisende bladeren, de nasale geluidjes van mijn drinkende de baby, de ademhaling van de man van wie ik houd, en ik voel me ontspannen.

'Je moet hem Hyun-su noemen,' fluistert Sook. 'Naar je grootvader.'

Natuurlijk, denk ik.

Ik kijk uit over de rivier en denk terug aan het andere leven dat ik daar heb achtergelaten, samen met al die mensen van wie ik zo veel heb gehouden: mijn moeder en vader, mijn grootmoeder en, natuurlijk, mijn grootvader. De dapperste man die ik ooit heb gekend en die ik – dat weet ik – nooit meer terug zal zien, die zichzelf de schuld heeft gegeven van alles wat ons overkomen is, net zoals ik het gevoel had dat het mijn schuld was. Die me gered heeft, niet alleen met zijn daden, maar nog meer met zijn woorden.

De lucht wordt lichter, terwijl de zon aan een nieuwe dag begint, een nieuw leven voor ons. Oranje, geel en rood lopen door het blauw heen, zo helder dat het pijn doet aan mijn ogen en al het andere doet vervagen.

Boven me hoor ik een geluid en ik kijk omhoog naar de hemel, waar ik een prachtig schouwspel zie: een formatie ganzen in een V-vorm, hun lange halzen gestrekt en hun vleugels door de lucht bewegend.

Ze zijn laat aan hun reis begonnen, denk ik bij mezelf, maar ze gáán.

In mijn zak zit nog steeds de ansichtkaart: de stad van mijn dromen, de stad van licht. Ik bewaar hem voor als het moeilijk wordt, voor als de twijfel toeslaat of we het wel zullen halen. Dan zal ik terugdenken aan die ramen die oranje en geel en wit verlicht zijn, het rood dat zich mengt met het groen van de straatborden, roze en blauw op de winkelpuien, flikkerende neonletters en afbeeldingen, de geuren van de afhaalrestaurants en eettentjes, en het ritme van de muziek.

Ik weet nu dat het echt is. En dat ik op een dag de ansichtkaart niet meer nodig zal hebben omdat ik daar zelf ben, hoop ik, en al die dingen om me heen kan zien en horen en ruiken. En op die dag scheur ik die ansichtkaart doormidden, en nog eens en nog eens, en laat ik de snippers meenemen door de wind, als herfstbladeren die dansen op de bries.

Ik sta op en slaak een diepe zucht. En met Hyun-su in mijn armen en Sook naast me, mijn nieuwe gezin, draai ik me glimlachend om en loop bij de rivier vandaan.

Ik heb geen idee hoeveel kilometer ik al heb afgelegd. Ik weet ook niet hoeveel kilometer ik nog voor de boeg heb. Maar ik maak me geen zorgen meer en ik ben niet langer bang.

Denk aan grootvader, zeg ik tegen mezelf, denk aan zijn woorden.

En ik zet één stap.